O CONTO BRASILEIRO CONTEMPORÂNEO

CB028412

O CONTO BRASILEIRO CONTEMPORÂNEO

Seleção de textos, introdução
e notas bibliográficas por

ALFREDO BOSI
(da Universidade de São Paulo)

Editora
Cultrix
SÃO PAULO

A primeira edição deste livro foi coeditada com a Editora da Universidade de São Paulo.

Texto de acordo com as novas regras ortográficas da língua portuguesa.

1ª edição 1975.
16ª edição 2015.

Todos os direitos reservados. Nenhuma parte deste livro pode ser reproduzida ou usada de qualquer forma ou por qualquer meio, eletrônico ou mecânico, inclusive fotocópias, gravações ou sistema de armazenamento em banco de dados, sem permissão por escrito, exceto nos casos de trechos curtos citados em resenhas críticas ou artigos de revistas.

A Editora Cultrix não se responsabiliza por eventuais mudanças ocorridas nos endereços convencionais ou eletrônicos citados neste livro.

Editor: Adilson Silva Ramachandra
Editora de texto: Denise de C. Rocha
Coordenação editorial: Roseli de S. Ferraz
Produção editorial: Indiara Faria Kayo
Assistente de produção editorial: Brenda Narciso
Revisão: Débora Sandrini
Projeto gráfico e editoração eletrônica: Ponto Inicial Estúdio Gráfico

Dados Internacionais de Catalogação na Publicação (CIP)
(Câmara Brasileira do Livro, SP, Brasil)

O Conto brasileiro contemporâneo / seleção de textos, introdução e notas bibliográficas por Alfredo Bosi. -- 16. ed. -- São Paulo : Cultrix, 2015.

ISBN 978-85-316-1251-0

1. Contos brasileiros I. Bosi, Alfredo.

15-05244   CDD-869.3

Índices para catálogo sistemático:
1. Contos : Literatura brasileira 869.3

Direitos reservados EDITORA PENSAMENTO-CULTRIX LTDA.
Rua Dr. Mário Vicente – 368 - 04270-000 – São Paulo, SP
Fone: (11) 2066-9000 – Fax: (11) 2066-9008
E-mail: atendimento@editoracultrix.com.br
http://www.editoracultrix.com.br
Foi feito o depósito legal

SUMÁRIO

SITUAÇÃO E FORMAS DO CONTO BRASILEIRO CONTEMPORÂNEO 7

GUIMARÃES ROSA 27
    MEU TIO O IAUARETÊ 33
    DESENREDO 71
    SINHÁ SECADA 75

MOREIRA CAMPOS 79
    AS VOZES DO MORTO 81

JOSÉ J. VEIGA 85
    A USINA ATRÁS DO MORRO 87
    A MÁQUINA EXTRAVIADA 101

BERNARDO ÉLIS 105
    A ENXADA 107

MURILO RUBIÃO 133
    A FLOR DE VIDRO 135
    OS TRÊS NOMES DE GODOFREDO 139

OTTO LARA RESENDE 149
    GATO GATO GATO 151

LYGIA FAGUNDES TELLES 157
    A ESTRUTURA DA BOLHA DE SABÃO 161
    AS CEREJAS 167

OSMAN LINS 177
    RETÁBULO DE SANTA JOANA CAROLINA 181

DALTON TREVISAN 219
    BONDE 223
    O CICLISTA 225

- Apelo 227
- Cemitério de Elefantes 229
- Eis a Primavera 233

Autran Dourado 237
- As Voltas do Filho Pródigo 241

Clarice Lispector 261
- O Búfalo 265
- Feliz Aniversário 273
- Menino a Bico de Pena 285

Rubem Fonseca 289
- O Exterminador 293

Os Músicos 303

Samuel Rawet 305
- Gringuinho 307

Ricardo Ramos 311
- Circuito Fechado (4) 313
- Circuito Fechado (5) 315

João Antônio 317
- Frio 321

Moacyr J. Scliar 329
- Pausa 333

Nelida Piñon 337
- Colheita 339

Luiz Vilela 347
- Eu Estava Ali Deitado 349

SITUAÇÃO E FORMAS DO CONTO BRASILEIRO CONTEMPORÂNEO

ALFREDO BOSI

O conto cumpre a seu modo o destino da ficção contemporânea. Posto entre as exigências da narração realista, os apelos da fantasia e as seduções do jogo verbal, ele tem assumido formas de surpreendente variedade. Ora é o quase documento folclórico, ora a quase crônica da vida urbana, ora o quase drama do cotidiano burguês, ora o quase poema do imaginário às soltas, ora, enfim, grafia brilhante e preciosa votada às festas da linguagem.

Esse caráter plástico já desnorteou mais de um teórico da literatura ansioso por encaixar a forma-conto no interior de um quadro fixo de gêneros. Na verdade, se comparada à novela e ao romance, a narrativa curta condensa e potencia no seu espaço todas as possibilidades da ficção. E mais, o mesmo modo breve de ser compele o escritor a uma luta mais intensa com as técnicas de invenção, de sintaxe compositiva, de elocução: daí ficarem transpostas depressa as fronteiras que no conto separam o narrativo do lírico, o narrativo do dramático.

Proteiforme, o conto não só consegue abraçar a temática toda do romance, como põe em jogo os princípios de composição que regem a escrita moderna em busca do texto sintético e do convívio de tons, gêneros e significados.

O CONTO: SITUAÇÕES

Um olhar de relance dado a esta antologia basta para reconhecer alguns dos caminhos que os contistas percorreram entre nós depois que se calaram as vozes fortes do Modernismo ou dos seus arredores: Mário de Andrade, Antônio de Alcântara Machado, Anibal Machado, João Alphonsus.

Quanto à invenção temática, o conto tem exercido, ainda e sempre, o papel de lugar privilegiado em que se dizem situações exemplares vividas pelo homem contemporâneo.

Repito a palavra-chave: situações. Se o romance é um trançado de eventos, o conto tende a cumprir-se na visada intensa de uma situação real ou imaginária, para a qual convergem signos de pessoas e de ações e um discurso que os amarra.

É provável, também, que o "efeito único" exigido por Edgar Allan Poe de todo conto bem feito não resida tanto na simplicidade do entrecho ou no pequeno número de atos e de seres que porventura o habitem; o sentimento de unidade dependerá, em última instância, de um movimento interno de significação, que aproxime parte com parte, e de um ritmo e de um tom singulares que só leituras repetidas (se possível, em voz alta) serão capazes de encontrar.

Diz Poe: "Um escritor hábil construiu um conto. Se foi sábio, não afeiçoou os seus pensamentos para acomodar os seus incidentes, mas, tendo concebido com zelo deliberado um certo efeito único ou singular para manifestá-lo, ele inventará incidentes tais que combinará eventos tais que melhor o ajudem a estabelecer esse efeito preconcebido. Se a sua primeira frase não tender à exposição desse efeito, ele já falhou no primeiro passo. Na composição toda, não deve estar escrita nenhuma palavra cuja tendência, direta ou indireta, não se ponha em função de um desígnio preestabelecido" (*Graham's Magazine*, maio de 1842).

A invenção do contista se faz pelo achatamento (invenire = achar, inventar) de uma situação que atraia, mediante um ou mais pontos de vista, espaço e tempo, personagens e trama. Daí não ser tão aleatória ou inocente, como às vezes se supõe, a escolha que o contista faz do seu universo. Na história da escrita ficcional, esta nega (conservando) o campo de experiências que a precede. Da dupla operação de transcender e reapresentar os objetos, que é própria do signo, nasce o tema. O tema já é, assim, uma determinação do assunto é, como tal, poda-o e recorta-o, fazendo com que rebrote em forma nova. Toda determinação é, como ensina a velha Lógica, um modo de pôr termos às coisas: demarcá-las de tal sorte que avance para o primeiro plano simbólico só aquele aspecto, ou aqueles aspectos, que interessa tratar. *Omnis determinatio negatio est.*

Durante esse processo de busca e invenção enfrentam-se o narrador e o fluxo da experiência: este acabará sendo a substância narrável, aquela "matéria vertente" de que fala Riobaldo no *Grande Sertão*. O narrável vai-se formando, de frase a frase, mediante a operação da escrita ficcional: é esta que sonda, no universo possível, móvel e aberto da existência, aquelas situações que vão ser significadas e resolvidas em tema e em estilo.

Há uma relação muitas vezes agônica entre a opção narrativa e o mundo narrável. E, na verdade, só quando é vital e apaixonado esse momento criativo é que se constrói uma narrativa esteticamente válida. Aquém da tensão, o conto não passa de crônica eivada de convenções, exemplo da conversa ou da desconversa média, lugar-comum mais ou menos gratuito. Ou ainda, requentado maneirismo.

Cruzado por dentro o limiar do tema, é necessário conhecer o registro a que vai ser submetida a matéria: se realista documental, se realista crítico, se intimista na esfera do *eu* (memorialista), se intimista na esfera do *Id* (onírico, visionário, fantástico), se experimental no nível do trabalho linguístico e, nesse caso, centrífugo e, à primeira vista, atemático.

De qualquer forma, a invenção já terá superado, enquanto ato estético, as oposições externas, peculiares ao assunto (*urbano/rural; regional/universal; psicológico/social...*). A preferência por certos assuntos e o desdém de outros não vigem na ordem da arte: provêm de um embate ideológico mal situado. E quanta bílis se pouparia se ficasse bem claro este ponto: ser a favor ou contra o regional, a favor ou contra o universal, não faz sentido como juízo literário: é, no fundo, projeção indiscreta de ideologias grupais.

Mas, na análise do texto, o desfoque pode corrigir-se se o leitor é capaz de surpreender no *ponto de vista* o coração do momento inventivo. Em face da História, rio sem fim que vai arrastando tudo e todos no seu curso, o contista é um pescador de momentos singulares cheios de significação. *Inventar,* de novo: descobrir o que os outros não souberam ver com tanta clareza, não souberam sentir com tanta força. Literariamente: o contista explora no discurso ficcional uma hora intensa e aguda da percepção. Esta, acicatada pelo demônio da visão, não cessa de perscrutar situações narráveis na massa aparentemente amorfa do real. E, entre nós, o que tem achado?

Situações históricas vistas na sua tipicidade extrema, e que podem incidir, por exemplo, no fato nu da exploração do homem pelo homem, no campo ("A Enxada", de Bernardo Elis). Ou a mesma violência pode encarnar-se nas relações de família, no seio da classe média em uma capital provinciana: a Curitiba de cuja face prosaica os contos de Dalton Trevisan arrancam o calvário da vida conjugal, as humilhações do homem da rua, as obsessões do sexo desintegrado.

A percepção pode reconhecer as lesões de vários graus que a sociedade de classes não cessa de produzir no tecido moral do anti-herói contemporâneo; lesões que vão da subvida do pequeno marginal das histórias pungentes de João Antônio, que se passam nos bairros deteriorados de São Paulo, à subvida dos altos marginais cariocas, empresários de boxe, executivos em férias, agentes da prostituição grã-fina: mundo de *Lúcia McCartney,* de Rubem Fonseca.

É ainda a sociedade de consumo que se reinventa pelo miúdo no elenco de objetos e hábitos compulsivos, matéria dos textos curtos e substantivos de *Circuito Fechado,* de Ricardo Ramos; ou na prosa febril do mesmo Rubem Fonseca faz-se a antevisão da metrópole de robôs na qual os seres diferentes serão liquidados com metódica perfeição ("O Exterminador").

A mesma tensão com o presente leva à radiografia do todo pela exibição das suas partes ósseas e ingratas: o conto "Pausa", de Moacyr Scliar, tirado de *O Carnaval dos Animais,* dá o sumo de um destino no lapso de algumas horas vividas ou sonhadas no pesadelo de uma Porto Alegre morna e repetitiva até à náusea.

Mas há também a relação dramática com o passado, reino da posse e da perda. O convívio da consciência com a memória tem produzido um intimismo de situações novas, algumas ousadas e desafiadoras. Recuperar a imagem do que já foi, mas que ficou para sempre, é o esforço bem logrado da prosa ardente de Lygia Fagundes Telles ("Cerejas", "Estrutura da Bolha de Sabão"), é a arte atentíssima de Autran Dourado (*Solidão Solitude* e os episódios rejuntáveis de *O Risco do Bordado*), é o jogo sinuoso de Osman Lins (*Nove Novena*). Inventores e restauradores, todos, do passado singular ou grupal. "A tônica" – diz Autran do seu livro – "é a memória"[1]. "Aliás, o escritor escreve é sobre o passado. Quem escreve sobre o presente é o jornalista"[2].

Mas o melhor conto brasileiro tem procurado atingir também a dimensão metafísica e, num certo sentido, atemporal, das realidades vitais: Guimarães Rosa foi mestre na passagem do fato bruto ao fenômeno vivido, da descrição à epifania, da narrativa plana à constelação de imagens e símbolos; mas tudo isso ele o fez com os olhos postos na mente sertaneja, remexendo nas relações mágicas e demoníacas que habitam a religião rústica brasileira.

A invenção romanesca de Guimarães Rosa guarda fundas analogias com o "materialismo" animista do vaqueiro e do jagunço. A sua perspectiva parece ser o transplante letrado de uma certa visão primitiva ou arcaica das coisas à qual ele procurou ser poeticamente fiel.

Mas a solução Guimarães Rosa não pôde impor-se como único modelo. A sua extrema originalidade nascia de uma conjunção rara, talvez irrepetível: o diálogo de uma solerte cultura linguística e literária com as mais caudalosas fontes da psique e da mitologia sertaneja.

A necessidade do encontro literatura-sertão vem de longe: foram os românticos, Alencar, Bernardo Guimarães, Taunay, Varela, entre outros, os que pela primeira vez se deixaram fascinar pela vida rural ainda resistente a modos de ser da sociedade burguesa em progresso no Brasil do século 19. Mas desde esses passos iniciais do

---

1 "Sim, O Risco do Bordado é não apenas um livro de memórias imaginárias, mas um livro da memória, um livro temporal, que não quer dizer cronológico. (...) A tônica é a memória. A memória do autor e do leitor, cuja colaboração e identificação é solicitada" (Uma Poética de Romance, S. Paulo, Perspectiva-INL, 1973, pág. 68).
2 Em "Matéria de Carpintaria", texto mimeografado, Rio, PUC, Departamento de Letras e Artes,1974, pág. 18.

nosso regionalismo, ficava à mostra o descompasso entre o projeto cultural e a realização estética. O convívio só de raro em raro diminuía o intervalo aberto entre as duas linguagens: a dominante, trazida pelo narrador culto, e a dominada, que se reduzia a matéria passiva, pitoresca, pseudofolclórica. O resultado era fazer do mundo rústico um pretexto para expor o seu caráter diferente: rude, tosco, bárbaro, impulsivo. Daí para a criação de um estilo típico e convencional, o passo era curto. Deram-no os naturalistas com grande presteza.

A distância que já mediava entre o narrador e o seu assunto alargou-se notavelmente quando se interpôs entre ambos a tela da ciência evolucionista. Reprimida que foi a bela empatia romântica com a vida agreste, restou uma atitude "objetiva", que pretendia explicar o rústico e o arcaico em termos de atraso ou de decadência. Folclore e patologia dão-se as mãos na prosa de Coelho Netto, de Inglês e Sousa, de certo Lobato, de certo Alcides Maya e de muita subliteratura sertanista composta entre o Naturalismo e o Modernismo. São crônicas foscas e melodramáticas cheias de tipos que sabem ao anormal, ao grotesco, ao macabro.

Desse falseamento ideológico e tonal do mundo rústico salvam-se, pelo menos, dois narradores: Valdomiro Silveira que, nos *Caboclos,* se afastou da convenção naturalista e, beirando o puro registro folclórico, preencheu quanto pôde o hiato aberto entre a matéria caipira e uma escrita culta de talhe clássico; e Simões Lopes Neto (o nosso maior regionalista antes de Guimarães Rosa) cujos contos se produziram em uma linha de recriação metafórica da vida gaúcha. A descida sem preconceitos às matrizes da vida rural permitiu a Valdomiro e a Simões Lopes manter o equilíbrio entre a intenção documental e uma forma narrativa capaz de sugerir estados líricos, patéticos ou, mais raramente, satíricos.

Quanto ao Modernismo paulista de 22, não centrou seus interesses na formação de uma poética regionalista; foi em direção a mitologias globais, chamadas *Pau-Brasil, Retrato do Brasil, Macunaíma, Antropofagia* e *Martim Cererê,* que se articulou a sua relação estética com o espaço nacional. Era o momento áureo do primitivismo como eixo artístico da cultura brasileira.

Depois de 30, sim, começam a desenhar-se as novas fisionomias regionais; mas já não é tanto a vida arcaica e mitizável que afeta os narradores da província, quanto a sua crise material, e, daí, a depressão que se estende da cidade ao campo, ambos cada vez mais invadidos pela frente capitalista do primeiro pós-guerra.

O regionalismo do Nordeste é, em geral, lúcido e crítico, mesmo quando se enreda em estruturas memoriais, nostálgicas (caso do *Menino de Engenho*, de José Lins do Rego), ou explora os círculos do inferno subjetivo, como no Graciliano de *Angústia*. É um "regionalismo" voltado para a cultura dominante com a qual quer dialogar em gritos ou em discurso, ora evocando em surdina um passado em destroços (*Fogo Morto*), ora falando do presente com a voz cortada e rouca do protesto (*Vidas Secas*).

Com Guimarães Rosa parece que cessa a urgência desse diálogo. O mito, posto aquém ou além do drama, tende, na sua forma ultimada, a fechar-se às contradições com a sociedade englobante; e goza, no reino encantado da narração poética, as infinitas riquezas do seu próprio ser. "Mas o Buriti bom era um belo poço parado. Ali nada podia acontecer, a não ser a lenda." Toma conta das coisas, dos animais e das pessoas uma dimensão mais ampla, uma aura que não é a do dia a dia normal e socializado: são forças cósmicas, eróticas e sagradas, que agem no coração de cada vivente e o empurram para realizar o seu destino.

A forma interna dessa comunhão de sujeito e mundo é um estilo que reativa as potências sonoras e simbólicas da palavra. Não se trata de uma simples volta ao vocabulário arcaico ou à frase coloquial sertaneja: isso já se fizera na presa realista de Valdomiro Silveira e de Simões Lopes Neto; trata-se de estender os princípios criadores da língua mitopoética a todo o tecido narrativo. A palavra nova não é o puro neologismo, pois retoma um processo de formação que vem de longe, de muito longe; assim, de um salto, o tempo é abolido, e o signo – arcaico e moderno – simula o eterno presente. A frase, por sua vez, estranhamente livre, truncada e revolta, parece às vezes driblar o nexo fundamental que une predicado a sujeito. É a hora de fazer cintilar o nome, imagem da substância, misterioso, além ou aquém das determinações verbais. O *Menino. A Alegria. O Medo. O Rio. A Moça, imagem. O Sol inteiro. O absurdo ar. O ensimesmo. O nenhum.*

Guimarães Rosa busca na semântica do insólito o seu modo de responder a situações singulares extremas que fazem contraponto à outra literatura, a de situações típicas e médias da civilização moderna. O que o seduz é a menina franzina que sonha e inventa o cotidiano, as loucas que cantam na esplanada da estação, os bois que falam do homem e os homens que inventam o boi, o morro que fala, o jagunço que vira santo, o paetário que nega o demo, a donzela que é guerreira, a meretriz que sabe dar o mais puro amor. E, dada a alta coerência estética das narrativas, a exceção vira regra: "Ninguém é doido. Ou então, todos." O mito é a verdade do coração: *pensamento: pensamôr*. A quadrinha no meio do texto canta o triunfo da imaginação sobre a realidade:

> *Encontrei Melim-Meloso*
> *fazendo ideia dos bois;*
> *o que ele imagina em antes*
> *vira a certeza depois*
> (Tumateia, pág. 94).

Quando a sorte ou a fantasia não intervém (o que é raro), os males sofridos pelas personagens convertem-se em sabedoria. O ritmo do sertão, que é o ritmo da Necessidade, a eterna *Anankê*, deixa coexistirem os aspectos opostos da vida para resolvê-los em uma unidade mais profunda. Daí, o tom de quase provérbio que convém à leitura de boa parte dessas narrativas exemplares.

Se voltamos agora os olhos para a versão existencial que do "mundo" procura dar Clarice Lispector, veremos um esforço mais árduo e, por força, menos poderosamente uno do que a metáfora do sertão que sai das páginas de Guimarães Rosa. Quando já não há uma firme rede mitológica de base, perdidas ou estancadas que foram as fontes da sabedoria tradicional, o espírito paira inquieto sobre as coisas e as pessoas e, não sabendo que sentido lhes atribuir, faz da vida uma constante perplexidade. A que não responde o discurso psicológico simples, julgado rotineiro, falseador. Então, é preciso descobrir, se não reinventar, o caminho que vai do eu narrativo aos objetos. Esta pesquisa é o cerne da invenção temática de Clarice, quer fale de desencontros em família, quer fale de crianças ou de animais opacos e encerrados no seu mistério vital.

Mas não é o mistério tematizado e, até certo ponto, feito de propósito para produzir perfis de estranheza, como o que se dá no conto espectral de Murilo Rubião ou no conto anfíbio, meio documento, meio fantasia, de José J. Veiga, mineradores ambos dos veios insólitos da experiência. O fantástico irrompe, nestes, como o intruso no ritmo do cotidiano; e o evento novo, que poderia soar apenas imprevisto e aleatório, passa a exercer, na estrutura profunda da trama, a função de revelador de um processo inexorável na vida de um grupo ("A Usina atrás do morro", de J. J. Veiga), ou na vida de um homem ("A Flor de Vidro", de Murilo).

Não é esse, repito, o sulco traçado pela palavra de Clarice Lispector, que avança para uma estranheza mais radical, dispensando as armas da magia, desde que o seu espanto vem de constatar o que o senso comum já aceita sem surpresa: por exemplo, o fato banal e infinitamente misterioso de que *existem*, fora e além do eu, as coisas e outras consciências.

A revelação se faz, em *Laços de Família,* um processo imanente à percepção, ao passo que nas páginas da literatura fantástica ela depende dos sortilégios do mundo.

OS TRABALHOS DA EXPRESSÃO

Quando se passa das vertentes temáticas às conquistas formais do conto brasileiro de hoje, vê-se que não se deu em vão a intensa experiência estética que foi o Modernismo.

Aqui, porém, é bom distinguir entre os frutos primeiros das vanguardas de 1920/30, ora futuristas ora expressionistas (penso na prosa experimental de Oswald de Andrade, de Mário de Andrade e, em parte, de Antônio de Alcântara Machado), e a condição de um realismo novo e depurado, que se formou depois de 30: a crônica límpida de Rubem Braga, a prosa nua de Graciliano Ramos, de José Lins do Rego, de Jorge Amado, de Érico Veríssimo, de Marques Rebelo, de Aníbal Machado, de João Alphonsus, de Dionélio Machado. Creio que é no tronco dessa escrita, *moderna* em senso lato, que se enxertam os modos de dizer e de narrar mais correntes do conto contemporâneo. Sobretudo Rubem Braga, Graciliano e Marques Rebelo me parecem representar os modelos de uma forte concisão no arranjo da frase e de uma alta vigilância na escolha do vocabulário, marcas da sua modernidade em termos de um Realismo crítico.

Por outro lado, deve-se apontar a presença de narradores estrangeiros que entraram na atmosfera literária brasileira a partir da II Guerra, aproximadamente.

O nosso conto intimista é devedor tanto de certos modos alusivos de Katherine Mansfield e de Virginia Woolf, quanto do gosto da análise moral de Gide e de Mauriac.

A prosa fantástica e metafísica segue, com maior ou menor felicidade, as trilhas de Poe, de Kafka, de Borges, a que se pode acrescentar a sugestão, na época avassaladora, que o teatro de Pirandello produziu em um escritor como Murilo Rubião, sensível ao tema da mudança da pessoa por trás da rigidez das máscaras sociais.

Há algum ressoo norte-americano, de Hemingway, de Steinbeck e, certamente, de Faulkner, na pungência cruel de Dalton Trevisan. E há muito brutalismo *yankee* na concepção de linguagem de Rubem Fonseca e dos seus seguidores mais recentes.

O segundo modernismo e a literatura de fora mais divulgada a partir de 40 foram, portanto, o principal quadro de referência estilístico do conto brasileiro dos últimos vinte e cinco anos.

Quanto ao experimento verbal, é apenas discreto nesse *corpus*. Encontra-se assiduamente nas *Terceiras Estórias* (*Tutaméia*) e em *Estas Estórias*, últimas produções de Guimarães Rosa, já na década de 60. Confrontada com elas, a narrativa breve brasileira poderá parecer linguisticamente conservadora. O melhor critério histórico não será, porém, maniqueu: radicais de um lado, diluidores de outro. *As Primeiras Estórias* (1962) e *Tutaméia* (1967) são obras que conheceram uma formação peculiaríssima, que não pode servir de modelo a-histórico para entender ou julgar experiências díspares como *Laços de Família* de Clarice, *Nove Novena* de Osman Lins, *O Ex-Mágico* de Murilo Rubião, *O Retrato na Gaveta* de Otto Lara Resende, *O Cemitério de Elefantes* de Dalton Trevisan, *Lúcia McCartney* de Rubem Fonseca, *Os Cavalinhos de Platiplanto* de J. J. Veiga, *Caminhos e Descaminhos* de Bernardo Elis, *Solidão Solitude* de Autran Dourado, *Histórias de Desencontro* de Lygia Fagundes Telles, *As Vozes do Morto* de Moreira Campos, *Contos do Imigrante* de Samuel Rawet, *O Carnaval dos Animais* de Moacyr Scliar, *Malagueta, Perus e Bacanaço* de João Antônio...

A trama narrativa e o manejo da frase de cada um dos contos desses livros representativos da ficção brasileira obedeceram a certos processos imanentes à prosa moderna, muito mais próximos do despojamento neorrealista, ou de uma sóbria e tensa autoanálise, do que de livres expansões neobarrocas. Mas Guimarães Rosa, já aparentado às vezes a grandes escritores hispano-americanos, como Lezama Lima e Borges, se encaminhou com decisão, naqueles seus últimos contos, para o texto estranho e o plurissenso, a palavra nova e a surpresa sintática, que lembram precisamente a mais complexa tradição maneirista: o que foi o seu modo próprio de transcender o regionalismo de que, afinal, partira, ao escrever em 1937 as histórias de *Sagarana*.

Sinto, em outra zona, lendo a prosa de Otto Lara Resende, de Lygia Fagundes Telles, de Moreira Campos e, principalmente, a de Dalton Trevisan, um gosto ácido do essencial (voltado sempre à comunicação clara), e que se fez uma espécie de segunda natureza formal desde que os modelos passaram a se chamar Graciliano, Marques Rebelo, Rubem Braga e, junto com esses, os estrangeiros já citados, e atrás de todos, os mestres de todos, Tchekov, Maupassant, Eça de Queirós, Machado de Assis. Essa tradição, muito zelosa da sociabilidade da escrita, inova parcamente neste ou naquele ponto do código linguístico, mas se enriquece, e muito, na hora das sínteses de *pathos* e expressão, *mimesis* e expressão. Há trechos antológicos de força representativa em Dalton Trevisan, em Bernardo Elis, em Osman Lins.

Diante de matéria tão rica e diferenciada, só a análise dos textos poderá dizer algo de preciso sobre os modos de elocução mais significativos do conto atual. Não me furto, porém, a uma ou outra observação mais geral.

O fraseio vernáculo mais ortodoxo é traço comum a vários narradores mineiros que conservam o gosto da correção gramatical aprendida de gerações e gerações de professores de Português:

> "Não se esqueça a rígida disciplina estilística mineira, de inconfundível influência machadiana e "clássica", que leva ao empobrecimento, senão ao academismo. E neste particular Guimarães Rosa foge à regra mineira, é um escritor "nortista", na gíria peculiar de Minas Gerais. A "arte de escrever de um Eduardo Frieiro, de um Godofredo Rangel, de um Mário Matos, de um Rodrigo M. F. de Andrade, de um Cristiano Martins, todos escritores cuidadosos, bons, não há dúvida, que levou Ciro dos Anjos a mutilar, na castigação do "estilo", as sucessivas edições do *Amanuense Belmiro*. (...)
>
> "Lembre-se que um livro que orientou toda uma geração de "elegantes prosadores mineiros" foi o repeteco de Albalat, *o Manual da Composição e do Estilo*, do Padre Cruz, do Caraça, muito em voga nos colégios mineiros.

"Veja-se como Otto Lara Resende sofre o cilício que é o livro do Padre Cruz. Há todo o Caraça, o internato, o Padre Cruz, pesando na sua alma, imobilizando-lhe a mão. Aí a influência é nítida, direta. Que férrea disciplina, meu Deus, a das Minas Gerais!" (Autran Dourado, *Uma Poética de Romance*, Instituto Nacional do Livro, 1973, pp. 87 e segs.).

Otto Lara Resende, Murilo Rubião, Paulo Mendes Campos, Fernando Sabino e o próprio Autran Dourado, que se analisa com tanto senso histórico, são todos prosadores que trabalham a sintaxe e o léxico respeitando a tradição, embora, às vezes, afetem a sua página com algum modismo coloquial, que trai a presença de Mário de Andrade, conselheiro literário de muitos deles quando ainda estreantes. Ficou assim em todos um misto de sintaxe elegante e limpa (o "escrever bem", que é manifesto no mineiro Ciro dos Anjos) e algumas ousadias no trato dos significados: aí o desrecalque modernista deixa perpassarem por essa prosa antiga sopros eróticos, imagens perversas, súbitas negações.

Muito depõem sobre a educação tradicional da nossa infância os contos sádicos de *Boca do Inferno* de Otto Lara Resende e as histórias turvas de internato de Autran Dourado. Memória cheia de espantos e de compulsões, apertada em períodos tersos, de um equilíbrio conquistado a duras penas: é a impressão que se tem ao sair desse mundo da ficção mineira. E a combinação resiste até em contistas mais novos, mais desabridos, como Luiz Vilela e Sérgio Sant'Anna, ainda que nestes se abra maior espaço para a fala coloquial.

Outro é o sentido da concisão nas histórias de Dalton Trevisan. Aqui, a obsessão do essencial parece beirar a crônica, mas dela se afasta pelo tom pungente ou grotesco que preside à sucessão das frases, e faz de cada detalhe um índice do extremo desamparo e da extrema crueldade que rege os destinos do homem sem nome na cidade moderna.

O intimismo de Lygia Fagundes Telles, de Otto Lara Resende, de Autran Dourado atualiza-se numa superfície literária ondulada e fina que tangencia a forma do diário, toda presa às memórias de um eu ainda móvel e lábil de adolescente. Não é assim o conto de Dalton que aponta, duro, para o objeto, pois a sua poética não quer desnudar os refolhos do sujeito narrador, mas o fundo da miséria comum. A força dessa prosa está em recortar tão cruamente situações exemplares que o leitor acaba sem saber ao certo se tem pela frente o mais imediato dos realistas ou o mais sombrio e frenético dos expressionistas.

Trevisan será brutal nas cenas de violência e degradação, mas não se dirá sem exagero que o seu estilo, vigiado até os sinais de pontuação, seja "*brutalista*". O adjetivo caberia melhor a um modo de escrever recente, que se formou nos anos de 60, tempo em que o Brasil passou a viver uma nova explosão de capitalismo selvagem, tempo de massas, tempo de renovadas opressões, tudo bem argamassado com requintes de técnica e retornos deliciados a Babel e a Bizâncio. A sociedade de consumo é, a um só tempo, sofisticada e bárbara. Imagem do caos e da agonia de valores que a tecnocracia produz num país do Terceiro Mundo é a narrativa brutalista de Rubem Fonseca que arranca a sua fala direta e indiretamente das experiências da burguesia carioca, da Zona Sul, onde, perdida de vez a inocência, os "inocentes do Leblon" continuam atulhando praias, apartamentos e boates e misturando no mesmo coquetel instinto e asfalto, objetos plásticos e expressões de uma libido sem saídas para um convívio de afeto e projeto. A dicção que se faz no interior desse mundo é rápida, às vezes compulsiva; impura, se não obscena; direta, tocando o gestual; dissonante, quase ruído. Está, necessariamente, fazendo escola: junto a Rubem Fonseca, ou na sua esteira, algumas páginas de Luiz Vilela, de Sérgio Sant'Anna, de Manoel Lobato, de Wander Piroli, de contistas que escrevem para o Suplemento Literário do *Minas Gerais,* de Moacyr Scliar e de outros escritores gaúchos ligados à Editora Movimento, sem falar em alguns textos quase crônicas do seminário carioca *O Pasquim.*

Essa literatura, que respira fundo a poluição existencial do capitalismo avançado, de que é ambiguamente secreção e contraveneno, segue de perto modos de pensar e de dizer da crônica grotesca e do novo jornalismo *yankee.* Daí os seus aspectos antiliterários que se querem, até, populares, mas que não sobrevivem fora de um sistema de atitudes que sela, hoje, a burguesia culta internacional.

Mas o estilo urbano tem, como a cidade grande, zonas e camadas distintas que falam dialetos próprios. Há também bairros centrais, ou quase, que abrigam uma gente flutuante e marginal: neles se juntam o muambeiro de maconha e o menino engraxate, a "mulher da vida" (que expressão-resumo de tanta coisa!) e o vendedor de bilhetes da Federal. Esse mundo de pequenos expedientes e da pequena malandragem que no Rio e na Bahia tem (ainda) o espaço livre do morro e do mar, esgueira-se pelas ruas poentas de uma São Paulo suja, sem outro horizonte além das silhuetas dos arranha-céus. Desse fundo torvo tirou João Antônio a linguagem lírico-popular das histórias de *Malagueta, Perus e Bacanaço.* Tudo nelas é breve, intenso e sintético como o narrador imagina ser o andamento vital daquelas criaturas apertadas entre a urgência pícara de vencer a fome, e o medo agudo da polícia ou do malandro mais forte. Leio o conto "Frio": cada frase traz uma sensação premente, uma experiência doída, uma angústia a mais. A palavra diz a espera, a pena do corpo; raramente o sonho, doce intervalo entre momentos de desconforto. É um signo pesado de vida e, no entanto, caminha depressa e sem estorvos, tocado pela simpatia do narrador.

Não pouca surpresa espera o leitor que passa das expressões violentas de Rubem Fonseca e de João Antônio para a escrita meticulosíssima de Osman Lins em *Nove Novena*: verá então que não morreu, antes dá mostras de largo fôlego, a concepção nobre de estilo como artesanato. É a palavra em si mesma, sentida, apalpada no seu corpo sonoro e nas suas ressonâncias simbólicas. É a construção zelosa dos acordes, das simetrias, dos segmentos áureos. Tudo tem conta, peso, medida. As coisas estão à espera dos termos que as evoquem ou que as substituam. A frase vai à caça das percepções mais finas, das distinções mais sutis, forçando a passagem do ritmo narrativo ao poético. No introito de cada mistério do *Retábulo de Santa Joana Carolina*, o discurso cede ao nome, a imagem em si:

> O massapê, a cana, a caiana, a roxa, a demerara, a fita, o engenho, a bica, o mel, a taxa, o alambique, a aguardente, o açúcar, o eito, o cassaco, o feitor, o cabo, o senhor, a soca, a ressoca, a planta, a replanta, o ancinho, o arado, o boi, o cavalo, o carro, o carreiro, a charrua, o sulco, o enxerto, o buraco, o inverno, o verão, a enchente, a seca, o estrume, o bagaço, o fogo, a capinação, a foice, o corte, o machado, o facão, a moagem, a moenda, a conta, o barracão, a cerca, o açude, a enxada, o rifle, a ajuda, o cambão, o cabra, o padrinho, o mandado, o mandão.

Um jogo de símbolos gráficos marca, na página, a coralidade dos pontos de vista. Mas, apesar desse recurso técnico, o "Retábulo" não avança para o drama: a sua força concentra-se na atenção que o espírito do narrador dá à matéria verbal.

Comparada à ficção mais "solta" e correntia de uma Lygia Fagundes Telles ou de um J. J. Veiga, a prosa de Osman Lins se dirá *uma introspecção de segundo grau, coesamente formalizada.*

A expressão acima pode valer como ponto de apoio para sugerir uma análise da prosa de Clarice Lispector. Primeiro, o que haveria de comum: a agudeza quase dolorosa da atenção, a linguagem escavada no sujeito que percebe o objeto e se percebe no objeto. Mas as diferenças são notáveis. O período de Osman luta para repousar na forma dominada: é uma técnica que aspira à classicidade, ao termo justo. O lápis na lápide lapidar. A prosa de Clarice faz-se aos poucos, move-se junto com os seus exercícios de percepção, e tacteia, e não pode nem quer evitar o lacunoso, ou o difuso, pois o seu projeto de base é trazer as coisas à consciência, a consciência a si mesma. O que resulta em um andamento penoso, ingrato, onde o vagamente banal alterna com revelações súbitas, mas decisivas. É uma prosa que atinge de raro em raro a "expressão feliz"; e quando o faz, a conquista vem antes de um puro e sofrido pensamento que da ação do virtuose bem logrado:

> "Essa incapacidade de atingir, de entender, é que faz com que eu, por instinto de... de quê? procure um modo de falar que me leve mais depressa ao entendimento. Esse modo, esse "estilo" (!), já foi chamado de várias coisas, mas não do que realmente e apenas é: uma procura humilde. Nunca tive um só problema de expressão, meu problema é muito mais grave: é o de concepção. Quando falo em "humildade", refiro-me à humildade no sentido cristão (como ideal a poder ser alcançado ou não); refiro-me à humildade que vem da plena consciência de se ser realmente incapaz. E refiro-me à humildade como técnica. Virgem Maria, até eu mesma me assustei com minha falta de pudor; mas é que não é. Humildade como técnica é o seguinte: só se aproximando com humildade da coisa é que ela não escapa totalmente" (Clarice Lispector, *A Legião Estrangeira*, Rio, Ed. do Autor, 1964, pág. 144).

Partilham com Clarice Lispector esse caráter especulativo da linguagem alguns textos de Samuel Rawet e de Nelida Piñon, cujas frases, porém, se emaranham nas teias de uma retórica do Imaginário; a manipulação do frenesi impede a palavra de comungar com a pureza viva dos seres, passo dado pelos momentos altos da *Paixão segundo G. H.*

Quanto aos exploradores do insólito, os que entre nós têm perseguido com maior insistência a nota do fantástico, um Murilo Rubião e um J. J. Veiga, diferem bastante no modo de enfrentar o trabalho da forma. Que é mais neutra e opaca em J. J. Veiga, mais complacentemente literária em Murilo Rubião.

A diferença de processos talvez se deva à das filiações. O autor dos *Cavalinhos de Platiplanto* encrava situações de estranheza em um contexto familiar, que evoca discretamente costumes e cenas regionais. São contos que compõem a alegoria do destino, pessoal ou coletivo, com as peças de um realismo verbal sóbrio no trato das personagens e dos jatos, tudo organizado em um sistema narrativo bastante veraz e consequente, mas afinal cheio de surpresa. A palavra intrusa, nessas histórias contadas com tanta naturalidade, se parece com a hora da morte, que pode cortar a vida em qualquer tempo, mas é sempre a inesperada.

Murilo compraz-se em mimar o espantoso e o estranho em si mesmos[3]. Mas, para dizer as suas mágicas, não se vale, como se poderia esperar, das ousadias formais do Surrealismo. O seu estilo não está longe do padrão alcançado por outros escritores mineiros (Ciro dos Anjos, Autran Dourado, Otto Lara Resende) no que todos têm em comum: as andanças da memória, as paradas frequentes para a análise subjetiva dos acontecimentos e o talhe vernáculo da frase. As metamorfoses, embora muitas e grandes, acabam-se neutralizando desde que manejadas por uma prosa que sabe dominá-las do alto, à luz de uma consciência meridiana.

O pensamento volta agora para uma observação feita no começo destas páginas. O conto de hoje, poliedro capaz de refletir as situações mais diversas da nossa vida real ou imaginária, se constituiu no espaço de uma linguagem moderna (porque sensível, tensa

---

3 No belo prefácio que escreveu para O Pirotécnico Zacarias, o crítico Davi Arrigucci Jr. fala "espanto congelado", expressão que define a matriz espiritual de quase todo Murilo Rubião.

e empenhada na significação), mas não forçosamente modernista. Os seus padrões mais constantes têm sido escritores que fizeram, nos anos de 30 e de 40, romance neorrealista, memórias ou crônica do cotidiano.

As exceções, mais recentes, confirmam a regra, ou melhor, *são a própria regra do sistema* que se está exasperando até à crise. De um lado, o processo modernizador do capitalismo tende a pôr de parte o puro regional, e faz estalarem as sínteses acabadas, já clássicas, do neorrealismo, que vão sendo substituídas por modos fragmentários e violentos de expressão. Esta é a *literatura-verdade* que nos convém desde os anos de 60, e que responde à tecnocracia, à cultura para massas, às guerras de napalm, às ditaduras feitas de cálculo e sangue. De outro lado, a ficção introspectiva, cujos arrimos foram sempre a memória e a autoanálise, ainda resiste como pode à anomia e ao embrutecimento, saltando para universos míticos ou surreais, onde a palavra se debate e se dobra para resolver com as suas próprias forças simbólicas os contrastes que a ameaçam. O homem da cidade mecânica não se basta com a reportagem crua: precisa descer aos subterrâneos da fantasia onde, é verdade, pode reencontrar sob máscaras noturnas a perversão da vida diurna (há um *underground* feito de sadismo, terror e pornografia), mas onde poderá também sonhar com a utopia quente da volta à natureza, do jogo estético, da comunhão afetiva.

É muito provável que o conto oscile ainda por muito tempo entre o retrato fosco da brutalidade corrente e a sondagem mítica do mundo, da consciência ou da pura palavra. Essas faces do mesmo rosto talvez componham a máscara estética possível para os nossos dias; e a literatura, enquanto literatura para a literatura, não tem meios de superá-la. Poderá representá-la, exprimi-la, significá-la. E vivê-la e sofrê-la, até desafiá-la. Arrancá-la, não. Para tanto, seria necessário que acontecesse quase o impossível. Que o homem de letras pudesse, *de algum modo*, deixar de o ser; que o seu projeto fosse o mergulho de corpo inteiro no pensamento e na ação dos semelhantes; que ele fizesse como o grão da parábola evangélica: "Se o grão de trigo não cair na terra, e não morrer, ficará só; se morrer, porém, dará muito fruto" (João, 12, 24).

Universidade de São Paulo, setembro, 1974

NOTA À 16ª EDIÇÃO

No começo dos anos de 1970, José Paulo Paes me pediu que organizasse uma antologia de nossos melhores contistas contemporâneos. Os escolhidos, em número de dezoito, estavam todos vivos, menos Guimarães Rosa, havia pouco falecido, mas já assinalado com a atualidade perene dos clássicos.

O conjunto dos contos cobria um período que vinha dos meados da década de 40, quando alguns daqueles contistas tinham estreado. A maior parte das obras foi publicada nos dois decênios seguintes. Não havendo um rótulo que as classificasse, talvez se pudesse dizer, segundo um critério puramente cronológico, que pertenciam à ficção posterior aos modernistas mas ainda anterior à vaga pós-moderna. De todo modo, na introdução à antologia procurei dar conta da ocorrência de certos temas e processos estilísticos mais salientes, que, porém, só uma leitura individualizante pode explorar a fundo.

Passados quarenta anos da primeira edição, pareceu-me indispensável proceder a uma atualização bibliográfica. Quase todos os contistas selecionados continuaram a escrever ficção. E não poucos ensaios críticos vieram à luz nas últimas décadas graças principalmente à operosidade da pesquisa universitária.

Restaria justificar a permanência do termo contemporâneo no título da antologia. Em princípio, os livros não devem mudar de nome. *Habent sua fata libelli*. Mas há outro motivo, embora arriscado: vem da esperança de que estes contos sejam contemporâneos não só do momento em que se fez a sua escolha, mas também na leitura viva que deles vem fazendo as novas gerações. O paralelo com a poesia é tentador: os poemas de Bandeira, de Drummond, de Cecília, de Murilo Mendes, de Jorge de Lima, de Vinicius de Moraes e de João Cabral de Melo Neto não são ainda visceralmente nossos contemporâneos, pouco importando a idade de seus leitores? E o que vale um poema, um romance, ou um conto que não resista à usura do tempo?

Não termino sem registrar meu agradecimento a Diego Molina, que se incumbiu do trabalho de atualização bibliográfica. A ele dedico esta nova edição. (A.B.)

São Paulo, fevereiro de 2014.

GUIMARÃES ROSA

João Guimarães Rosa nasceu em Cordisburgo, Minas Gerais, em 27 de junho de 1908, e faleceu no Rio de Janeiro, em 19 de novembro de 1967. Filho de um pequeno comerciante estabelecido na zona pastoril centro--norte de Minas, aprendeu as primeiras letras na cidade natal. Fez o curso secundário em Belo Horizonte, revelando--se cedo um apaixonado da Natureza e das línguas. Cursou Medicina e, formado, exerceu a profissão em cidades do interior mineiro (Itaúna, Barbacena). Nesse período estudou sozinho alemão e russo. Em 1934, fez concurso para o Ministério do Exterior. Ingressando na carreira diplomática, serviu como cônsul adjunto em Hamburgo, sendo internado em Baden-Baden quando o Brasil declarou guerra à Alemanha. Foi secretário de embaixada em Bogotá e conselheiro diplomático em Paris. De volta ao Brasil, ascende a ministro (1958). Um dos seus últimos encargos de profissional foi a chefia do Serviço de Demarcação de Fronteiras que o levou a tratar casos espinhosos como o do Pico da Neblina e o das Sete Quedas. Da sua carreira de escritor, em parte afastado da vida literária, só obteve reconhecimento geral a partir de 1956, quando saíram *Grande Sertão: Veredas* e *Corpo de Baile*. Mas publicadas estas obras, o reconhecimento cresceu a ponto de melhor chamar-se glória. Há traduções das suas obras para o francês, o espanhol, o inglês e o alemão. G. Rosa faleceu de enfarte, aos cinquenta e nove anos, três dias depois de admitido solenemente à Academia Brasileira de Letras.

OBRAS:

Sagarana. Rio de Janeiro: Editora Universal, 1946. (contos)
Com o vaqueiro Mariano. Niterói: Hipocamps, 1952. (contos)*
Corpo de Baile. Rio de Janeiro: José Olympio, 1956. (novelas)**
Grande Sertão: Veredas. Rio de Janeiro: José Olympio, 1956. (romance)
Primeiras estórias. Rio de Janeiro: José Olympio, 1962. (contos)
Campo geral. Rio de Janeiro: Sociedade dos Cem Bibliófilos do Brasil, 1964. (contos)
Manuelzão e Miguelim. Rio de Janeiro: José Olympio, 1964. (novela)
No Urubuquaquá, no Pinhém. Rio de Janeiro: José Olympio, 1965. (novela)
Noites do sertão. Rio de Janeiro: José Olympio, 1965. (novela)
Tutaméia (terceiras estórias). Rio de Janeiro: José Olympio, 1967. (contos)
Estas Estórias. Rio de Janeiro: José Olympio, 1969. (contos)
Ave, palavra. Rio de Janeiro: José Olympio, 1970. (contos)
A hora e vez de Augusto Matraga. Rio de Janeiro: Nova Fronteira, 1987 (conto)***
Fita verde no cabelo. Rio de Janeiro: Nova Fronteira, 1992. (conto)****
O burrinho pedrês. Rio de Janeiro: Nova Fronteira, 1996. (conto)*****
Magma. Rio de Janeiro: Nova Fronteira, 1997. (poemas, escrito em 1936 e publicado postumamente)

---

* Posteriormente incluído em *Estas Estórias*.
** Posteriormente dividido em três volumes: *Manuelzão e Miguelim*; *No Urubuquaquá, no Pinhém*; e *Noites do sertão*. (Reunidos em edição comemorativa de 50 anos em 2006 pela editora Nova Fronteira).
*** Publicado originalmente em *Sagarana*.
**** Publicado originalmente em *Ave, palavra*.
***** Publicado originalmente em *Sagarana*.

Sobre o autor:

Livros:

Angela Vaz Leão, Henriqueta Lisboa, Wilton Cardoso, Maria Luísa Ramos, Fernando Correia Dias. *Guimarães Rosa*. Belo Horizonte: C. de Est. Mineiros, 1966.
Adonais Filho e Lopes, Oscar (Org.) *Guimarães Rosa*. Lisboa: Instituto Luso-Brasileiro, 1969.
Galvão, Walnice Nogueira. *Mitológica rosiana*. São Paulo: Ática, 1978.
Bizzarri, Edoardo. *J. Guimarães Rosa correspondência com seu tradutor italiano Edoardo Bizzarri*. São Paulo: T.A. Queiroz Editor, 1981.
Machado, Ana Maria. *Recado do Nome: leitura de Guimarães Rosa à luz do nome de seus personagens*. São Paulo: Martins Fontes, 1991.
Martins, Nilce Sant'Anna. *O léxico de Guimarães Rosa*. São Paulo: Edusp, 2001.
Meyer-Clason, Curt. *Correspondência com seu tradutor alemão*. Rio de Janeiro: Nova Fronteira, Belo Horizonte: UFMG, 2003.
Roncari, L. D. A. *O Brasil de Rosa: mito e história no universo rosiano: o amor e o poder*. São Paulo: UNESP, 2004.
Galvão, Walnice Nogueira. *Mínima mímica: ensaios sobre Guimarães Rosa*. São Paulo: Companhia das Letras, 2008.

Artigos e ensaios:

Diálogo, nº 8, novembro de 1957 (número dedicado a G. Rosa).
Cavalcanti Proença. *Augusto dos Anjos e Outros Ensaios*. Rio de Janeiro: José Olympio, 1958.
Candido, Antonio. "O homem dos avessos". *In: Tese e Antítese*. São Paulo: C. E. Nacional, 1964.
Nunes, Benedito. "O Amor na Obra de Guimarães Rosa." *In: Revista do Livro*, nº 26, set. de 1964.
Schwarz, Roberto. "Grande Sertão e Dr. Faustus". *In: A Sereia e o Desconfiado*. Rio de Janeiro: Civilização Brasileira, 1965.
Rónai, Paulo. "Os Vastos Espaços", estudo preposto a *Primeiras Estórias*, a partir da 3ª ed., Rio de Janeiro: José Olympio, 1967.

Campos, Haroldo de. *Metalinguagem*. Petrópolis: Vozes, 1967.

Marques, Osvaldino. *Ensaios Escolhidos*. Rio de Janeiro: Civilização Brasileria, 1968.

Daniel, Mary, L. *Guimarães Rosa: Travessia Literária*. Rio de Janeiro: José Olympio, 1968

VVAA. *Em Memória de João Guimarães Rosa*. Rio de Janeiro: José Olympio, 1968.

Nunes, Benedito. "Guimarães Rosa". *In: O Dorso do Tigre*. São Paulo: Perspectiva, 1969.

Pedro Xisto, Haroldo de Campos e Augusto de Campos. *Guimarães Rosa em Três Dimensões*. São Paulo: Cons. Estadual de Cultura, 1970.

Galvão, Walnice Nogueira. *As Formas do Falso*. São Paulo: Perspectiva, 1972.

Garbuglio, José Carlos. *O Mundo Movente de Guimarães Rosa*. São Paulo: Ática, 1972.

Bolle, Willi. *Fórmula e Fábula*. São Paulo: Perspectiva, 1974.

Nunes, Benedito. "Literatura e filosofia: Grande Sertão: Veredas". *In: Teoria da literatura em suas fontes*. Rio de Janeiro: Francisco Alves, 1983 (2. ed.)

Monegal, Emir Rodríguez. *En busca de Guimarães Rosa*. In: Coutinho, Eduardo F. *Guimarães Rosa*. Rio de Janeiro/Brasília: INL, 1983.

Bosi, Alfredo. "Céu e inferno". *In: Céu e Inferno*. São Paulo: Ática, 1988.

Arrigucci Jr., Davi. "O mundo misturado: romance e experiência em Guimarães Rosa". *In*: Pizarro, Ana (org.) *América Latina, Literatura e Cultura*. São Paulo: Memorial, 1995.

Rónai, Paulo. *Rondando os segredos de Guimarães Rosa*. *In:* Rosa, João Guimarães. *Corpo de baile*. Edição comemorativa 50 anos (1956-2006). Rio de Janeiro: Ed. Nova Fronteira, 2006.

Dossiê Guimarães Rosa. *Sons do grande sertão*. Revista Estudos avançados, v.20, nº 58, São Paulo, USP, 2006.

Cadernos de Literatura Brasileira. João Guimarães Rosa. Revista do Instituto Moreira Salles (IMS), Vol. 20 e 21. São Paulo: IMS, 2006.

Mazzari, Marcus. "Veredas-Mortas e Veredas-Altas: a trajetória de Riobaldo entre pacto demoníaco e aprendizagem". *In Labirintos da aprendizagem – Pacto fáustico, romance de formação e outros temas de literatura comparada.* São Paulo: Editora 34, 2010.

MEU TIO O IAUARETÊ

João Guimarães Rosa

— Hum? Eh-eh... É. Nhor sim. ã-hã, quer entrar, pode entrar... Hum, hum. Mecê sabia que eu moro aqui? Como é que sabia? Hum-hum... Eh. Nhor não, n't, n' t... Cavalo seu é esse só? Ixe! Cavalo tá manco, aguado. Presta mais não. Axi... Pois sim. Hum, hum. Mecê enxergou este foguinho meu, de longe? É. A' pois. Mecê entra, cê pode ficar aqui.

Ha-hã. Isto não é casa... É. Havéra. Acho. Sou fazendeiro não, sou morador... Eh, também sou morador não. Eu – toda a parte. Tou aqui, quando eu quero eu mudo. É. Aqui eu durmo. Hum. Nhem? Mecê é que tá falando. Nhor não... Cê vai indo ou vem vindo?

Hã, pode trazer tudo pra dentro. Erê! Mecê desarreia cavalo, eu ajudo. Mecê peia cavalo, eu ajudo... Traz alforje pra dentro, traz saco, seus dobros. Hum, hum! Pode. Mecê cipriuara, homem que veio pra mim, visita minha; iá-nhã? Bom. Bonito. Cê pode sentar, pode deitar no jirau. Jirau é meu não. Eu – rede. Durmo em rede. Jirau é do preto. Agora eu vou ficar agachado. Também é bom. Assopro o fogo. Nhem? Se essa é minha, nhem? Minha é a rede. Hum. Hum-hum. É. Nhor não. Hum, hum... Então, por que é que cê não quer abrir saco, mexer no que tá dentro dele? Atié! Mecê é lobo gordo... Atié[1]... É meu, algum? Que é que eu tenho com isso? Eu tomo suas coisas não, furto não. A-hé, a-hé, nhor sim, eu quero. Eu gosto. Pode botar no coité. Eu gosto, demais...

---

[1] Variante: Axi.

Bom. Bonito. Ã-hã! Essa sua cachaça de mecê é muito boa. Queria uma medida de litro dela... Ah, munhãmunhã: bobagem. Tou falando bobagem, munhamunhando. Tou às boas. Apê! Mecê é homem bonito, tão rico. Nhem? Nhor não. Às vez. Aperceio. Quage nunca. Sei fazer, eu faço: faço de caju, de fruta do mato, do milho. Mas não é bom, não. Tem esse fogo bom-bonito não. Dá muito trabalho. Tenho dela hoje não. Tenho nenhum. Mecê não gosta. É cachaça suja, de pobre...

Ã-hã, preto vem mais não. Preto morreu. Eu cá sei? Morreu, por aí, morreu de doença. Macio de doença. É de verdade. Tou falando verdade... Hum... Camarada seu demora, chega só 'manhã de tarde. Mais? Nhor sim, eu bebo. Apê! Cachaça boa. Mecê só trouxe esse garrafão? Eh, eh. Camarada de mecê tá aqui 'manhã, com a condução? Será? Cê tá com febre? Camarada decerto traz remédio... Hum-hum. Nhor não. Bebo chá do mato. Raiz de planta. Sei achar, minha mãe me ensinou, eu mesmo conheço. Nunca tou doente. Só pereba, ferida-brava em perna, essas ziquiziras, curuba. Trem ruim, eu sou bicho do mato.

Hum, não adianta mais percurar... Os animais foram por longe. Camarada não devia ter deixado. Camarada ruim, n't, n't! Nhor não. Fugiram depressa, a' pois. Mundo muito grande: isso por aí é gerais, tudo sertão bruto, tapuitama. 'Manhã, camarada volta, traz outros. Hum, hum, cavalos p'los matos. Eu sei achar, escuto o caminhado deles. Escuto, com a orelha no chão. Cavalo correndo, popóre... Sei acompanhar rastro. Ti... agora posso não, adianta não, aqui é muito lugaroso. Foram por longe. Onça tá comendo aqueles... Cê fica triste? É minha culpa não; é culpa minha algum? Fica triste não. Cê é rico, tem muito cavalo. Mas, esses, onça já comeu, atiúca! Cavalo chegou perto do mato, tá comido... Os macacos gritaram — então onça tá pegando...

Eh, mais, nhor sim. Eu gosto. Cachaça de primeira. Mecê tem fumo também? É, fumo pra mascar, pra pitar. Mecê tem mais, tem muito? Ha-hã. É bom. Fumo muito bonito, fumo forte. Nhor sim, a' pois. Mecê quer me dar, eu quero. Aperceio. Pitume muito bom. Esse fumo é chico--silva? Hoje tá tudo muito bom, cê não acha?

Mecê quer de-comer? Tem carne, tem mandioca. Eh, oh, paçoca. Muita pimenta. Sal, tenho não. Tem mais não. Que cheira bom, bonito, é carne. Tamanduá que eu cacei. Mecê não come? Tamanduá é bom. Tem farinha, rapadura. Cê pode comer tudo, 'manhã eu caço mais, mato veado. 'Manhã mato veado não: carece não. Onça já pegou cavalo de mecê, pulou nele, sangrou na veia alteia... Bicho grande já morreu mesmo, e ela inda não larga, tá em riba dele... Quebrou cabeça do cavalo, rasgou pescoço... Quebrou? Quebroou!... Chupou o sangue todo comeu um pedação de carne. Despois, carregou cavalo morto, puxou pra a beira do mato, puxou na boca. Tapou com folhas. Agora ela tá dormindo, no mato fechado... Pintada começa comendo a bunda, a anca. Suaçurana começa p'la pá, p'los peitos. Anta, elas duas principeiam p'la barriga: couro é grosso... Mecê 'creditou? Mas suaçurana mata anta não, não é capaz. Pinima mata; pinima é meu parente!...

Nhem? 'Manhã cedo ela volta lá, come mais um pouco. Aí, vai beber água. Chego lá, junto com os urubus... Porqueira desses, uns urubus, eles moram na Lapa do Baú... Chego lá, corto pedaço de carne pra mim. Agora, eu já sei: onça é que caça pra mim, quando ela pode. Onça é meu parente. Meus parentes, meus parentes, ai, ai, ai... Tou rindo de mecê não. Tou munhamunhando sozinho pra mim, anhum. Carne do cavalo 'manhã tá podre não. Carne de cavalo, muito boa, de primeira. Eu como carne podre não, axe! Onça também come não. Quando é suaçurana que matou, gosto menos: ela tapa tudo com areia, também suja de terra...

Café, tem não. Hum, preto bebia café, gostava. Não quero morar mais com preto nenhum, nunca mais... Macacão. Preto tem catinga... Mas preto dizia que eu também tenho: catinga diferente, catinga aspra. Nhem? Rancho não é meu, não; rancho não tem dono. Não era do preto também, não. Buriti do rancho tá podre de velho, mas não entra chuva, só pipica um pouquim. Ixe, quando eu mudar embora daqui, toco fogo em rancho: pra ninguém mais poder não morar. Ninguém mora em riba do meu cheiro...

Mecê pode comer, paçoca é de tamanduá não. Paçoca de carne boa, tatu-hu. Tatu que eu matei. Tomei de onça não. Bicho pequeno elas não guardam: comem inteirinho, ele todo. Muita pimenta, hã... Nhem? Ã-hã, é, tá escuro. Lua ainda não veio. Lua tá vesprando, mais logo sobe. Hum, não tem. Tem candieiro não, luz nenhuma. Sopro o fogo. Faz mal não, rancho não pega fogo, tou olhando, olholho. Foguinho debaixo da rede é bom-bonito, alumeia, esquenta. Aqui tem graveto, araçá, lenha boa. Pra mim só, não carece, eu sei entender no escuro. Enxergo dentro dos matos. Ei, no meio do mato tá lumiando: vai ver, não é olho nenhum, não – é tiquira, gota d'água, resina de árvore, bicho-de-pau, aranha grande... Cê tem medo? Mecê, então, não pode ser onça... Cê não pode entender onça. Cê pode? Fala! Eu aguento calor, guento frio. Preto gemia com frio. Preto trabalhador, muito, gostava. Buscava lenha, cozinhava. Plantou mandioca. Quando mandioca acabar, eu mudo daqui. Eh, essa cachaça é boa!

Nhenhem? Eu cacei onça, demais. Sou muito caçador de onça. Vim pra aqui pra caçar onça, só pra mor de caçar onça. Nhô Nhuão Guede me trouxe pra cá. Me pagava. Eu ganhava o couro, ganhava dinheiro por onça que eu matava. Dinheiro bom: glim-glim... Só eu é que sabia caçar onça. Por isso Nhô Nhuão Guede me mandou ficar aqui, mor de desonçar este mundo todo. Anhum, sozinho, mesmo... Araã... Vendia couro, ganhava mais dinheiro. Comprava chumbo, pólvora. Comprava sal, comprava espoleta. Eh, ia longe daqui, pra comprar tudo. Rapadura também. Eu longe. Sei andar muito, demais, andar ligeiro, sei pisar do jeito que a gente não cansa, pé direitinho pra diante, eu caminho noite inteira. Teve vez que fui até no boi do Urucuia... É. A pé. Quero cavalo não, gosto não. Eu tinha cavalo, morreu, que foi, tem mais não, cuéra. Morreu de doença. De verdade. Tou falando verdade... Também não quero cachorro. Cachorro faz barulho, onça mata. Onça gosta de matar tudo...

Hui! Atiê! Atimbora! Mecê não pode falar que eu matei onça, pode não. Eu, posso. Não fala, não. Eu não mato mais onça, mato não. É feio – que eu matei.

Onça meu parente. Matei, montão. Cê sabe contar? Conta quatro, dez vezes, tá í: esse monte mecê bota quatro vezes. Tanto? Cada que matei, ponhei uma pedrinha na cabaça. Cabaça não cabe nem outra pedrinha. Agora vou jogar cabaça cheia de pedrinhas dentro do rio. Quero ter matado onça não. Se mecê falar que eu matei onça, fico brabo. Fala que eu não matei, não, tá-há? Falou? A-é, ã-ã. Bom, bonito, de verdade. Mecê meu amigo!

Nhor sim, cá por mim vou bebendo. Cachaça boa, especial. Mecê bebe, também: cachaça é sua de mecê; cachacinha é remédio... Cê tá espiando. Cê quer dar pra mim esse relógio? Ah, não pode, não quer, tá bom... Tá bom, dei'stá! Quero relógio nenhum não. Dei'stá. Pensei que mecê queria ser meu amigo... Hum.

Hum-hum. É. Hum. Iá axi. Quero canivete não. Quero dinheiro não. Hum. Eu vou lá fora. Cê pensa que onça não vem em beira do rancho, não come esse outro seu cavalo manco? Ih, ela vem. Ela põe a mão pra a frente, enorme. Capim mexeu redondo, balançadinho, devagarim, mansim: é ela. Vem por de dentro. Onça mão – onça pé – onça rabo.... Vem calada, quer comer. Mecê carece de ter medo! Tem? Se ela urrar, eh mocanhemo, cê tem medo. Esturra – urra de engrossar a goela e afundar os vazios... Urrurrú-rrrurrú... Troveja, até. Tudo treme. Bocão que cabe muita coisa, bocão duas-bocas! Apê! Cê tem medo? Bom, eu sei, cê tem medo não. Cê é querembaua, bom-bonito, corajoso. Mas então agora pode me dar canivete e dinheiro, dinheirim. Relógio quero não, tá bom, tava era brincando. Pra quê que eu quero relógio? Não careço...

Ei, eu também não sou ridico. Mecê quer couro de onça? Hã-hã, mecê tá vendo, ã-hã. Courame bonito? Tudo que eu mesmo cacei, faz muito tempo. Esses eu não vendi mais não. Não quis. Esses aí? Cangussu macho, matei na beira do rio Sorongo. Matei com uma chuçada só, mor de não estragar couro. Eh, pajé! Macharrão machorro. Ele mordeu o cabo da zagaia, taca que ferrou marca de dente. Aquilo, ele onção virou mexer de bola, revirando, mole-mole, de relâmpago, feio feito sucuri, desmanchando o corpo de raiva, debaixo de meu ferro. Torcia, danado, braceiro, e miava, rosno bruto, inda queria me puxar pra o matinho fechado, todo de espinho... Quage pôde comigo!

Essa outra, pintada também, mas malha larga, jaguara-pinima[1], onção que mia grosso. Matei a tiro, tava trepada em árvore. Sentada num

---

1 Variante: jaguarapinima.

galho da árvore. Ela tava lá, sem pescoço. Parecia que tava dormindo. Tava mas era me olhando... Me olhava até com desprezo. Nem deixei era arrebitar as orelhas: por isso, por isso, pum! – porro de fogo... Tiro na boca, mor de não estragar.[1] o couro. ã-hã, inda quis agarrar de unha no ramo de baixo – cadê fôlego pra isso mais? Ficou pendurada comprida, despois caiu mesmo lá de riba, despencou, quebrou dois galhos... Bateu no chão, ih, eh!

Nhem? Onça preta? Aqui tem muita, pixuna, muita. Eu matava, a mesma coisa. Hum, hum, onça preta cruza com onça-pintada. Elas vinham nadando, uma por trás da outra, as cabeças de fora, fio-das-costas de fora. Trepei num pau, na beirada do rio, matei a tiro. Mais primeiro a macha, onça jaguaretê-pinima, que vinha primeira. Onça nada? Eh, bicho nadador! Travessa rio grande, numa direitura de rumo, sai adonde é que quer... Suaçurana nada também, mas essa gosta de travessar rio não. Aquelas duas de casal, que tou contando,[2] foi na banda de baixo, noutro rio, sem nome nenhum, um rio sujo... A fêmea era pixuna, mas não era preta feito carvão preto: era preta cor de café. Cerquei os defuntos no raso: perdi[3] os couros não... Bom, mas mecê não fala que eu matei onça, hem? Mecê escuta e não fala. Não pode, Hã? Será? Hué! Ói, que eu gosto de vermelho! Mecê já sabe...

Bom, vou tomar um golinho. Uai, eu bebo até suar, até dar cinza na língua... Cãuinhuara! Careço de beber pra ficar alegre. Careço, pra poder prosear. Se eu não beber muito, então não falo, não sei, tou só cansado... Dei'stá, 'manhã mecê vai embora. Eu fico sozinho, anhum. Que me importa? Eh, esse é couro bom, da pequena, onça cabeçuda. Cê quer esse? Leva. Mecê deixa o resto da cachaça pra mim? Mecê tá com febre. Devia deitar no jirau, rebuçar com a capa, cobrir com couro, dormir. Quer? Cê tira a roupa, bota relógio dentro do casco de tatu, bota o revólver também, ninguém bole. Eu vou bulir em seus trens não. Eu acendo fogo maior, fico de olho, tomo conta do fogo,

---

1 Variantes: perder, furar.
2 Variante: falando.
3 Com ponto de interrogação à margem, e sublinhado para eventual substituição.

mecê dorme. Casco de tatu só tem esse pedaço de sabão dentro. É meu não, era do preto. Gosto de sabão não. Mecê não quer dormir? Tá bom, não falei nada, não falei...

Cê quer saber de onça? Eh, eh, elas morrem com uma raiva, tão falando o que a gente não fala... Num dia só, eu cacei três. Eh, essa era uma suaçurana, onça vermelho-raposa, gatão de uma cor só, toda. Tava dormindo de dia, escondida no capim alto. Eh, suaçurana é custoso a gente caçar: corre muito, trepa em árvore. Vaga muito, mas ela vive no cerradão, na chapada. Pinima não deixa sua--çurana viver em beira de brejo, pinima toca suaçurana embora... Carne dela eu comi. Boa, mais gostosa, mais macia. Cozinhei com jembê de caruru bravo. Muito sal, pimenta forte. Da pinima eu comia só o coração delas, mixiri, comi sapecado, moqueado, de todo o jeito. E esfregava meu corpo todo com a banha. Pra eu nunca eu não ter medo!

Nhor? Nhor sim. Muitos, muitos anos. Acabei com as onças em três lugares. Da banda dali é o rio Sucuriú, vai entrar no rio Sorongo. Lá é sertão de mata virgem, Mas, da banda de cá é o rio Ururau, depois de vinte léguas é a Barra do Frade, já pode ter fazenda lá, pode ter gado. Matei as onças todas... Eh, aqui ninguém não pode morar, gente que não é eu. Eh, nhem? Ahã-hã... casa tem nenhuma. Casa tem atrás dos buritis, seis léguas, no meio do brejo. Morava veredeiro, seu Rauremiro. Veredeiro morreu, mulher dele, as filhas, menino pequeno. Morreu tudo de doença. De verdade. Tou falando verdade! ... Aqui não vem ninguém, é muito custoso. Muito dilatado, pra vir gente. Só por muito longe, uma semana de viagem, é que vão lá, caçador rico, jaguariara, vem todo ano, mês de agosto, pra caçar onça também.

Eles trazem cachorros grandes, cachorro onceiro. Cada um tem carabina boa, espingarda, eu queria ter uma. Hum, hum, onça não é bobo, elas fogem dos cachorros, trepam em árvore. Cachorro dobra de latir, barroa... Se a onça arranja jeito, pega o mato sujo, fechadão, eh, lá é custoso homem poder enxergar que tem onça. Acoo, acuação – com os cachorros: ela então esbraveja, mopoama, mopoca, peteca, mata cachorro de todo lado, eh, ela pode mexer de cada maneira.

Ã-hã... Esperando deitada, então, é o jeito mais perigoso: quer matar ou morrer de todo... Eh, ronca feito porco, cachorro chega nela não. Não vem nada. Um tapa, chega! Tapão, tapeja... Ela vira e pula de lado, mecê não vê de onde ela vem... Zuzune. Mesmo morrendo, ela ainda mata cachorrão. É cada urro, cada rosnado. Arranca a cabeça do cachorro. Mecê tem medo? Vou ensinar, hem; mecê vê do lado de donde não tá vindo o vento – aí mecê vigia, porque daí é que onça de repente pode aparecer, pular em mecê... Pula de lado, muda o repulo no ar. Pula em cruz. É bom mecê aprender. É um pulo e um despulo. Orelha dela repinica, cataca, um estalinho, feito chuva de pedra. Ela vem fazendo atalhos. Cê já viu cobra? Pois é, Apê! Poranga suú, suú, jucá-iucá... Às vez faz um barulhinho, piriri nas folhas secas, pisando nos gravetos, eh, eh – passarinho foge. Capivara dá um grito, de longe cê ouve: au! – e pula n'água, onça já tá aqui perto. Quando pinima vai saltar pra comer mecê, o rabo dela encurveia com a ponta pra riba, despois concerta firme. Esticadinha: a cabeça dá de maior, pra riba, quando ela escancara a boca, as pintas ficam mais compridas, os olhos vão pra os lados, reprega a cara. Ói: a boca – ói: a bigodeira salta... Língua lá redobrada de lado... Abre os braços, já tá mexendo pra pular: demora nas pernas ei, ei – nas pernas de trás... Onça acuada, vira demônio, senta no chão, quebra pau, espedaça. Ela levanta, fica em pé. Quem chegou, tá rebentado. Eh, tapa de mão de onça é pior que porrete... Mecê viu a sombra? Então mecê tá morto... Ah, ah, ah... ã ã-ã-ã... Tem medo não, eu tou aqui.

A' pois, eu vou bebendo, mecê não importa. Agora é que tou alegre! Eu cá também não sou sovina, de-comer e cachaça é pra se gastar logo, enquanto que a gente tem vontade... É bom é encher barriga. Cachaça muito boa, tava me fazendo falta. Eh, lenha ruim, mecê tá chorando dos olhos, com essa fumaceira... Nhem? É, mecê é quem tá falando. Eu acho triste não. Acho bonito não. É, é como é, mesmo, que nem todo lugar. Tem caça boa, poço bom pra a gente nadar. Lugar nenhum não é bonito nem feio, não é pra ser. Lugar é pra a gente morar, vim pra aqui pago pra matar onça. Agora mato mais não, nunca mais. Mato capivara, lontra, vendo o couro. Nhor sim, eu gosto de gente, gosto. Caminho, ando longe, pra encontrar gente, à vez. Eu sou corredor, feito veado do campo...

Tinha uma mulher casada, na beira do chapadão, barra do córrego da Veredinha do Xunxum. Lá passa caminho, caminho de fazenda. Mulher muito boa, chamava Maria Quirineia. Marido dela era doido, seo Siruveio, vivia seguro com corrente pesada. Marido falava bobagem, em noite de lua incerta ele gritava bobagem, gritava, nheengava... Eles morreram não. Morreram todos dois de doença não. Eh, gente...

Cachacinha gostosa! Gosto de bochechar com ela, beber despois. Hum-hum. ããã... Aqui, roda a roda, só tem eu e onça. O resto é comida pra nós. Onça, elas também sabem de muita coisa. Têm coisas que ela vê, e a gente vê não, não pode. Ih! tanta coisa... Gosto de saber muita coisa não, cabeça minha pega a doer. Sei só o que onça sabe. Mas, isso, eu sei, tudo. Aprendi. Quando vim pra aqui, vim ficar sozinho. Sozinho é ruim, a gente fica muito judiado. Nhô Nhuão Guede homem tão ruim, trouxe a gente pra ficar sozinho. Atié! Saudade de minha mãe, que morreu, çacyara. Araaã... Eu nhum – sozinho... Não tinha emparamento nenhum...

Aí, eu aprendi. Eu sei fazer igual onça. Poder de onça é que não tem pressa: aquilo deita no chão, aproveita o fundo bom de qualquer buraco, aproveita o capim, percura o escondido de detrás de toda árvore, escorrega no chão, mundéu-mundéu, vai entrando e saindo, maciinho, pô-pu, pô-pu, até pertinho da caça que quer pegar. Chega, olha, olha, não tem licença de cansar de olhar, eh, tá medindo o pulo. Hã, hã... Dá um bote, às vez dá dois. Se errar, passa fome, o pior é que ela quage morre de vergonha... Aí, vai pular: olha demais de forte, olha pra fazer medo, tem pena de ninguém... Estremece de diante pra trás, arruma as pernas, toma o açoite, e pula pulão! – é bonito...

Ei, quando tá em riba do pobre do veado, no tanto de matar, cada bola que estremece no corpo dela a fora, até ela, as pintas, brilham mesmo mais, as pernas ajudam, eh, perna dobrada gorda que nem de sapo, o rabo enrosca; coisa que ela aqui e ali parece chega vai arrebentar, o pescoço acompridado... Apê! Vai matando, vai comendo, vai... Carne de veado estrala. Onça urra alto, de tarará, o rabo ruim em pé, aí ela unha forte, ôi, unhas de fora, urra outra vez, chega. Festa de comer e beber. Se é coelho, bichinho pequeno, ela comeu até às juntas: engolindo tudo, mucunando, que mal deixou os ossos. Barrigada e miúdos, ela gosta não...

Onça é bonito! Mecê já viu? Bamburral destremece um pouco, estremeceuzinho à toinha: é uma, é uma, eh, pode ser... Cê viu depois – ela evém caminhando, de barriga cheia? Ã-hã! Que vem de cabeça abaixada, evém andando devagar: apruma as costas, cocurute, levanta um ombro, levanta o outro, cada apá, cada anca redondosa... Onça fêmea mais bonita é Maria-Maria... Eh, mecê quer saber? Não, isso eu não conto. Conto não, de jeito nenhum... Mecê quer saber muita coisa!

Me deixaram aqui sozinho, eu nhum. Me deixaram pra trabalhar de matar, de tigreiro. Não deviam. Nhô Nhuão Guede não devia. Não sabiam que eu era parente delas? Oh ho! Oh ho! Tou amaldiçoando, tou desgraçando, porque matei tanta onça, por que é que eu fiz isso?! Sei xingar, sei. Eu xingo! *Tiss, n't, n't!...* Quando tou de barriga cheia não gosto de ver gente, não, gosto de lembrar de ninguém: fico com raiva. Parece que eu tenho de falar com a lembrança deles. Quero não. Tou bom, tou calado. Antes, de primeiro, eu gostava de gente. Agora eu gosto é só de onça. Eu apreceio o bafo delas... Maria-Maria – onça bonita, cangussu, boa-bonita.

Ela é nova. Cê olha, olha – ela acaba de comer, tosse, mexe com os bigodes, eh, bigode duro, branco, bigode pra baixo, faz cócega em minha cara, ela muquirica tão gostoso. Vai beber água. O mais bonito que tem é onça Maria-Maria esparramada no chão, bebendo água. Quando eu chamo, ela acode. Cê quer ver? Mecê tá tremendo, eu sei. Tem medo não, ela não vem não, vem só se eu chamar. Se eu não chamar, ela não vem. Ela tem medo de mim também, feito mecê...

Eh, este mundo de gerais é terra minha, eh, isto aqui – tudo meu. Minha mãe havera de gostar... Quero todo o mundo com medo de mim. Mecê não, mecê é meu amigo... Tenho outro amigo nenhum. Tenho algum? Hum. Hum, hum... Nhem? Aqui mais perto tinha só três homens, geralistas, uma vez, beira da chapada. Aqueles eram criminosos fugidos, jababora, vieram viver escondidos aqui. Nhem? Como é que chamavam? Pra quê é que mecê carece de saber? Eles eram seus parentes? Axi! Geralista, um chamava Gugué, era meio gordo; outro chamava Antunias – aquele tinha dinheiro guardado! O outro era seo Riopôro, homem zangado, homem bruto: eu gostava dele não...

O quê que eles faziam? Ã-hã... Jababora pesca, caça, plantam mandioca; vão vender couro, compram pólvora, chumbo, espoleta, trem bom... Eh, ficam na chapada, na campina. Terra lá presta não. Mais longe daqui, no Cachorro Preto, tem muito jababora – mecê pode ir lá, espiar. Esses tiram leite de mangabeira. Gente pobre! Nem não têm roupa mais pra vestir, não... Eh, uns ficam nu de todo. Ixe... Eu tenho roupa, meus panos, calumbé.

Nhem? Os três geralistas? Sabiam caçar onça não, tinham medo, muito. Capaz de caçar onça com zagaia não, feito eu caço. A gente berganhava fumo por sal, conversava[1], emprestava pedaço de rapadura. Morreram, eles três, morreu tudo, tudo – cuéra. Morreram de doença, eh, eh. De verdade. Tou falando verdade, tou brabo!

Com minha zagaia? Mato mais onça não. Não falei? Ah, mas eu sei. Se quiser, mato mesmo! Como é que é? Eu espero. Onça vem. Heeé! Vem anda andando, ligeiro, cê não vê o vulto com esses olhos de mecê. Eh, rosna, pula não. Vem só bracejando, gatinhando rente. Pula nunca, não. Eh – ela chega nos meus pés, eu encosto a zagaia. Erê! Encosto a folha da zagaia, ponta no peito, no lugar que é. A gente encostando qualquer coisa, ela vai deita, no chão. Fica querendo estapear ou pegar as coisas, quer se abraçar com tudo. Fica empezinha, às vez. Onça mesma puxa a zagaia pra a ponta vir nela. Eh, eu enfio... Ela boqueia logo. Sangue sai vermelho, outro sai quage preto... Curuz, pobre da onça, coitada, sacapira da zagaia entrando lá nela... Teitê... Morrer picado de faca? Hum-hum, Deus me livre... Palpar o ferro chegar entrando no vivo da gente... Atiúca! Cê tem medo? Eu tenho não. Eu sinto dor não...

---

1 Variante: proseava.

Hã, hã, cê não pensa que é assim vagaroso, manso, não. Eh, heé... Onça sufoca de raiva. Debaixo da zagaia, ela escorrega, ciririca, forceja. Onça é onça – feito cobra... Revira pra todo o lado, mecê pensa que ela é muitas, tá virando outras. Eh, até o rabo dá pancada. Ela enrosca, enrola, cambalhota, eh, dobra toda, destorce, encolhe... Mecê não tá costumado, nem não vê, não é capaz, resvala... A força dela, mecê não sabe! Escancara boca, escarra medonho, tá rouca, tá rouca. Ligeireza dela é doida. Puxa mecê pra baixo. Ai, ai, ai... Às vez inda foge, escapa, some no bamburral, danada. Já tá na derradeira, e inda mata, vai matando... Mata mais ligeiro que tudo. Cachorro descuidou, mão de onça pegou ele por detrás, rasgou a roupa dele toda... Apê! Bom, bonito. Eu sou onça... Eu – onça!

Mecê acha que eu pareço onça? Mas tem horas em que eu pareço mais. Mecê não viu. Mecê tem aquilo – espelhim, será? Eu queria ver minha cara... Tiss, n't, n't... Eu tenho olho forte. Eh, carece de saber olhar a onça, encarado, olhar com coragem: hã, ela respeita. Se você olhar com medo, ela sabe, mecê então tá mesmo morto. Pode ter medo nenhum. Onça sabe quem mecê é, sabe o que tá sentindo. Isso eu ensino, mecê aprende. Hum. Ela ouve tudo, enxerga todo movimento. Rastrear, onça não rastreia. Ela não tem faro bom, não é cachorro. Ela caça é com os ouvidos. Boi soprou no sono, quebrou um capinzinho: daí a meia légua onça sabe... Nhor não. Onça não tocaia de riba de árvore não. Só suaçurana é que vai de árvore em árvore, pegando macaco. Suaçurana pula pra riba de árvore; pintada não pula, não: pintada sobe direito, que nem gato. Mecê já viu? Eh, eh, eu trepo em árvore, tocaio. Eu, sim. Espiar de lá de riba é melhor. Ninguém não vê que eu tou vendo... Escorregar no chão, pra vir perto da caça, eu aprendi melhor foi com onça. Tão devagarim, que a gente mesmo não abala que tá avançando do lugar... Todo movimento da caça a gente tem que aprender. Eu sei como é que mecê mexe mão, que cê olha pra baixo ou pra riba, já sei quanto tempo mecê leva pra pular, se carecer. Sei em que perna primeiro é que mecê levanta.

Mecê quer sair lá fora? Pode ir. Vigia a lua como subiu: com esse luar grande, elas tão caçando, noite clara. Noite preta, elas caçam não; só de tardinha no escurecer, e quando é em volta de madrugada... De dia, todas ficam dormindo, no tabocal, beira de brejo, ou no escuro do mato, em touceiras de gravata, no meio da capoeira... Nhor não, neste tempo quage que onça não mia. Vão caçar caladas. Pode passar uma porção de dias, que mecê não escuta nem um miado só... Agora, fez barulho foi sariema culata... Hum-hum. Mecê entra. Senta no jirau. Quer deitar na rede? Rede é minha, mas eu deixo. Eu asso mandioca, pra mecê. A'bom. Então vou tomar mais um golinho. Se deixar, eu bebo até no escorropicho. *N't, m'p*, aah...

Donde foi que aprendi? Aprendi longe destas terras, por lá tem outros homens sem medo, quage feito eu. Me ensinaram, com zagaia. Uarentin Maria e Gugué Maria – dois irmãos. Zagaia que nem esta, cabo de metro e meio, travessa boa, bom alvado. Tinha Nhô Inácio também, velho Nhuão Inácio: preto esse, mas preto homem muito bom, abaeté abaúna. Nhô Inácio, zagaieiro mestre, homem desarmado, só com azagaia, zagaia muito velha, ele brinca com onça. Irmão dele, Rei Inácio, tinha trabuco...

Nha-hem? Hã-hã. É porque onça não contava uma pra outra, não sabem que eu vim pra mor de acabar com todas. Tinham dúvida em mim não, farejam que eu sou parente delas... Eh, onça é meu tio, o jaguaretê, todas. Fugiam de mim não!, então eu matava... Despois, só na hora é que ficavam sabendo, com muita raiva... Eh, juro pra mecê: matei mais não! Não mato. Posso não, não devia. Castigo veio: fiquei panema, caipora[1]... Gosto de pensar que matei, não. Meu parente, como é que posso?! Ai, ai, ai, meus parentes... Careço de chorar, senão elas ficam com raiva.

Nhor sim, umas já me pegaram. Comeram pedaço de mim, olha. Foi aqui no gerais não. Foi no rio de lá, outra parte. Os outros companheiros erraram o tiro, ficaram com medo. Eh, pinima malha larga veio no meio do pessoal, rolou com a gente, todos. Ela ficou doida. Arrebentou a tampa dos peitos de um, arrancou o bofe, a gente via o coração dele lá dentro, lá nele, batendo, no meio de montão de sangue. Arriou o couro da cara de um outro homem – Antonho Fonseca.

---

1 Seguido de ponto de interrogação, para eventual substituição.

Riscou esta cruz em minha testa, rasgou minha perna, unha veio funda, esbandalha, muçuruca, dá ferida brava. Unha venenosa, não é afiada fina não, por isso é que estraga, azanga. Dente também. Pa! lá, iá, eh, tapa de onça pode tirar a zagaia da mão do zagaieiro... Deram nela mais de trinta pra quarenta facadas! Hum, cê tivesse lá, cê agora tava morto... Ela matou quage cinco homens. Tirou a carne toda do braço do zagaieiro, ficou o osso, com o nervo grande e a veia esticada... Eu tava escondido atrás da palmeira, com a faca na mão. Pinima me viu, abraçou comigo, eu fiquei por baixo dela, misturados. Hum, o couro dela é custoso pra se firmar, escorrega, que nem sabão, pepego de quiabo, destremece a torto e a direito, feito cobra mesmo, eh, cobra... Ela queria me estraçalhar, mas já tava cansada, tinha gastado muito sangue. Segurei a boca da bicha, ela podia mais morder não. Unhou meu peito, desta banda de cá tenho mais maminha não. Foi com três mãos! Rachou meu braço, minhas costas, morreu agarrada comigo, das facadas que já tinham dado, derramou o sangue todo... Munhuaçá de onça! Tinha babado em minha cabeça, cabelo meu ficou fedendo aquela catinga, muitos dias, muitos dias...

 Hum, hum. Nhor sim. Elas sabem que eu sou do povo delas. Primeira que eu vi e não matei, foi Maria-Maria. Dormi no mato, aqui mesmo perto, na beira de um foguinho que eu fiz. De madrugada, eu tava dormindo. Ela veio. Elá me acordou, tava me cheirando. Vi aqueles olhos bonitos, olho amarelo, com as pintinhas pretas bubuiando bom, adonde aquela luz... Aí eu fingi que tava morto, podia fazer nada não. Ela me cheirou, cheira-cheirando, pata suspendida, pensei que tava percurando meu pescoço. Urucuera piou, sapo tava, tava, bichos do mato, aí eu escutando, toda a vida... Mexi não. Era um lugar fofo prazível, eu deitado no alecrinzinho. Fogo tinha apagado, mas ainda quentava calor de borralho. Ela chega esfregou em mim, tava me olhando. Olhos dela encostavam um no outro, os olhos lumiavam – pingo, pingo: olho brabo, pontudo, fincado, bota na gente, quer munguitar: tira mais não. Muito tempo ela não fazia nada também. Despois botou mãozona em riba de meu peito, com muita fineza. Pensei – agora eu tava morto: porque ela viu que meu coração tava ali. Mas ela só calcava de leve, com uma mão, afofado com a outra, de sossoca, queria me acordar. Eh, eh, eu fiquei sabendo... Onça que era onça – que ela gostava de mim, fiquei sabendo... Abri os olhos, encarei. Falei baixinho: – "Ei, Maria-Maria... Carece de caçar juízo, Maria-Maria..." Eh, ela rosnou e gostou, tornou a se esfregar em mim, mião-miã. Eh, ela falava comigo, jaguanhenhém, jaguanhém... Já tava de rabo duro, sacudindo, sacê-sacemo, rabo de onça sossega quage nunca: ã, ã. Vai, ela saiu, foi pra me espiar, meio de mais longe, ficou agachada. Eu não mexi de como era que tava, deitado de costas, fui falando com ela, e encarando, sempre, dei só bons conselhos. Quando eu parava de falar, ela miava piado – jaguanhenhém... Tava de barriga cheia, lambia as patas, lambia o pescoço. Testa pintadinha, tiquira de aruvalhinho em redor das ventas... Então deitou encostada em mim, o rabo batia bonzinho na minha cara... Dormiu perto. Ela repuxa o olho, dormindo. Domindo e redormindo, com a cara na mão, com o nariz do focinho encostado numa mão... Vi que ela tava secando leite, vi o cinhim dos peitinhos. Filhotes dela tinham morrido, sei lá de quê. Mas agora, ela vai ter filhote nunca mais, não, ara! – vai não...

Nhem? Despois? Despois ela dormiu, uê. Roncou com a cara virada pra uma banda, amostrava a dentaria braba, encostando as orelhas pra trás. Era por causa que uma suaçurana, que vinha vindo. Suaçurana clara, maçaroca. Suaçurana esbarrou. Ela é a pior, bicho maldoso, sangradeira. Vi aquele olhão verde, olhos dela, de luz também, redondados, parece que vão cair. Hum-hum, Maria-Maria roncou, suaçurana foi saindo, saindo.

Eh, catu, bom, bonito, porã-poranga! – melhor de tudo. Maria--Maria solevantou logo, botava as orelhas espetadas pra diante. Eh, foi indo devagar, no diário dela, andar que mecê pensa que é pesado, mas se ela quiser vira pra ligeiro, leviano, é só carecer. Ela balança bonito, jerejereba, fremosa, porção de pelo, mão macia... Chegou no pau de peroba, empinada, fincou as unhas, riscou de riba pra baixo, tava amolando fino, unhando o perobão. Depois foi no ipê-branco. Deixou marcado, mecê pode ir ver adonde é que ela faz.

Aí, se quisesse, podia matar. Quis não. Como é que ia querer matar Maria-Maria? Também, eu nesse tempo eu já tava triste, triste, eu aqui sozinho, eu nhum, e mais triste e caipora de ter matado onças, eu tava até amorviado. Dês que esse dia, matei mais nenhuma não, só que a derradeira que matei foi aquela suaçurana, fui atrás dela. Mas suaçurana não é meu parente, parente meu é a onça preta e a pintada... Matei a tal, em quando que o sol 'manheceu. Suaçurana tinha comido um veadinho catingueiro. Acabei com ela mais foi de raiva, por causa que ali donde eu tava dormindo era adonde lugar que ela vinha lá fazer sujeira, achei, no bamburral, tudo estrume. Eh, elas tapam, com terra, mas o macho tapa menos, macho é mais porco...

Ã-hã. Maria-Maria é bonita, mecê devia de ver! Bonita mais do que alguma mulher. Ela cheira à flor de pau-d'alho na chuva. Ela não é grande demais não. É cangussu, cabeçudinha, afora as pintas ela é amarela, clara, clara. Tempo de seca, elas inda tão mais claras. Pele que brilha, macia, macia. Pintas, que nenhuma não é preta mesmo preta, não: vermelho escuronas, assim ruivo roxeado. Tem não? Tem de tudo. Mecê já comparou as pintas e argolas delas? Cê conta, pra ver: vareia tanto, que duas mesmo iguais cê não acha, não... Maria-Maria tem montão de pinta miúda. Cara mascarada, pequetita, bonita, toda sarapintada, assim, assim. Uma pintinha em cada canto da boca, outras atrás das orelhinhas... Dentro das orelhas, é branquinho, algodão espuxado. Barriga também. Barriga e por debaixo do pescoço, e no por de dentro das pernas. Eu posso fazer festa, tempão, ela apreceia... Ela lambe minha mão, lambe mimoso, do jeito que elas sabem pra alimpar o sujo de seus filhotes delas; se não, ninguém não aguentava o rapo daquela língua grossa, aspra, tem lixa pior que a de folha de sambaíba; mas, senão, como é que ela lambe, lambe, e não rasga com a língua o filhotinho dela?

Nhem? Ela ter macho, Maria-Maria?! Ela tem macho não. Xô! Pa! Atimbora! Se algum macho vier, eu mato, mato, mato, pode ser meu parente o que for!

A' bom, mas agora mecê carece de dormir. Eu também. Ói: muito tarde. Sejuçu já tá alto, olha as estrelinhas dele... Eu vou dormir não, tá quage em hora d'eu sair por aí, todo dia eu levanto cedo, muito em antes do romper da aurora. Mecê dorme. Por que é que não deita? – fica só acordado me preguntando coisas, despois eu respondo, despois cê pregunta outra vez outras coisas? Pra quê? Daí, eh, eu bebo sua cachaça toda. Hum, hum, fico bêbado não. Fico bêbado só quando eu bebo muito, muito sangue... Cê pode dormir sossegado, eu tomo conta, sei ter olho em tudo. Tou vendo, cê tá com sono. Ói, se eu quero eu risco dois redondos no chão – pra ser seus olhos de mecê – despois piso em riba, cê dorme de repente... Ei, mas mecê também é corajoso capaz de encarar homem. Mecê tem olho forte. Podia até caçar onça... Fica quieto. Mecê é meu amigo.

Nhem? Nhor não, disso não sei não. Sei só de onça. Boi, sei não. Boi pra comer. Boi fêmea, boi macho, marruá. Meu pai sabia. Meu pai era bugre índio não, meu pai era homem branco, branco feito mecê, meu pai Chico Pedro, mimbauamanhanaçara, vaqueiro desses, homem muito bruto. Morreu no Tungo-Tungo, nos gerais de Goiás, fazenda da Cachoeira Brava. Mataram. Sei dele não. Pai de todo o mundo. Homem burro.

Nhor? Hã, hã, nhor sim. Ela pode vir aqui perto, pode vir rodear o rancho. Tão por aí, cada onça vive sozinha por seu lado, quage o ano todo. Tem casal morando sempre junto não, só um mês, algum tempo. Só jaguatirica, gato-do-mato grande, é que vive par junto. Ih, tem muitas, montão. Eh, isto aqui, agora eu não mato mais: é jaguaretama, terra de onças, por demais... Eu conheço, sei delas todas. Pode vir nenhuma pra cá mais não – as que moram por aqui não deixam, senão acabam com a caça que há. Agora eu não mato mais não, agora elas todas têm nome. Que eu botei? Axi! Que eu botei, só não, eu sei que era mesmo o nome delas. Atié... Então, se não é, como é que mecê quer saber? Pra quê mecê tá preguntando? Mecê vai comprar onça? Vai prosear com onça, algum? Teité... Axe... Eu sei, mecê quer saber, só se é pra ainda ter mais medo delas, tá-há?

Hã, a'bom. Ói: em uma covoca da banda dali, aqui mesmo pertinho, tem a onça Mopoca, cangussu fêmeo. Pariu tarde, tá com filhote novo, jaguaraim. Mopoca, onça boa mãe, tava sempre mudando com os filhos, carregando oncinha na boca. Agora sossegou lá, lugar bom. Nem sai de perto, nem come direito. Quage não sai. Sai pra beber água. Pariu, tá magra, magra, tá sempre com sede, toda a vida. Filhote, jaguaraim, cachorrinho-onço, oncinho, é dois, tão aquelas bolotas, parece bicho-de-pau-podre, nem sabem mexer direito. A Mopoca tem leite muito, oncim mama o tempo todo...

Nhá-em? Eh, mais outras? Ói: mais adiante, no rumo mesmo, obra de cinco léguas, tá a onça pior de todas, a Maramonhangara, ela manda, briga com as outras, entesta. Da outra banda, na beirada do brejo, tem a Porreteira, malha larga, enorme, só mecê vendo o mãozo dela, as unhas, mão chata... Mais adiante, tem a Tatacica, preta, preta, jaguaretê-pixuna; é de perna comprida, é muito braba. Essa pega muito peixe... Hem, outra preta? A Uinhua, que mora numa soroca boa, buraco de cova no barranco, debaixo de raizão de gameleira... Tem a Rapa-Rapa, pinima velha, malha larga, ladina: ela sai daqui, vai caçar até a umas vinte léguas, tá em toda a parte. Rapa-Rapa tá morando numa lapinha – onça gosta muito de lapa, apreceia... A Mpu, mais a Nhã-ã, é que foram tocadas pra longe daqui, as outras tocaram, por o de-comer não chegar... Eh, elas mudam muito, de lugar de viver, por via disso... Sei mais delas não, tão aqui mais não. Cangussu braba é a Tibitaba – onça com sobrancelhas: mecê vê, ela fica de lá, deitada em riba de barranco, bem na beirada, as mãos meio penduradas, mesmo... Tinha outras, tem mais não: a Coema-Piranga, vermelhona, morreu engasgada com osso, danada... A onça Putuca, velha, velha, com costela alta, vivia passando fome, judiação de fome, nos matos... Nhem? Hum, hum, Maria-Maria eu falo adonde ela mora não. Sei lá se mecê quer matar?! Sei lá de nada...

Hã-hã. E os machos? Muito, ih, montão. Se mecê vê o Papa-Gente: macharrão malha larga, assustando de grande... Cada presa de riba que nem quicé carniceira, suja de amarelado, eh, tabaquista! Tem um, Puxuêra, também tá velho: dentão de detrás, de cortar carnaça, já tá gastado, roído. Suú-Suú é jaguaretê-pixuna, preto demais, tem um esturro danado de medonho, cê escuta, cê treme, treme, treme... Ele gosta da onça Mapoca. Apiponga é pixuna não, é o macho pintado mais bonito, mecê não vê outro, o narizão dele. Mais é o que tá sempre gordo, sabe caçar melhor de todos. Tem um macho cangussu, Petecaçara, que tá meio maluco, ruim do miolo, ele é que anda só de dia, vagueia, eu acho que esse é o que parece com o boca-torta... Uitauêra é um, Uatauêra é outro, eles são irmãos, eh, mas eu é que sei, eles nem não sabem...

A' bom, agora chega. Proseio não. Se não, 'manhece o dia, mecê não dormiu, camarada vem com os cavalos, mecê não pode viajar, tá doente, tá cansado. Mecê agora dorme. Dorme? Quer que eu vou embora pra mecê dormir aqui sozinho? Eu vou. Quer não? Então eu converso mais não. Fico calado, calado. O rancho é meu. Hum. Hum-hum. Pra quê mecê pergunta, pergunta, e não dorme? Sei não. Suaçurana tem nome não. Suaçurana parente meu não, onça medrosa. Só o lombo-preto é que é braba. Suaçurana ri com os filhotes. Eh, ela é vermelha, mas os filhotes são pintados... Hum, agora eu vou conversar mais não, proseio não, não atiço o fogo. Dei'stá! Mecê dorme, será? Hum. É. Hum-hum. Nhor não. Hum... Hum-hum... Hum...

Nhem? Camarada traz outro garrafão? Mecê me dá? Hã-hã... ããã... Apê! Mecê quer saber? Eu falo. Mecê bom-bonito, meu amigo meu. Quando é que elas casam? Ixe, casar é isso? Porqueira... Mecê vem cá no fim do frio, quando ipê tá de flor, mecê vê. Elas ficam aluadas. Assanham, urram, urram, miando e roncando o tempo todo, quage nem caçam pra mor de comer, ficam magras, saem p'los matos, fora do sentido, mijam por toda a parte, caruca que fede feio, forte... Onça fêmea saída mia mais, miado diferente, miado bobo. Ela vem com o pelo do lombo rupeiado, se esfregando em árvores, deita no chão, vira a barriga pra riba, aruê! É só *arrú-arrú... arrarrúuuu...* Mecê foge, logo: se não, nesse tempo, mecê tá comido, mesmo...

Macho vem atrás, caminha légua e mais légua. Vem dois? Vem três? Eh, mecê não queira ver a briga deles, não... Pelo deles voa longe. Ai, depois, um sozinho fica com a fêmea. Então é que é. Eles espirram. Ficam chorando, 'garram de chorar e remir, noite inteira, rolam no chão, sai briga. Capim acaba amassado, bamburral baixo, moita de mato achatada no chão, eles arrancam touceiras, quebram galhos.

Macho fica zureta, encoscora o corpo, abre a goela, hi, amostra as presas. Ói: rabo duro, batendo com força. Cê corre, foge. Tá escutando? Eu – eu vou no rastro. É cada pezão grande, rastro sem unhas... Eu vou. Um dia eu não volto.

Eh, não, o macho e a fêmea vão caçar juntos não. Cada um pra si. Mas eles ficam companheiros o dia todo, deitados, dormindo. Cabeça encostada um no outro. Um virado pra uma banda, a outra pra a outra... Ói: onça Maria-Maria eu vou trazer pra cá, deixo macho nenhum com ela não. Se eu chamar ela vem. Mecê quer ver? Cê não atira nela com esse revólver seu, não? Ei, quem sabe revólver seu tá panema, hã? Deixa eu ver. Se 'tiver panema, eu dou jeito... Ah, cê não quer não? Cê deixa eu pegar em revólver seu não? Mecê já fechou os olhos três vezes, já abriu a boca, abriu a boca. Se eu contar mais, cê dorme, será?

Eh, quando elas criam, eu acho o ninho. Soroca muito escondida, no mato pior, buracão em grota. No entrançado. Onça mãe vira demônio. De primeiro, quando eu matava onça, esperava seis meses, mode não deixar os filhotes à míngua. Matava a mãe, deixava filhote crescer. Nhem? Tinha dó não, era só pra não perder paga, e o dinheiro do couro... Eh, sei miar que nem filhote, onça vem desesperada. Tinha onça com ninhada dela, jaguaretê-pixuna, muito grande, muito bonita, muito feia. Miei, miei, jaguarainhém, jaguaranhinhenhém... Ela veio maluca, com um ralhado cochichado, não sabia pra adonde ir. Eu miei aqui de dentro do rancho, pixuna mãe chegou até aqui perto, me pedindo pra voltar pra o ninho. Ela abriu a mão ali... Quis matar não, por não perder os filhotes, esperdiçar. Esbarrei de miar, dei um tiro à toa. Pixuna correu de volta, ligeiro, se mudou, levou suas crias dela pra daí a meia légua, arranjou outro ninho, no mato do brejo. Filhotes dela eram pixunas não, eram oncinhas pintadas, pinima... Ela ferra cada cria p'lo couro da nuca, vai carregando, pula barranco, pula moita... Eh, bicho burro! Mas mecê pode falar que ela é burra não, eh. Eu posso.

Nhor sim. Tou bebendo sua cachaça de mecê toda. É, foguinho bom, ela esquenta corpo também. Tou alegre, tou alegre... Nhem? Sei não, gosto de ficar nu, só de calça velha, faixa na cintura. Eu cá tenho couro duro. Ã-hã, mas tenho roupa guardada, roupa boa, camisa, chapéu bonito. Boto, um dia, quero ir em festa, muita. Calçar botina quero não: não gosto! Nada no pé, gosto não, mundéu, ixe! Iá. Aqui tem festa não. Nhem? Missa, não, de jeito nenhum! Ir pra o céu eu quero. Padre, não, missionário, não, gosto disso não, não quero conversa. Tenho medalhinha de pendurar em mim, gosto de santo. Tem? São Bento livra a gente de cobra... Mas veneno de cobra pode comigo não – tenho chifre de veado, boto, sara. Alma de defunto tem não, tagoaíba, sombração, aqui no gerais tem não, nunca vi. Tem o capeta, nunca vi também não. Hum-hum...

Nhenhém? Eu cá? Mecê é que tá preguntando. Mas eu sei porque é que tá preguntando. Hum. ã-hã, por causa que eu tenho cabelo assim, olho miudinho... É. Pai meu, não. Ele era branco, homem índio não. A' pois, minha mãe era, ela muito boa. Caraó, não. Péua, minha mãe, gentio Tacunapéua, muito longe daqui.

Caraó, não: caraó muito medroso, quage todos tinham medo de onça. Mãe minha chamava Mar'Iara Maria, bugra. Despois foi que morei com caraó, morei com eles. Mãe boa, bonita, me dava comida, me dava de-comer muito bom, muito, montão... Eu já andei muito, fiz viagem. Caraó tem chuço, só um caraó sabia matar onça com chuço. Auá? Nhoaquim Pereira Xapudo, nome dele também era Quim Crenhe, esse tinha medo de nada, não. Amigo meu! Arco, frecha, frecha longe. Nhem? Ah, eu tenho todo nome. Nome meu minha mãe pôs: Bacuriquirepa. Breó, Beró, também. Pai meu me levou pra o missionário. Batizou, batizou. Nome de Tonico; bonito, será? Antonho de Eiesus... Despois me chamavam de Macuncozo, nome era de um sítio que era de outro dono, é – um sítio que chamavam de Macuncozo... Agora, tenho nome nenhum, não careço. Nhô Nhuão Guede me chamava de Tonho Tigreiro. Nhô Nhuão Guede me trouxe pr'aqui, eu nhum, sozim. Não devia! Agora tenho nome mais não...

Nhã-hem, é barulho de onça não. Barulho de anta, ensinando filhote a nadar. Muita anta, por aqui. Carne muito boa. Dia quente, anta fica pensando tudo, sabendo tudo dentro d'água. Nhem? Eh, não, onça pinima come anta, come todas. Anta briga não, anta corre, foge. Quando onça pulou nela, ela pode correr carregando a onça não, jeito nenhum que não pode, não é capaz. Quando pinima pula em anta, mata logo, já matou. Jaguaretê sangra a anta. Ôi noite clara, boa pra onça caçar!

Nhor não. Isso é zoeira de outros bichos, curiango, mãe-da-lua, corujão do mato piando. Quem gritou foi lontra com fome. Gritou: – Irra! Lontra vai nadando vereda acima. Eh, ela sai de qualquer água com o pelo seco... Capivara? De longe mecê escuta a barulhada delas, pastando, meio dentro, meio fora d'água... Se onça urrar, eu falo qual é. Eh, nem carece, não. Se ele esturrar ou miar, mecê logo sabe... Mia sufocado, do fundo da goela, eh, goela é enorme... Heeé... Apêi Mecê tem medo? Tem medo não? Pois vai ter. O mato todo tem medo. Onça é carrasca. 'Manhã cê vai ver, eu mostro rastro dela, pipura... Um dia, lua nova, mecê vem cá, vem ver meu rastro, feito rastro de onça, eh, sou onça! Hum, mecê não acredita não?

Ô homem doido... ô homem doido... Eu – onça! Nhum? Sou o diabo não. Mecê é que é diabo, o boca-torta. Mecê é ruim, ruim, feio. Diabo? Capaz que eu seja... Eu moro em rancho sem paredes... Nado, muito, muito. Já tive bexiga da preta. Nhoaquim Caraó tinha uma carapuça de pena de gavião. Pena de arara, de guará também. Rodinha de pena de ema, no joelho, nas pernas, na cintura. Mas eu sou onça. Jaguaretê tio meu, irmão de minha mãe, tutira... Meus parentes! Meus parentes!... Ói, me dá sua mão aqui... Dá sua mão, deixa eu pegar... Só um tiquinho...

Eh, cê tá segurando revólver? Hum-hum. Carece de ficar pegando no revólver não... Mecê tá com medo de onça chegar aqui no rancho? Hã-hã, onça Uinhua travessou a vereda, eu sei, veio caçar paca, tá indo escorregada, no capim grosso. Ela vai, anda deitada, de escarrapacho, com as orelhas pra diante – dá estalinho assim com as orelhas, quaquave... Onça Uinhua é preta, capeta de preta, que rebrilha com a lua. Fica peba no chão. Capim de ponta cutuca dentro do nariz dela, ela não gosta: assopra. Come peixe, pássaro d'água, socó, saracura. Mecê escuta o uêuê de narcejão voando embora, o narcejão vai voando de a torto e a direito... Passarinho com frio foge, fica calado. Uinhua fez pouca conta dele. Mas paca assustou, pulou. Cê ouviu o roró d'água? Onça Uinhua deve de tá danada. Toda molhada de mururu do aruvalho, muquiada de barro branco de beira de rio. Evém ela... Ela já sabe que mecê tá aqui, esse seu cavalo. Evém ela... tuxa morubixa. Evém... Iquente! Ói cavalo seu barulhando com medo. Eh, carece de nada não, a Uinhua esbarrou. Evém? Vem não, foi tataca de alguã rã... Tem medo não, se ela vier eu enxoto, escramuço, eu mando embora. Eu fico quieto, quieto; ela não me vê. Deixa o cavalo rinchar, ele deve de tá tremendo, tá com as orelhas esticadas, peia é boa? Peiado forte? Foge não. Também, esse cavalo seu de mecê presta mais pra nada. Espera... Mecê vira seu revólver pra outra banda, ih!

Vem mais não. Hoje a Uinhua não teve coragem. Dei'stá, 'xa pra lá: de fome ela não morre – pega qualquer acutia por aí, rato, bichinho. Isso come até porco-espim... 'Manhã cedo, cê vê o rastro. Onça larga catinga, a gente acha, se a gente passar de fresco. 'Manhã cedo, a gente vai lavar corpo. Mecê quer? Nhem? Catinga delas mais forte é no lugar donde elas pariram e moraram com cria, fede muito. Eu gosto... Agora, mecê pode ficar sossegado quieto, torna a guardar revólver no bolso. Onça Uinhua vem mais não. Ela nem não é desta banda de cá. Travessou a vereda, só se a Maramonhangara foi lá, adonde que é o terreiro dela, aí a Uinhua ficou enjerizada, se mudou... Tudo tem lugar certo; lugar de beber água – a Tibitaba vai no pocinho adonde tem o buriti dobrado; Papa-Gente bebe no mesmo lugar junto com o Suú-Suú, na barra da Veredinha... No meio da vereda larga tem uma pedra-morta: Papa-Gente nada pra lá, pisa na pedra-morta, parece que tá em pé dentro d'água, é danado de feio. Sacode uma perna, sacode outra, sacode o corpo pra secar. Espia tudo, espia a lua... Papa-Gente gosta de morar em ilha, capoama de ilha, a-hé. Nhem? Papa não? Axi! Onça enfiou mão por um buraco da cafua, pegou menino pequeno no jirau, abriu barriguinha dele...

Foi aqui não, foi nos roçados da Chapada Nova, eh. Onça velha, tigra de uma onça conhecida, jaguarapinima muito grande demais, o povo tinha chamado de Pé-de-Panela. Pai do menino pequeno era sitiante, pegou espingarda, foi atrás de onça, sacaquera, sacaquera. Onça Pé-de-Panela tinha matado o menino pequeno, tinha matado uma mula. Onça que vem perto de casa, tem medo de ser enxotada não, onça velha, onça chefa, come gente, bicho perigoso, que nem até quage que feito homem ruim. Sitiante foi indo no rastro sacaquera, sacaquera. Pinima caminha muito, caminha longe a noite toda. Mas a Pé-de-Panela tinha comido, comido, comido, bebeu sangue da mula, bebeu água, deixou rastro, foi dormir no fecho do mato, num furado, toda desenroscada. Eu achei o rastro, não falei, contei a ninguém não. Sitiante não disse que a onça era dele? Sitiante foi buscar os cachorros, cachorro deu barroado, acharam a onça. Acuaram. Sitiante chegou, gritou de raiva, espingarda negou fogo. Pé-de-Panela rebentou o sitiante, rebentou cabeça dele, enfiou cabelo dentro de miolo. Enterraram o sitiante junto com o menino pequeno filho dele, o que sobrava, eu fui lá, fui espiar. Me deram comida, cachaça, comida boa; eu também chorei junto.

 Eh, aí davam dinheiro pra quem matar Pé-de-Panela. Eu quis. Falaram em rastrear. Hum-hum... Como é que podiam rastrear, de achar rastreando? Ela tava longe... Como é que pode? Hum, não. Mas eu sei. Eu não percurei. Deitei no lugar, cheirei o cheiro dela. Eu viro onça. Então eu viro onça mesmo, hã. Eu mio... Aí, eu fiquei sabendo. Dobrei pra o Monjolinho, na croa da vereda. E era mesmo lá: madrugada aquela, Pé-de-Panela já tinha vindo, comeu uma porca, dono da porca era um Rima Toruquato, no Saó, fazendeiro. Fazendeiro também prometeu dar mais dinheiro, pra eu matar Pé-de-Panela. Eu quis. Eu pedi outra porca, só emprestada, 'marrei no pé de almecegueira. Noite escurecendo, Pé-de-Panela sabia nada de mim não, então ela veio buscar a outra porca. Mas nem não veio, não. Chegou só de manhã cedinho, dia já tava clareando. Ela rosnou, abriu a boca perto de mim, eu porrei fogo dentro da goela dela, e gritei: – "Come isto, meu tio!..." Aí eu peguei o dinheiro de todos, ganhei muito de-comer, muitos dias. Me emprestaram um cavalo arreado. Então Nhô Nhuão Guede me mandou vir pra cá, pra desonçar. Porqueira dele! Homem ruim! Mas eu vim.

 Eu não devia? Ãã, eu sei, no começo eu não devia. Onça é povo meu, meus parentes. Elas não sabiam. Eh, eu sou ladino, ladino. Tenho medo não. Não sabiam que eu era parente brabo, traiçoeiro. Tinha medo só de um dia topar com uma onça grande que anda com os pés pra trás, vindo do mato virgem... Será que tem, será? Hum-hum. Apareceu nunca não, tenho medo mais nenhum. Tem não. Teve a onça Maneta, que também enfiou a mão dentro de casa, igual feito a Pé-de-Panela. Povo de dentro de casa ficaram com medo. Ela ficou com a mão enganchada, eles podiam sair, pra matar, cá da banda de fora. Ficaram com medo, cortaram só a mão, com foice. Onça urrava, eles toravam a munheca dela. Era onça preta. Conheci não. Toraram a mão, ela pôde ir s'embora. Mas pegou a assustar o povo, comia gente, comia criação, deixava pipura de três pés, andava manquitola. E ninguém não atinava com ela, pra mor de caçar. Prometiam dinheiro bom; nada. Conheci não. Era a Onça Maneta. Despois, sumiu por este mundo. Assombra. Ói, mecê ouviu? Essa, é miado. Pode escutar. Miou longe. É macho Apiponga, que caçou bicho grande, porco-do-mato. Tá enchendo barriga. Matou em beira do capão, no desbarrancado, fez carniça lá. 'Manhã, vou lá. Eh. Mecê conhece Apiponga não: é o que urra mais danado, mais forte. Eh – pula um pulo... Toda noite ele caça, mata. Mata um, mata bonito! Come, sai; despois, logo, volta. De dia ele dorme, quentando sol, dorme espichado. Mosquito chega, eh, ele dana. Vai lá, pra mecê ver... Apiponga, lugar dele dormir de dia é em cabeceira do mato, montão de mato, pedreira grande. Lá, mesmo, ele comeu um homem... Ih, ixe! Um dia, uma vez, ele comeu um homem...

Nhem? Cê quer saber donde é que Maria-Maria dorme de dia, hã? Pra quê que quer saber? Pra quê? Lugar dela é no alecrim-da-crôa, no furado do matinho, aqui mesmo perto, pronto! Quê que adiantou? Cê não sabe adonde que é, eh-eh-eh... Se mecê topar com Maria-Maria, não vale nada ela ser a onça mais bonita mecê morre de medo dela. Ói: abre os olhos: ela vem, vem, vem, com a boca meio aberta, língua lá dentro mexendo... É um arquejo miúdo, quando tá fazendo calor, a língua pra diante e pra trás, mas não sai do céu da boca. Bate o pé no chão, macião, espreguiça despois, toda, fecha os olhos. Eh, bota as mãos pra a frente, abre os dedos – põe pra fora cada unha maior que seu dedo mindinho de mecê. Aí, me olha, me olha... Ela gosta de mim. Se eu der mecê pra ela comer, ela come...

Mecê espia cá fora. Lua tá redonda. Tou falando nada. Lua meu compadre não. Bobagem. Mecê não bebe, eu me avexo, bebendo sozinho, tou acabando sua cachaça toda. Lua compadre de caraó? Caraó falava só bobagem. Auá? Caraó chamado Curiuã, queria casar com mulher branca. Trouxe coisas, deu pra ela: esteira bonita, cacho de banana, tucano manso de bico amarelo, casco de jaboti, pedra branca com pedra azul dentro. Mulher tinha marido. Ã-hã, foi isto: mulher branca gostou das coisas que caraó Curiuã trazia. Mas não queria casar com ele não, que era pecado. Caraó Curiuã ficou rindo, falou que tava doente, só mulher branca querendo deitar com ele na rede era que ele sarava. Carecia de casar de verdade não, deitar uma vez só chegava. Armou rede ali perto de lá, ficou deitado, não comia nada. Marido da mulher chegou, mulher contou pra ele. Homem branco ficou danado de brabo. Encostou carabina nos peitos dele, caraó Curiuã ficou chorando, homem branco matou caraó Curiuã, tava com muita raiva...

Hum, hum. Ói: eu tava lá, matei nunca ninguém. No Socó-Boi também, matei ninguém, não. Matei nunca, podia não, minha mãe falou pra eu não matar. Tinha medo de soldado. Eu não posso ser preso: minha mãe contou que eu posso ser preso não, se ficar preso eu morro — por causa que eu nasci em tempo de frio, em hora em que o sejuçu tava certinho no meio do alto do céu. Mecê olha, o sejuçu tem quatro estrelinhas, mais duas. A' bom: cê enxerga a outra que falta? Enxerga não? A outra — é eu... Mãe minha me disse. Mãe minha bugra, boa, boa pra mim, mesmo que onça com os filhotes delas, jaguaraim. Mecê já viu onça com as oncinhas? Viu não? Mamãe lambe, lambe, fala com eles, jaguanhenhém, alisa, toma conta. Mãe onça morre por conta deles, deixa ninguém chegar perto, não... Só suaçurana é que é pixote, foge, larga os filhotes pra quem quiser...

Eh, parente meu é a onça, jaguaretê, meu povo. Mãe minha dizia, mãe minha sabia, uê-uê... Jaguaretê é meu tio, tio meu. Ã-hã. Nhem? Mas eu matei onça? Matei, pois matei. Mas não mato mais, não! No Socó-Boi, aquele Pedro Pampolino queria, encomendou: pra eu matar o outro homem, por ajuste. Quis não. Eu, não. Pra soldado me pegar? Tinha o Tiaguim, esse quis: ganhou o dinheiro que era pra ser pra mim, foi esperar o outro homem na beira da estrada... Nhem, como é que foi? Sei, não, me alembro não. Eu nem não ajudei, ajudei algum? Quis saber de nada... Tiaguim mais Missiano mataram muitos. Despois foi pra um homem velho. Homem velho raivado, jurando que bebia o sangue de outro, do homem moço, eu escutei. Tiaguim mais Missiano amarraram o homem moço, o homem velho cortou o pescoço dele, com facão, aparava o sangue numa bacia... Aí eu larguei o serviço que tinha, fui m'embora, fui esbarrar na Chapada Nova...

Aquele Nhô Nhuão Guede, pai da moça gorda, pior homem que tem: me botou aqui. Falou: – "Mata as onças todas!" Me deixou aqui sozinho, eu nhum, sozinho de não poder falar sem escutar... Sozinho, o tempo todo, periquito passa gritando, grilo assovia, assovia, a noite inteira, não é capaz de parar de assoviar. Vem chuva, chove, chove. Tenho pai nem mãe. Só matava onça. Não devia. Onça tão bonita, parente meu. Aquele Pedro Pampolino disse que eu não prestava. Tiaguim falou que eu era mole, mole, membeca. Matei montão de onça. Nhô Nhuão Guede trouxe eu pr'aqui, ninguém não queria me deixar trabalhar junto com outros... Por causa que eu não prestava. Só ficar aqui sozinho, o tempo todo. Prestava mesmo não, sabia trabalhar direito não, não gostava. Sabia só matar onça. Ah, não devia! Ninguém não queria me ver, gostavam de mim não, todo o mundo me xingando. Maria-Maria veio, veio. Então eu ia matar Maria-Maria? Como é que eu podia? Podia matar onça nenhuma não, onça parente meu, tava triste de ter matado... Tava com medo, por ter matado. Nhum nenhum? Ai, ai, gente.

De noite eu fiquei mexendo, sei nada não, mexendo por mexer, dormir não podia, não; que começa, que não acaba, sabia não, como é que é, não. Fiquei com a vontade... Vontade doida de virar onça, eu, eu, onça grande. Sair de onça, no escurinho da madrugada. Tava urrando calado dentro de em mim... Eu tava com as unhas... Tinha soroca sem dono, de jaguaretê-pinima que eu matei; saí pra lá. Cheiro dela inda tava forte. Deitei no chão... Eh, fico frio, frio. Frio vai saindo de todo mato em roda, saindo da parte do rancho... Eu arrupeio. Frio que não tem outro, frio nenhum tanto assim. Que eu podia tremer, de despedaçar... Aí eu tinha uma câimbra no corpo todo, sacudindo; dei acesso.

Quando melhorei, tava de pé e mão no chão, danado pra querer caminhar, ô sossego bom! Eu tava ali, dono de tudo, sozinho alegre, bom mesmo, todo o mundo carecia de mim... Eu tinha medo de nada! Nessa hora eu sabia o que cada um tava pensando. Se mecê vinha aqui, eu sabia tudo o que mecê tava pensando...

Sabia o que onça tava pensando, também. Mecê sabe o que é que onça pensa? Sabe não? Eh, então mecê aprende: onça pensa só uma coisa – é que tá tudo bonito, bom, bonito, bom, sem esbarrar. Pensa só isso, o tempo todo, comprido, sempre a mesma coisa só, e vai pensando assim, enquanto que tá andando, tá comendo, tá dormindo, tá fazendo o que fizer... Quando alguma coisa ruim acontece, então de repente ela ringe, urra, fica com raiva, mas nem que não pensa nada: nessa horinha mesma ela esbarra de pensar. Daí, só quando tudo tornou a ficar quieto outra vez é que ela torna a pensar igual, feito em antes...

Eh, agora cê sabe; será? Hã-hã. Nhem? Aã, pois eu saí caminhando de mão no chão, fui indo. Deu em mim uma raiva grande, vontade de matar tudo, cortar na unha, no dente... Urrei. Eh, eu – esturrei! No outro dia, cavalo branco meu, que eu trouxe, me deram, cavalo tava estraçalhado meio comido, morto, eu 'manheci todo breado de sangue seco... Nhem? Fez mal não, gosto de cavalo não... Cavalo tava machucado na perna, prestava mais não...

Aí eu queria ir ver Maria-Maria. Nhem? Gosto de mulher não... Às vez, gosto... Vou indo como elas onças fazem, por meio de espinheiro, vagarinho, devagarinho, faço barulho não. Mas não espinha não, quage que não. Quando espinha pé, estraga, a gente passa dias doente, pode caçar não, fica curtindo fome... É, mas, Maria-Maria, se ficar assim, eu levo de-comer pra ela, hã, hã-ã...

Hum, hum. Esse é barulho de onça não. Urucuera piou, e um bichinho correu, destabocado. Eh, como é que eu sei?! Pode ser veado, caititu, capivara. Como é? Aqui tem é tudo – tem capão, capoeira, pertinho do campo... O resto é sapo, é grilo do mato. Passarinho também, que pia no meio de dormindo... Ói: se eu dormir mais primeiro, mecê também dorme? Cê pode encostar a cabeça no surrão, surrão é de ninguém não, surrão era do preto. Dentro tem coisa boa não, tem roupa velha, vale nada. Tinha retrato da mulher do preto, preto era casado. Preto morreu, eu peguei em retrato, virei pra não poder ver, levei pra longe, escondi em oco de pau. Longe, longe: gosto de retrato aqui comigo não...

Eh, urrou e mecê não ouviu, não. Urrou cochichado... Mecê tem medo? Tem medo não? Mecê tem medo não, é mesmo, tou vendo. Hum-hum. Eh, cê tando perto, cê sabe o que é que é medo! Quando onça urra, homem estremece todo... Zagaieiro tem medo não, hora nenhuma. Eh, homem zagaieiro é custoso achar, tem muito poucos. Zagaieiro – gente sem soluço... Os outros todos têm medo. Preto é que tem mais...

Eh, onça gosta de carne de preto. Quando tem um preto numa comitiva, onça vem acompanhando, seguindo escondida, por escondidos, atrás, atrás, atrás, ropitando, tendo olho nele. Preto rezava, ficava seguro na gente, tremia todo. Foi esse não, que morou no rancho, não; esse que morou aqui: preto Tiodoro. Foi outro preto, preto Bijibo, a gente vinha beiradeando o rio Urucuia, despois o Riacho Morto, despois... O velho barbado, barba branca, tinha botas, botas de couro de sucuriju. Velho das botas tinha trabuco. Ele mais os filhos e o carapina bêbado iam pra outra banda, pra a Serra Bonita, varavam dessa mão, de lá, mode ir... Preto Bijibo tinha coragem não: carecia de viajar sozinho, tava voltando pra algum lugar – sei lá – longe... Preto tinha medo, sabia que onça tava de tocaia: onça vinha, sacaquera, toda noite eu sabia que ela tava rodeando, de uauaca, perto do foguinho do arranchamento...

Aí eu falei com o preto, falei que também ia com ele, até no Formoso. Carecia de arma nenhuma não, eu tinha garrucha, espingarda, tinha faca, facão, zagaia minha. Mentira que eu falei: eu tava era voltando pr'aqui, tinha ido falar brabo com Nhô Nhuão Guede, que eu não ia matar onça nenhuma mais não, que eu tinha falado. Eu tava voltando pr'aqui, dei volta tão longe, por conta do preto só. Mas preto Bijibo sabia não, ele foi viajar comigo...

Ói: eu tava achando nada de ruim não, tava jeriza não, eu gostei do preto Bijibo, tava com dó dele, em mesmo, queria era ajudar, por causa que ele tinha muita comida boa, mantimento, por pena assim que ele carecia de viajar sozim... Preto Bijibo era bom, com aquele medo doido, ele não me largava em hora nenhuma... A gente caminhamos três dias. Preto conversava, conversava. Eu gostava dele. Preto Bijibo tinha farinha, queijo, sal, rapadura, feijão, carne seca, tinha anzol pra pegar peixe, toicinho salgado... Ave-Maria! – preto carregava aquilo tudo nas costas, eu ajudava não, gosto não, sei lá como é que ele podia... Eu caçava: matei veado, jacu, codorna... Preto comia. Atié! Atié, que ele comia, comia, só queria era comer, até nunca vi assim, não... Preto Bijibo cozinhava. Me dava do de-comer dele, eu comia de encher barriga. Mas preto Bijibo não esbarrava de comer, não. Comia, falava em comida, eu então ficava vendo ele comer e eu inda comia mais, ficava empazinado, chega arrotava.

A gente tava arranchados debaixo de pau de árvore, acendemos fogo. Olhei preto Bijibo comendo, ele lá com aquela alegria doida de comer, todo dia, todo dia, enchendo boca, enchendo barriga. Fiquei com raiva daquilo, raiva, raiva danada... Axe, axi! Preto Bijibo gostando tanto de comer, comendo de tudo bom, arado, e pobre da onça vinha vindo com fome, querendo comer preto Bijibo... Fui ficando com mais raiva. Cê não fica com raiva? Falei nada não. ã-hã. A'pois, falei só com preto Bijibo que ali era o lugar perigoso pior, de toda banda tinha soroca de onça-pintada. Ih, preto esbarrou logo de comer, preto custou pra dormir.

Eh, aí eu não tinha mais raiva não, queria era brincar com o preto. Saí, calado, calado, devagar, que nem nenhum ninguém. Tirei o de-comer, todo, todo, levei, escondi em galho de árvore, muito longe. Eh, voltei, desmanchei meu rastro, eh, que eu queria rir alegre... Dei muita andada, por uma banda e por outra, e voltei pra trás, trepei em pau alto, fiquei escondido... Diaba, diaba, onça nem não vinha! De manhã cedo, dava gosto ver, quando preto Bijibo acordou e não me achou, não...

O dia todo, ele chorava, percurava, percurava, não tava acreditando. Eh, arregalava os olhos. Chega que andava em roda, zuretado.

Me percurou até em buraco de formigueiro... Mas ele tava com medo de gritar e espiritar a onça, então falava baixinho meu nome... Preto Bijibo tremia, que eu escutava dente estalando, que escutava. Tremia: feito piririca de carne que a gente assa em espeto... Depois, ele ficava estuporado, deitava no chão, debruço, tapava os ouvidos. Tapava a cara... Esperei o dia inteiro, trepado no pau, eu também já tava com fome e sede, mas agora eu queria, nem sei, queria ver jaguaretê comendo o preto...

Nhem? Preto tinha me ofendido não. Preto Bijibo muito bom, homem acomodado. Eu tinha mais raiva dele não. Nhem? Não tava certo? Como é que mecê sabe? Cê não tava lá. ã-hã, preto não era parente meu, não devia de ter querido vir comigo. Levei o preto pra a onça. Preto porque quis me acompanhar, uê. Eu tava no meu costume... Hum, por que é que mecê tá percurando mão no revólver? Hum-hum... Aã, arma boa, será? Hã-hã, revólver bom. Erê! Cê deixa eu pegar com minha mão, mor de ver direito... A-nhã, não deixa, não deixa? Gosta não que eu pego? Tem medo não. Mão minha bota arma caipora não. Também não deixo pegar em arma, mas é mulher, mulher eu não deixo; deixo nem ver, não deve de. Bota panema, caipora[1]... Hum, hum. Nhor não. É. É. Hum, hum. Mecê é que sabe...

Hum. Hum. É. É não. Eh, n't, n't... Axi... É. Nhor não, sei não. Hum-hum. Nhor não, tou agravado não, revólver é seu, mecê é que é dono dele. Eu tava pedindo só por querer ver, arma boa, bonita, revólver... Mas mão minha bota caipora não, pa! – sou mulher não. Eu panema não, eu – marupiara. Mecê não quer deixar, mecê não acredita. Eu falo mentira não... Tá bom, eu bebo mais um gole. Cê bebe também! Tou vexado não. Apê, cachaça bom de boa...

Ói: mecê gosta de ouvir contar, a'pois, eu conto. Depois que teve o preto Bijibo? Eu voltei, uai. Cheguei aqui, achei outro preto, já morando mesmo dentro de rancho. Primeiro eu pulei pra pensar: este é irmão dele outro, veio tirar vingança, ôi, ôi... Era não. Preto chamado Tiodoro: Nhô Nhuão Guede justou, pra ficar no despois, pra matar as onças todas, mor d'eu não querer matar onça nenhuma

---

1 Com ponto de interrogação, para eventual substituição.

mais não. Falou que o rancho era dele, que Nhô Nhuão Guede tinha falado, tinha dado rancho pra preto Tiodoro, pra toda a vida. Mas que eu podia morar junto, eu tinha de buscar lenha, buscar água. Eu? Hum, eu – não mesmo, não.

Fiz tipoia pra mim, com folhagem de buriti, perto da soroca de Maria-Maria. Ahã, preto Tiodoro havera de vir caçar por ali... A' bom, a' bom. Preto Tiodoro caçava onça não – ele tinha mentido pra Nhô Nhuão Guede. Preto Tiodoro boa pessoa, tinha medo, mas medo, montão. Tinha quatro cachorros grandes – cachorro latidor. Apiponga matou dois, um sumiu no mato. Maramonhangara comeu o outro. Eh--eh-he... Cachorro... Caçou onça nenhuma não. Também, preto Tiodoro ficou morando em rancho só uma lua nova: aí ele morreu, pronto.

Preto Tiodoro queria ver outra gente, passear. Me dava de comer, me chamava pra ir passear mais ele, junto. Eh, sei: ele tava com medo de andar sozinho por aí. Chegava em beira de vereda, pegava a ter medo de sucruiu. Eu, eh, eu tenho meu porrete bom, amarrado com tira forte de embira: passava a tira no pescoço, ia com o porrete pendurado; tinha medo de nada. Aí, preto[1]... A gente fomos lá muitas léguas, no meio do brejo, terra boa pra plantar. Veredeiro seo Rauremiro, bom homem, mas chamava a gente por assovio, feito cachorro. Sou cachorro, sou? Seo Rauremiro falava: – "Entra em quarto da gente não, fica pra lá, tu é bugre..." Seo Rauremiro conversava com preto Tiodoro, proseava. Me dava comida, mas não conversava comigo não. Saí de lá com uma raiva, mas raiva, de todos: de seu Rauremiro, mulher dele, as filhas, menino pequeno...

Chamei o preto Tiodoro: depois da gente comer, a gente vinha s'embora. Preto Tiodoro queria só passar na barra da Veredinha – deitar na esteira com a mulher do homem doido, mulher muito boa: Maria Quirineia. A gente passou lá. Então, uê, pediram pra eu sair da casa, um tempão, ficar espiando o mato, espiando no caminho, aruê, pra ver se vinha alguém. Muito homem que tava acostumado, iam lá. Muito homem: jababora, geralista, aqueles três, que já morreram. Lá por perto, vi rastro. Rastro redondo, pipura da onça Porreteira, dela ir caçar. Tava chovendo

---
1 Com ponto de interrogação, para eventual substituição.

fino, só cruviando quage. Eu escondi em baixo de árvore. Preto Tiodoro não saía de lá de dentro não, com aquela mulher, Maria Quirineia. O doido, marido dela, nem não tava gritando, devia de tá dormindo encorrentado...

Uai, então eu enxerguei que vinha vindo geralista, aquele seo Riopôro, homem ruim feito ele só, tava toda hora furiado. Seo Riopôro vinha vestido com coroça grande de palha de buriti, mor de não molhar a roupa, vinha respingado, fincava pé na lama. Saí de debaixo de árvore, fui lá, encontrar com ele, mor de cercar, mor d'ele não vir, que preto Tiodoro tinha mandado.

– "Que é que tu tá fazendo por aqui, onceiro sem-vergonha?!" – foi que ele falou, me gritou, gritou, valente, mesmo.

– "Tou espiando o rabo da chuva..." – que eu falei.

– "Pois, por que tu não vai espiar tua mãe, desgraçado!?" – que ele tornou e a gritar, ainda gritou, mais, muito. Ô homem aquele, pra ter raiva.

Ah, gritou, pois gritou? Pa! Mãe minha, foi? Ah, pois foi. Pa! A' bom. A' bom. Aí eu falei com ele que a onça Porreteira tava escondida lá no fundão da pirambeira do desbarrancado.

– "X'eu ver, x'eu ver já..." – que ele falou. E – "Txi, é mentira tua não? Tu diabo mente, por sem-vergonheira!"

Mas ele veio, chegou na beira da pirambeira, na beiradinha, debruçou, espiando pra baixo. Empurrei! Empurrei, foi só um tiquinho, nem não foi com força: geralista seo Riopôro despencou no ar... Apê! Nhem-nhem o quê? Matei, eu matei? A' pois, matei não. Ele inda tava vivo, quando caiu lá em baixo, quando onça Porreteira começou a comer... Bom, bonito! Eh, p's, eh porã! Erê! Come esse, meu tio...

Falei nada com o preto: ói... Mulher Maria Quirineia me deu café, falou que eu era índio bonito. A gente veio s'embora. Preto Tiodoro ficava danado comigo, calado. Porque eu sabia caçar onça, ele sabia não. Eu tapijara, sapijara, achava os bichos, as árvores, planta do mato, todas, ele nem não. Eu tinha esses couros todos, nem não queria vender mais, não. Ele olhava com olho de cachorro, acho que queria couros todos pra ele, pra vender, muito dinheiro... Ah, preto Tiodoro contou mentira de mim pra os outros geralistas.

Aquele jababora Gugué, homem bom, mas mesmo bom, nunca me xingou, não. Eu queria passear, ele gostava de caminhar não; só ficava deitado, em rede, no capim, dia inteiro, dia inteiro. Pedia até pra eu trazer água na cabaça, mor de ele beber. Fazia nada. Dormia, pitava, espichava deitado, proseava. Eu também. Aquele Gugué puxava prosa danada de boa! Eh, fazia nada, caçava nada, não cavacava chão pra tirar mandioca, queria passear não. Então peguei a não querer espiar pra ele. Eh, raiva não, só um enfaro. Cê sabe? Cê já viu? Aquele homem mole, mole, perrengando por querer, panema, ixe! Até me esfriava... Eu queria ter raiva dele não, queria fazer nada não, não queria, não queria. Homem bom. Falei que ia m'embora.

– "Vai embora não..." – que ele falou. – "Vamos conversar..." Mas ele era que dormia, dormia, o dia todo. De repente, eh, eu oncei... Iá. Eu aguentei não. Arrumei cipó, arranjei embira, boa, forte. Amarrei aquele Gugué na rede. Amarrei ligeiro, amarrei perna, amarrei braço. Quando ele queria gritar, hum, xô! Axi, aí deixei não: atochei folha, folha, lá nele, boca a dentro. Tinha ninguém lá. Carreguei aquele Gugué, com rede enrolada. Pesadão, pesado, eh. Levei pra o Papa-Gente. Papa-Gente, onça chefe, onço, comeu jababora Gugué... Papa-Gente, onção enorme, come rosnando, rosnando, até parece oncinho novo... Despois, eu inté fiquei triste, com pena daquele Gugué, tão bonzinho, teitê...

Aí, era de noite, fui conversar com o outro geralista que inda tinha, chamado Antunias, jababora, uê. Ô homem amarelo de ridico! Não dava nada, não, guardava tudo pra ele, emprestava um bago de chumbo só se a gente depois pagava dois. Ixe! Ueh... Cheguei lá, ele tava comendo, escondeu o de-comer, debaixo do cesto de cipó, assim mesmo eu vi. Então eu pedi pra poder dormir dentro do rancho. – "Dormir, pode. Mas vai buscar graveto pra o fogo..." – isto que arrenegou. – "Eh, tá de noite, tá escuro, 'manhã cedo eu carrego lenha boa... – que eu falei. Mas então ele me mandou consertar uma alprecata velha. Falou que manhã cedo ele ia na Maria Quirineia, que eu não podia ficar sozinho no rancho, mor de não bulir nos trens dele, não. A' pois, eu falei: – "Acho que onça pegou Gugué..."

Ei, Tunia! – que era assim que Gugué falava. Arregalou olho. Preguntou como era que eu achava. Falei que tinha escutado grito do Gugué e urro de onça comedeira. Cê já viu? Sabe o quê que ele falou? Axi! Que onça tinha pegado Gugué, então tudo o que era do Gugué ficava sendo dele. Que despois ele ia s'embora, pra outra serra, que se eu queria ir junto, mor de ajudar a carregar os trens todos dele, tralha. – "Que eu vou, mesmo..." – que eu falei.

Ah, mas isto eu não conto, que não conto, que não conto, de jeito nenhum! Por quê mecê quer saber? Quer saber tudo? Cê é soldado?... A' bom, a' bom, eu conto, mecê é meu amigo. Eu encostei ponta da zagaia nele... X'eu mostrar, como é que foi? Ah, quer não, não pode? Cê tem medo d'eu encostar ponta da zagaia em seus peitos, eh, será, nhem? Mas, então, pra quê que quer saber?! Axe, mecê homem frouxo... Cê tem medo o tempo todo... A' bom, ele careceu de ir andando, chorando, sacêmo, no escuro, caía, levantava... – "Não pode gritar, não pode gritar..." – que eu falava, ralhava, cutucava, empurrei com a ponta da zagaia. Levei pra Maria-Maria...

Manhã cedo, eu queria beber café. Pensei: eu ia pedir café de visita, pedir àquela mulher Maria Quirineia. Fui indo pra lá, fui vendo: curuz! De toda banda, ladeza da chapada, tinha rastro de onça... Ei, minhas onças... Mas todas têm de saber de mim, eh, sou parente – eh, se não, eu taco fogo no campo, no mato, lapa de mato, soroca delas, taco fogo em tudo, no fim da seca.

Aquela mulher Maria Quirineia, muito boa. Deu café, deu de comer. Marido dela doido tava quieto, seo Suruveio, era lua dele não, só ria, ria, não gritava. Eh, mas Maria Quirineia principiou a olhar pra mim de jeito estúrdio, diferente, mesmo: cada olho se brilhando, ela ria, abria as ventas, pegou em minha mão, alisou meu cabelo. Falou que eu era bonito, mais bonito. Eu – gostei. Mas aí ela queria me puxar pra a esteira, com ela, eh, uê, uê... Me deu uma raiva grande, tão grande, montão de raiva, eu queria matar Maria Quirineia, dava pra a onça Tatacica, dava pra as onças todas!

Eh, aí eu levantei, ia agarrar Maria Quirineia na goela. Mas foi ela que falou: –"Ói: sua mãe deve de ter sido muito bonita, boazinha muito boa, será?" Aquela mulher Maria Quirineia muito boa, bonita, gosto dela muito, me alembro. Falei que todo o mundo tinha morrido comido de onça, que ela carecia de ir s'embora de mudada, naquela mesma da hora, ir já, ir já, logo, mesmo... Pra qualquer outro lugar, carecia de ir. Maria Quirineia pegou medo enorme, montão, disse que não podia ir, por conta do marido doido. Eu falei: eu ajudava, levava. Levar até na Vereda da Conceição, lá ela tinha pessoas conhecidas. Eh, fui junto. Marido dela doido nem deu trabalho, quage. Eu falava: – "Vamos passear, seo Nhô Suruveio, mais adiante?" Ele arrespondia: – "A' pois, vamos, vamos, vamos..." Vereda cheia, tempo de chuva, isso que deu mais trabalho. Mas a gente chegou lá, Maria Quirineia falou despedida: – "Mecê homem bom, homem corajoso, homem bonito. Mas mecê gosta de mulher não..." Aí, que eu falei: – "Gosto mesmo não. Eu – eu tenho unha grande..." Ela riu, riu, riu, eu voltei sozinho, beiradeando essas veredas todas.

Uê, uê, rodeei volta, despois, cacei jeito, por detrás dos brejos: queria ver veredeiro seo Rauremiro não. Eu tava com fome, mas queria de-comer dele não – homem muito soberbo. Comi araticum e fava doce, em beira de um cerrado eu descansei. Uma hora, deu aquele frio, frio, aquele, torceu minha perna... Eh, despois, não sei, não: acordei – eu tava na casa do veredeiro, era de manhã cedinho. Eu tava em barro de sangue, unhas todas vermelhas de sangue. Veredeiro tava mordido morto, mulher do veredeiro, as filhas, menino pequeno... Eh, juca-jucá, atiê, atiuca! Aí eu fiquei com dó, fiquei com raiva. Hum, nhem? Cê fala que eu matei? Mordi mas matei não... Não quero ser preso... Tinha sangue deles em minha boca, cara minha. Hum, saí, andei sozim p'los matos, fora de sentido, influição de subir em árvore, eh, mato é muito grande... Que eu andei, que eu andei, sei quanto tempo foi não. Mas quando que eu fiquei bom de mim, outra vez, tava nu de todo, morrendo de fome. Sujo de tudo, de terra, com a boca amargosa, atiê, amargoso feito casca de peroba... Eu tava deitado no alecrinzinho, no lugar. Maria-Maria chegou lá perto de mim...

Mecê tá ouvindo, nhem? Tá aperceiando... Eu sou onça, não falei?! Axi. Não falei – eu viro onça? Onça grande, tubixaba. Ói unha minha: mecê olha – unhão preto, unha dura... Cê vem, me cheira: tenho catinga de onça? Preto Tiodoro falou eu tenho, ei, ei... Todo dia eu lavo corpo no poço... Mas mecê pode dormir, hum, hum, vai ficar esperando camarada não. Mecê tá doente, carece de deitar no jirau. Onça vem cá não, cê pode guardar revólver...

Aaã! Mecê já matou gente com ele? Matou, a' pois, matou? Por quê que não falou logo? Ã-hã, matou, mesmo. Matou quantos? Matou muito? Hã-hã, mecê homem valente, meu amigo... Eh, vamos beber cachaça, até a língua da gente picar de areia... Tou imaginando coisa, boa, bonita: a gente vamos matar camarada, 'manhã? A gente mata camarada, camarada ruim, presta não, deixou cavalo fugir p'los matos... Vamos matar?! Uh, uh, atimbora, fica quieto no lugar! Mecê tá muito sopitado... Ói: mecê não viu Maria-Maria, ah, pois não viu. Carece de ver. Daqui a pouco ela vem, se eu quero ela vem, vem munguitar mecê.

Nhem? A' bom, a' pois... Trastanto que eu tava lá no alecrinzinho com ela, cê devia de ver. Maria-Maria é careteira, raspa o chão com a mão, pula de lado, pulo frouxo de onça, bonito, bonito. Ela ouriça o fio da espinha, incha o rabo, abre a boca e fecha, ligeiro, feito gente com sono... Feito mecê, eh, eh... Que anda, que anda, balançando, vagarosa, tem medo de nada, cada anca levantando, aquele pelo lustroso, ela vem sisuda, mais bonita de todas, cheia de cerimônia... Ela rosnava baixinho pra mim, queria vir comigo pegar o preto Tiodoro. Aí, me deu aquele frio, aquele friiiio, a câimbra toda... Eh, eu sou magro, travesso em qualquer parte, o preto era meio gordo... Eu vim andando, mão no chão... Preto Tiodoro com os olhos doidos de medo, ih, olho enorme de ver... Ô urro!...

Mecê gostou, ã? Preto prestava não, ô, ô, ô... Ói: mecê presta, cê é meu amigo... Ói: deixa eu ver mecê direito, deix'eu pegar um tiquinho em mecê, tiquinho só, encostar minha mão...

Ei, ei, que é que mecê tá fazendo?

Desvira esse revólver! Mecê brinca não, vira o revólver pra outra banda... Mexo não, tou quieto, quieto... Ói: cê quer me matar, ui? Tira, tira revólver pra lá! Mecê tá doente, mecê tá variando... Veio me prender? Ói: tou pondo mão no chão é por nada, não, é à toa... Ói o frio... Mecê tá doido?! Atiê! Sai pra fora, rancho é meu, xô! Atimbora! Mecê me mata, camarada vem, manda prender mecê... Onça vem, Maria-Maria, come mecê... Onça meu parente... Ei, por causa do preto?

Matei preto não, tava contando bobagem... Ói a onça! Ui, ui, mecê é bom, faz isso comigo não, me mata não... Eu – Cacuncozo... Faz isso não, faz não... Nhenhenhém... Heeé!...

Hé... Aar-rrã... Aaâh... Cê me arrhoôu... Remuaci... Rêiucàanacê... Araaã...

Uhm... Ui... Ui... Uh... uh... êeêê... êê... ê... ê...

[De *Estas Histórias*, Rio, José Olympio, 1962.]

DESENREDO

João Guimarães Rosa

Do narrador a seus ouvintes:

— Jó Joaquim, cliente, era quieto, respeitado, bom como o cheiro de cerveja. Tinha o para não ser célebre. Com elas quem pode, porém? Foi Adão dormir, e Eva nascer. Chamando-se Livíria, Rivília ou Irlívia, a que, nesta observação, a Jó Joaquim apareceu.

Antes bonita, olhos de viva mosca, morena mel e pão. Aliás, casada. Sorriram-se, viram-se. Era infinitamente maio e Jó Joaquim pegou o amor. Enfim, entenderam-se. Voando o mais em ímpeto de nau tangida a vela e vento. Mas muito tendo tudo de ser secreto, claro, coberto de sete capas.

Porque o marido se fazia notório, na valentia com ciúme; e as aldeias são a alheia vigilância. Então ao rigor geral os dois se sujeitaram, conforme o clandestino amor em sua forma local, conforme o mundo é mundo. Todo abismo é navegável a barquinhos de papel.

Não se via quando e como se viam. Jó Joaquim, além disso, existindo só retraído, minuciosamente. Esperar é reconhecer-se incompleto. Dependiam eles de enorme milagre. O inebriado engano.

Até que — deu-se o desmastreio. O trágico não vem a conta-gotas. Apanhara o marido a mulher: com outro, um terceiro... Sem mais cá nem mais lá, mediante revólver, assustou-a e matou-o. Diz-se, também, que de leve a ferira, leviano modo.

Jó Joaquim, derrubadamente surpreso, no absurdo desistia de crer, e foi para o decúbito dorsal, por dores, frios, calores, quiçá lágrimas, devolvido ao barro, entre o inefável e o infando. Imaginara-a jamais a ter o pé em três estribos; chegou a maldizer de seus próprios e gratos abusufrutos. Reteve-se de vê-la. Proibia-se de ser pseudopersonagem, em lance de tão vermelha e preta amplitude.

Ela – longe – sempre ou ao máximo mais formosa, já sarada e sã. Ele exercitava-se a aguentar-se, nas defeituosas emoções.

Enquanto, ora, as coisas amaduravam. Todo fim é impossível? Azarado fugitivo, e como à Providência praz, o marido faleceu, afogado ou de tifo. O tempo é engenhoso.

Soube-o logo Jó Joaquim, em seu franciscanato, dolorido mas já medicado. Vai, pois, com a amada se encontrou – ela sutil como uma colher de chá, grude de engodos, o firme fascínio. Nela acreditou, num abrir e não fechar de ouvidos. Daí, de repente, casaram-se. Alegres, sim, para feliz escândalo popular, por que forma fosse.

Mas.

Sempre vem imprevisível o abominoso? Ou: os tempos se seguem e parafraseiam-se. Deu-se a entrada dos demônios.

Da vez, Jó Joaquim foi quem a deparou, em péssima hora: traído e traidora. De amor não a matou, que não era para truz de tigre ou leão. Expulsou-a apenas, apostrofando-se, como inédito poeta e homem. E viajou fugida a mulher, a desconhecido destino.

Tudo aplaudiu e reprovou o povo, repartido. Pelo fato, Jó Joaquim sentiu-se histórico, quase criminoso, reincidente. Triste, pois que tão calado. Suas lágrimas corriam atrás dela, como formiguinhas brancas. Mas, no frágio da barca, de novo respeitado, quieto. Vá-se a camisa, que não o dela dentro. Era o seu um amor meditado, a prova de remorsos. Dedicou-se a endireitar-se.

Mais.

No decorrer e comenos, Jó Joaquim entrou sensível a aplicar-se, a progressivo, jeitoso afã. A bonança nada tem a ver com a tempestade. Crível? Sábio sempre foi Ulisses, que começou por se fazer de louco. Desejava ele, Jó Joaquim, a felicidade – ideia inata. Entregou-se a remir, redimir a mulher, à conta inteira. Incrível? É de notar que o ar vem do ar. De sofrer e amar, a gente não se desafaz. Ele queria apenas os arquétipos, platonizava. Ela era um aroma.

Nunca tivera ela amantes! Não um. Não dois. Disse-se e dizia isso Jó Joaquim. Reportava a lenda a embustes, falsas lérias escabrosas. Cumpria-lhe descaluniá-la, obrigava-se por tudo. Trouxe à boca de cena do mundo, de caso raso, o que fora tão claro como água suja. Demonstrando-o, ama temático, contrário ao público pensamento e à lógica, desde que Aristóteles a fundou. O que não era tão fácil como refritar almôndegas. Sem malícia, com paciência, sem insistência, principalmente.

O ponto está em que o soube, de tal arte: por antipesquisas, acronologia miúda, conversinhas escudadas, remendados testemunhos. Jó Joaquim, genial, operava o passado – plástico e contraditório rascunho. Criava nova, transformada realidade, mais alta. Mais certa?

Celebrava-a, ufanático, tendo-a por justa e averiguada, com convicção manifesta. Haja o absoluto amar – e qualquer causa se irrefuta.

Pois, produziu efeito. Surtiu bem. Sumiram-se os pontos das reticências, o tempo secou o assunto. Total o transato desmanchava-se, a anterior evidência e seu nevoeiro. O real e válido, na árvore, é a reta que vai para cima. Todos já acreditavam. Jó Joaquim primeiro que todos.

Mesmo a mulher, até, por fim. Chegou-lhe lá a notícia, onde se achava, em ignota, defendida, perfeita distância. Soube-se nua e pura. Veio sem culpa. Voltou, com dengos e fofos de bandeira ao vento.

Três vezes passa perto da gente a felicidade. Jó Joaquim e Vilíria retomaram-se, e conviveram, convolados, o verdadeiro e melhor de sua útil vida.

E pôs-se a fábula em ata.

[De *Tutameia. Rio*, José Olympio, 1967.]

SINHÁ SECADA

João Guimarães Rosa

Vieram tomar o menino da Senhora. Séria, mãe, moça dos olhos grandes, nem sequer era formosa; o filho, abaixo de ano, requeria seus afagos. Não deviam cumprir essa ação, para o marido, homem forçoso. Ela procedera mal, ele estava do lado da honra. Chegavam pelo mandado inconcebíveis pessoas diversas, pegaram em braços o inocente, a Senhora inda fez menção de entregar algum ter, mas a mulher da cara corpulenta não consentiu; depois andaram a fora, na satisfação da presteza, dita nenhuma desculpa ou palavra.

Muitos entravam na casa então, devastada de dono. Cuidavam escutar soluço, do qual mesmo não se percebendo noção. Sentada ela se sucedia, nas veras da alma, enfim enquanto repicada de tremor. Iam lhe dar água e conselhos; ela nem ouvia, inteiramente, por não se descravar de assustada dor. – *"Com quê?"* – clamou alguém, contra as escritas injustiças sem medida nem remédio. Achavam que ela devia renitir, igual onça invencível; queriam não aprovar o desamparo comum, nem ponderar o medo do mundo, da rua constante e triste. Ela continha na mão a lembrança de criança, a chupeta seca. – *"Uf!"* – e a gente se fazendo mal, com dó, com dúvida de Deus em escuros. Do jeito, o fato se endereçou, começador, no certo dia.

No lugar, por conta de tudo, mães contemplavam as filhas, expostas ao adiante viver, como o fogo apura e amedronta, o que não se resume. Decidia o que, aquela? Tanto lhe fosse renegar e debater ou se derrubar na vala da amargura. De lá, de manhã, ela desaparecera. Recitavam vozes: que numa prancha do trem de lastro tinham-lhe cedido viagem, para por aí ir vadiar, mediante algum mau amor. Sem trouxa de roupa, contavam que com até um pé descalço. Desde o que, puniam já agora as mães suas arregaladas filhas, por possíveis airadas leviandades mais tarde. Dela não se informavam; dera-lhes esquecimento.

Entanto errados. Ela apenas instricta obediente se movera, a variável rumo, ao que não se entende. Deixara de pensar, o que mesmo nem suportasse – hoje se sabe ao toque de cada ideia em imagem seu coração era mais pequeno. O menino sempre ausente rodeava-a de infinidade e falta.

Tomara, em dois, três dias, o aspecto pobre demais, somente sem erguer nem arriar rosto: era a sã clara coisa extraordinária – o contrário da loucura; encostava no ventre o frio das palmas das mãos. Por isso com respeito a viu e ofereceu-lhe meio copo de cerveja e um pastel de tabuleiro a Quibia, do Curvelo, às vezes adivinhadora. – "*Sinhá...*" – sentiu que assim cabia chamar-lhe, ajeitando-lhe o vestido e os cabelos, ali no rumor da estação. Tinha uma filha, a quem estava indo ver, opostamente, a boa preta Quibia. Convidou consigo a Sinhá, comprando-lhe passagem para aquele intato lugar, empregou-a também na fábrica de Marzagão. Sobre os anos, foi pois quem dela pôde testemunhar o verossímil.

Moraram numa daquelas miúdas casas pintadas, pegada uma a outra, que nem degraus da rua em ladeira, que a Sinhá descia e subia, às horas certas, devidamente, sendo a operária exemplar que houve, comparável às máquinas, polias e teares, ou com o enxuto tecido que ali se produz. Não falava, a não ser o preciso diário. Deixavam-na em paz, por nela não reparar, até os homens. Só a Quibia vigiava-lhe a sombra e o sono. Donde o coligido – de relato – o que de suas escassas frases razoáveis se deduz.

Sinhá prosseguia, servia, fechada a gestos, ladeando o tempo, como o que semelhava causada morte. Tomava-lhe a filha casada da Quibia, por empréstimos, quase todo o ordenado, já que a ninguém ela nada recusava, queria nada: não esperar; adiar de ser. A bem dizer, quase nem comia, rejeitava o gosto das coisas; dormia como as aves desempoleiradas. Nem um ingrato minuto da arrancada separação poderiam restituir-lhe! Que é que o tempo tacteia? Os dias, os meses, por dentro, em seu limpo espírito, se afastavam iguais.

Decerto não a prezavam, em geral, portanto; junto dela pareciam urgidos de cuspir e se gabar. Ora a suspeitassem mulher inteligente endurecida, socapa de perfeita humildade. De propósito não os buscando nem evitando, acatava contudo de um mesmo modo os trelosos meninos, os mais velhos comuns, os moços e moças, príncipes, princesas. Quibia, sim, não duvidou, ainda que ouvida a pergunta que a Sinhá se propunha: quando, em que apontada ocasião, cometera culpa? E a resposta – de que, então, só se tivesse procedido mal, a cada instante, a vida inteira... Daí, quedava, estalável, serena, no circuito do silêncio, como por vezo não se escavam buracos na barragem de um açude.

No filho, no havido menino, vez nenhuma falou – nem a Quibia de nada soube, a não ser ao pôr-lhe a vela na mão, mais tarde; – feito guardado em cofre. Seus olhos iam-se empanando encardidos, ralos os cabelos. Durante um tal tempo, nunca mais se olhara em espelho.

Derradeiramente, porém, tiveram de notar. Ela se esparzia, deveras dona, os olhos em espécie: de perto ou de longe, instruía-os, de um arejo, do que nem se sabe. Por sua arte, desconfiassem de que nos quartos dos doentes há momentos de importante paz; e que é num cantinho que se prova melhor o vivo de qualquer festa, entre o leal cão e o gato no borralho.

– *"Se ela viesse mais à igreja, havia de ser uma Santa..."* – censuravam. Passava espaços era acarinhando pedaço de pedra, sem graça, áspera, que trouxera para casa; e que a Quibia precioso conservou, desde a última data. Sinhá, no mais, se esquecia ali, apartada, entrava no mundo pelo fundo, sem notícias nem lembranças. Sim, estas, depois.

Primeiro, um moço, estrito e bem trajado, chegou, subiu a ladeira, a quentes passos. Queria, caçava, sem sossego, o paradeiro de sua mãe, da qual também malvadamente separado desde meninozinho: e conseguira indicação, contadas conversas; também o coração para cá intimado o puxando... Seria ela?!

Não – era não – se conferiu, por nomes e fatos. O moreno moço sendo de outro lugar, outra sumida mãe, outra idade. Só o amor dando-se o mesmo, vem a ser, que o atraíra de vir, não por esmo.

Mas, ela, que sentada tudo recebera, calada, leve se levantou, caminhou para aquele, abençoando-o, pegou a mão do tristonho moço, real, agora assim mesmo um tanto conformado. Sorria, a Sinhá, como nunca a tinham avistado até ali, semelhava a boneca de brincar de algum menino enorme. Seu esqueleto era quase belo, delicado.

Nesse favor de alegria persistiu, todos exaltando o forte caso. Seja que por encurtado prazo. Até ao amanhecer sem dia. À Quibia ela muito contou; e fechou, final, os novos olhos. O caixão saiu, devagar desceu a ladeira, beirou o ribeirão rude de espumas em lajedos, e em prestes cova se depositou, com flores, com terra que a chuvinha de abril amaciava.

Quibia, entretanto, enfim ciente, meditou, nos intervalos de prantos, e resolveu, com sacrifícios. Retornou ao Curvelo, indagou, veio enfim àquele arraial, onde tudo, tão remoto, principiara.

Mas – o menino? Morreu, lhe responderam. Anjinho, nem chegara a andar nem falar, adoecido logo no depois do desalmoso dia, dos esforços arrebatados.

Quibia relanceou – o passado, de repente movente, sem desperdícios. Se curvou, beijando ali mesmo o chão, e reconhecendo: – *Sinhá Sarada...*"

[De *Tutameia*. Rio, José Olympio, 1967.]

MOREIRA CAMPOS

José Maria Moreira Campos nasceu a 6 de janeiro de 1914, em Senador Pompeu, Ceará. Mas ele mesmo se dizia filho afetivo de Lavras da Mangabeira, onde viveu a infância e parte da adolescência. Bacharelou-se em Direito, em 1946, pela Universidade Federal do Ceará. Exerceu o cargo de Professor de Literatura Portuguesa na Faculdade de Letras da mesma universidade. Foi membro da Academia Cearense de Letras e integrante do grupo literário da revista Clã. Faleceu em Fortaleza em 1994.

OBRAS:

Vidas Marginais. Fortaleza: Edições Clã, 1949. (contos)
Portas Fechadas. Rio de Janeiro: O Cruzeiro, 1957. (contos)
As Vozes do Morto. São Paulo: Francisco Alves, 1963. (contos)
O Puxador de Terço. Rio de Janeiro: José Olympio, 1969. (contos)
Contos escolhidos. Fortaleza: Imprensa da Universidade do Ceará, 1971. (contos)
Contos. Fortaleza: Imprensa da Universidade do Ceará, 1978. (contos)
Os Doze Parafusos. São Paulo: Cultrix, 1978. (contos)
A Grande Mosca no Copo de Leite. Rio de Janeiro: Nova Fronteira, 1985. (contos)
Dizem que os Cães Veem Coisas. Fortaleza: UFC, 1987. (contos).
Obra Completa: Contos I e II (2 vols.) São Paulo: Editora Maltese, 1996. (organização de Natércia Campos, contos)

Sobre o autor:

Livros:

Lemos Monteiro, J. *O discurso Literário de Moreira Campos.* Fortaleza: UFC, 1980.

Lima, Batista de. *Moreira Campos: A Escritura da Ordem e da Desordem.* Ceará: Secretaria da Cultura e Desporto do Estado de Ceará, 1993.

Artigos e ensaios:

Braga Montenegro. "Portas Fechadas". *In: Correio Retardado,* Fortaleza: Imprensa Universitária, 1966.

Raquel de Queiroz, Prefácio a *O Puxador de Terço.* Rio de Janeiro: José Olympio, 1969.

Linhares, Temístocles. *22 Diálogos sobre o Conto Brasileiro Atual.* Rio de Janeiro: José Olympio, 1973.

Queiroz, Rachel de. Prefácio a *Dizem que os cães veem coisas.* 2ª Edição. São Paulo: Maltese, 1993.

Azevedo, Sânzio de. "Moreira Campos e a arte do conto". *In:* Gutiérrez, Angela e Moraes, Vera. (orgs.) *Tributo a Moreira Campos e Natércia Campos.* Fortaleza: Imprensa Universitária, 2007, p. 87-90.

AS VOZES DO MORTO

Moreira Campos

É possível acreditar nas vozes do morto. Elas devem estar em tudo. Na maneira simplória de Seu Damião, na sua aquiescência, nos seus monólogos e no seu próprio declínio. Ele emagrece sob o enorme paletó cáqui. Urina no quintal da sapataria e as formigas miúdas, infinidade delas, vêm sugar o açúcar nas bordas do líquido. Seu Damião toma regularmente uma pílula e bebe água no copo de madeira medicinal, que guarda na prateleira por trás das caixas de sapatos. Mas perde peso: a pele do rosto se desprega, a papada. Dança dentro da roupa. Dança todo, por sestros também, que ele é simplório. Leva sempre as mãos à cabeça, escusando-se. Ou melhor, não sabe onde pôr as mãos grandes. Põe-nas na cabeça redonda (cabelo cortado à escovinha) ou as esfrega uma na outra. Parece traduzir nos seus trejeitos um permanente pedido de desculpas por tudo que fez e pelo que não fez. Perdão até de se ter casado com d. Leonor, que, novinha (e não agora, aquela máscara de pó), não era para se ter dado a ele, um sapateiro de origem, impregnado pelo cheiro da sola, os dedos curtos e chatos grudados de verniz. D. Leonor estudou em colégio de freiras, segundo ela mesma diz, sem propósito de diminuir o marido. Apenas uma alusão saudosa a outra época:

— A meninice da gente.

Somente isso, com os olhos grandes calmamente perdidos na distância. Ainda hoje experimenta o velho piano na sala, encimado pela toalhinha e pelo jarro de flores artificiais, onde já dormitam moscas, quietas, e reclama os seus dedos;

— Já não são os mesmos!

Tem um riso brando na máscara branca do rosto e tem também na sala de casa uns quadros seus, estudos a óleo: natureza morta e um pôr de sol.

Vem daí certamente, senão uma inibição, pelo menos aquela dúvida de Seu Damião diante da mulher. O jeito seu de, em presença de visitas ou pessoas mais importantes (como se não coubesse entre elas), não externar ideia de maior responsabilidade sem antes consultar d. Leonor por cima dos seus óculos grossos de míope. Como que teme dizer inconveniência ou mesmo disparate, ele tão grosso! Mas d. Leonor aprova. Então ele leva as mãos repetidamente à cabeça, olhando para o chão ou para os pés:

— Pois muito bem! Muito bem!

Ainda um dia desses, ao receber o casal inesperadamente ali na calçada, à noite, a visita de d. Cristina, da casa em frente e mulher de Dr. Mário, que vinha para uma palavrinha ligeira (indagar se na sapataria tinha certo tipo de sandália), Seu Damião foi até precipitado. Procurou as chinelas debaixo da cadeira de vime, quase espatifando os óculos. Finalmente calçou um dos pés, e o mais que pôde foi proteger-se por trás da cadeira. E isso tudo porque estava de pijama, assim íntimo! Pedia desculpas, cobria-se e ainda tapava a braguilha com a mão sem necessidade:

— Ora!

— Está em casa, Seu Damião!

— Ora!

E por isso mesmo, e por muitas coisas mais, não se pode a rigor conciliar Seu Damião com a morte do outro. Mas o fato é conhecido e ainda murmurado, apesar do tempo:

— Seu Damião já matou um.

— Sei.

– Por causa da mulher.

– Sei.

Evidentemente um desastre, que teve de fechar sua casa de negócio em Belém do Pará, sapataria de luxo, vindo para aqui, onde reabriu oficina modesta, mas limpa, pegada à sua casa: o bom arranjo das prateleiras, a cortina de gorgorão vermelho na porta do centro do escritório. E ali no balcão Seu Damião recebe a freguesia, surpreendido sempre por cima dos óculos grossos:

– Ah!

– D. Leonor, empoada, funciona na registradora:

– O troco, minha filha.

– É delicada.

Possível sem dúvida acreditar nas vozes do morto. Estarão presentes sobretudo nos monólogos de Seu Damião. Os trejeitos, o tique nervoso dos olhos, ajeitando os óculos, os repetidos gemidos, dar de ombros ou a rabiçaca brusca do pescoço. Particularmente enquanto toma a sua pílula. É como se conversasse com o próprio vidro de remédio:

– Ahn... ahn!

Essas vozes. Para no fim admitir-se também a inutilidade de tudo. D. Leonor continuou a ter amantes. Uma preferência por rapazes, quando mais nova. Mas chegou a aceitar o chofer do ônibus, que faz ponto na esquina sob o grande tamarindo. Esse tinha bigode caprichado e usava costeletas. Escorava-se no tronco do tamarindo, em conversa com outros, os condutores. Dilatava tempo de partida. D. Leonor, disfarçada, mãos para trás, vinha até a porta da sapataria, num toque leve do cabelo curto. Olhares. Uma ordem qualquer que ela repentinamente quase gritava lá para dentro, para as oficinas, sem muita convicção, talvez apenas para se fazer mais presente.

O das costeletas acendia mais um cigarro.

Movimentos, todos esses, que eram vigiados por Mercedes, a solteirona da casa próxima. Vigiava-os pela banda de janela, e logo mais estabanadamente largava-se por dentro de casa, cantarolante e arrastando as chinelas:

– Ai, ai, meu Deus!

E depois do chofer, fugaz, veio este de agora, como que definitivo e já aceito pela vizinhança. Alfredo. Faz as vezes de gerente na sapataria. Dá ordem aos empregados. Unhas polidas, poupado de esforços. Será decerto ainda o substituto de Seu Damião no negócio, D.a Leonor muito ciosa dele, de sua saúde, do seu bem-estar, o que por vezes o aborrece:

— Ora, Leonor!

Isso, quando Seu Damião não está, ainda que, por cautela, olhe para os lados. Enfarado. Há de explorá-la: terá exigências, requintes. São sempre vistos os dois em tarde de sábado vindo no mesmo ônibus e na mesma poltrona. Descem na esquina e voltam a brigar surdamente. Então os olhos grandes de D. Leonor parecem aflitos:

— Vem cá, rapaz.

Ele dá de ombros:

— Não, não! Depois.

E larga-se. Ela vem para casa trepada nos seus sapatos de salto alto, já pesada de passo, como se pisasse em ovos. A bolsa pendente do braço, a máscara de pó, os cabelos curtos de acaju, hoje mais amarelados. Cumprimenta, grave, uma das vizinhas:

— Boa tarde.

— Boa tarde.

Mercedes, a solteirona da casa próxima, fecha devagar a banda de janela. E logo mais será noite, e com ela o isolamento e a decadência de Seu Damião, ao balanço lento de sua cadeira de vime na calçada. Urinou no quintal da sapataria, e as formigas miúdas, infinidade delas, vieram sugar o açúcar do líquido. Há de ter tomado também a sua pílula com regularidade. Põe água de molho no seu copo medicinal, que guarda na prateleira atrás das caixas de sapatos. E agora está ali na sua calçada, só, sozinho, sob o beiral baixo da casa. Dá repentinamente de ombros, ajeita os óculos e solta golpe brusco do pescoço:

— Ahn... ahn!

Possivelmente afugenta o morto e aceita a inutilidade de tudo. No mais, a rua é calma e mosquitos voejam em torno da lâmpada triste no poste da esquina, que ontem choveu.

[De *As Vozes do Morto, Rio*, Liv. Francisco Alves, 1963.]

JOSÉ J. VEIGA

José J. Veiga nasceu a 2 de fevereiro de 1915 em um sítio entre Corumbá e Pirenópolis, Estado de Goiás. Estudou humanidades no Liceu de Goiás, na antiga capital do Estado. Aos 20 anos de idade transferiu-se para o Rio de Janeiro, onde fez o curso jurídico na antiga Faculdade Nacional de Direito. Em 1945 viajou para a Inglaterra contratado pela BBC como comentarista e tradutor de programas para o português. Em 1949 volta ao Brasil e retoma a profissão de jornalista, trabalhando primeiro em O Globo, depois na Tribuna da Imprensa e finalmente em Seleções do Reader's Digest, até 1971. Estreou como escritor em 1958 publicando contos no Suplemento Dominical do Jornal do Brasil. Faleceu em 1999, no Rio de Janeiro.

OBRAS:

Os Cavalinhos de Platiplanto. Rio de Janeiro: Nítida, 1959. (contos)
A Hora dos Ruminantes. Rio de Janeiro: Civilização Brasileira, 1966. (romance)
A máquina extraviada. Rio de Janeiro: Prelo, 1968. (contos)
Sombras de Reis Barbudos. Rio de Janeiro: Civilização Brasileira, 1972. (romance)
Os Pecados da Tribo. Rio de Janeiro: Civilização Brasileira, 1976. (romance)
De Jogos e Festas. Rio de Janeiro: Civilização Brasileira, 1980. (novelas)

O professor Burrim e as quatro calamidades. Belo Horizonte: Comunicações, 1980. (romance infanto-juvenil)

Aquele Mundo de Vasabarros. São Paulo: DIFEL, 1982. (romance)

Toverlinho Dia e Noite. São Paulo: DIFEL, 1985. (romance)

Tajá e sua gente. Rio de Janeiro: Salamandra, 1986. (romance infanto-juvenil)

O Almanach de Piumhy. Rio de Janeiro: Record, 1988. (miscelâneas)

A Casca da Serpente. Rio de Janeiro: Bertrand Brasil, 1989. (romance)

O risonho cavalo do príncipe. Rio de Janeiro: Bertrand Brasil, 1994. (romance)

O Relógio Belisário. Rio de Janeiro: Bertrand Brasil, 1995. (romance)

Objetos Turbulentos. Rio de Janeiro: Bertrand Brasil, 1997. (contos)

SOBRE O AUTOR:

LIVROS:

Miyazaki, Tieko Y. *José J. Veiga: de Platiplanto a Torvelinho*. São Paulo: Atual, 1988.

Souza, *Agostinho P. Um olhar crítico sobre o nosso tempo: uma leitura da obra de José J. Veiga*. Campinas: UNICAMP, 1990.

ARTIGOS E ENSAIOS:

Olinto, Antônio. "Três Contistas". *In: O Globo*, 29 de agosto de 1959.

Martins, Wilson. "Um realista mágico". *In: Suplemento Literário de O Estado de São Paulo*, 7 de setembro de 1968.

"Um arredio cultor do absurdo". Entrevista dada pelo autor ao *Jornal do Brasil*, 21 de novembro de 1970.

Linhares, Temístocles. *22 Diálogos sobre o Conto Brasileiro* Atual. Rio de Janeiro: José Olympio, 1973.

Py, Fernando. "Alegoria e antiutopia em José J. Veiga". *In: Revista da Academia Goiana de Letras (AGL)*, no 24, Nov. de 2001.

A USINA ATRÁS DO MORRO

José J. Veiga

    Lembro-me quando eles chegaram. Vieram no caminhão de Geraldo Magela, trouxeram uma infinidade de caixotes, malas, instrumentos, fogareiros e lampiões, e se hospedaram na pensão de d. Elisa. Os volumes ficaram muito tempo no corredor, cobertos com uma lona verde, empatando a passagem.

    De manhãzinha saíam os dois, ela de culote e botas e camisa com abotoadura nos punhos, só se via que era mulher por causa do cabelo comprido aparecendo por debaixo do chapéu; ele também de botas e blusa cáqui de soldado, levava uma carabina e uma caixa de madeira com alça, que revezavam no transporte. Passavam o dia inteiro fora e voltavam à tardinha, às vezes já com o escuro. Na pensão, depois do jantar, mandavam buscar cerveja e trancavam-se no quarto até altas horas. D. Elisa olhou pelo buraco da fechadura e disse que eles ficavam bebendo, rabiscando papel e discutindo numa língua que ninguém entendia.

    Todo mundo na cidade andava animado com a presença deles, dizia-se que eram mineralogistas e que tinham vindo fazer estudos para montar uma fábrica e dar trabalho para muita gente, houve até quem fizesse planos para o dinheiro que iria ganhar na fábrica; mas o tempo passava e nada de fábrica, eram só aqueles passeios todos os dias pelos campos, pelos morros, pela beira do rio. Que queriam eles, que faziam afinal?

Encontrando-os um dia debruçados na grade da ponte, apontando qualquer coisa na pedreira lá embaixo, meu pai cumprimentou-os e puxou conversa; eles olharam-no desconfiados, viraram as costas e foram embora. Meu pai achou que talvez eles não entendessem a língua, mas depois vimos que a explicação não servia: quando encontraram o preto Demoste de volta do pasto com a mula do padre eles conversaram com ele e perguntaram se lobeira era fruta de comer. E como poderiam viver na pensão se não conhecessem um pouco da língua? Por menos que falassem, tinham que falar alguma coisa.

O que me preocupou desde o início foi eles nunca rirem. Entravam e saíam da pensão de cara amarrada, e o máximo que concediam a d. Elisa, só a ela, era um cumprimento mudo, batendo a cabeça como lagartixas. Aprendi com minha vó que gente que ri demais, e gente que nunca ri, dos primeiros queira paz, dos segundos desconfie; assim, eu tinha uma boa razão para ficar desconfiado.

Com o tempo, e vendo que a tal fábrica não aparecia – e não sendo possível indagar diretamente, porque eles não aceitavam conversa com ninguém – cada um foi se acostumando com aquela gente esquisita e voltando a suas obrigações, mas sem perdê-los de vista. Não sabendo o que eles faziam ou tramavam no sigilo de seu quarto ou no mistério de suas excursões, tínhamos medo que o resultado, quando viesse, pudesse não ser bom. Vivíamos em permanente sobressalto. Meu pai pensou em formar uma comissão de vigilância, consultou uns e outros, chegaram a fazer uma reunião na chácara de Seu Aurélio Gomes, do outro lado do rio, mas Padre Santana pediu que não continuassem. Achava ele que a vigilância ativa seria um erro perigoso; supondo-se que os tais descobrissem que estava havendo articulações contra eles, o que seria de nós que nada sabíamos de seus planos? Era melhor esperar. Naquele mesmo dia ele ia iniciar uma novena particular, para não chamar atenção, e esperava que o maior número possível de pessoas participasse das preces. Na sua opinião, essa era a providência mais acertada no momento.

Estêvão Carapina achou que um bom passo seria interceptar as cartas deles e lê-las antes de serem entregues, mas isso só podia ser feito com a ajuda do agente André Góis. Consultado, André ficou cheio de escrúpulos, disse que o sigilo da correspondência estava garantido na Constituição, e que um agente do correio seria a última pessoa a violar esse sigilo; e para matar de vez a sugestão falou em duas dificuldades em que ninguém havia pensado: a primeira era que, nos dias de correio, só um dos dois saía em excursão, o outro ficava de sobreaviso para ir correndo à agência quando o carro do correio passasse; a segunda dificuldade era que as cartas com toda certeza vinham em língua que ninguém na cidade entenderia. Que adiantava portanto abrir as cartas? Era mais um plano que ia por água abaixo.

Sem dúvida o perigo que receávamos nesses primeiros tempos era mais imaginário do que real. Não conhecendo os planos daquela gente, e não podendo estabelecer relações com eles, era natural que desconfiássemos de suas intenções e víssemos em sua simples presença uma ameaça a nossa tranquilidade. Às vezes eu mesmo procurava explicar a conduta deles como esquisitice de estrangeiros, e lembrava-me de um alemão que apareceu na fazenda de meu avô de mochila às costas, chapéu de palha e botina cravejada. Pediu pouso e foi ficando, passava o tempo apanhando borboletas para espetar num livro, perguntava nomes de plantas e fazia desenhos delas num caderno. Um dia despediu-se e sumiu. Muito tempo depois meu avô recebeu carta dele e ficou sabendo que era um sábio famoso. Não podiam esses de agora ser sábios também? Talvez estivéssemos fantasiando e vendo perigo onde só havia inocência.

Imaginem portanto o meu susto e a minha indignação com o que me aconteceu uma tarde. Eu tinha ido à pensão receber o dinheiro de uns leitões que minha mãe havia fornecido a d. Elisa e na saída aproveitei a ocasião para dar uma olhada nos caixotes empilhados no corredor. Levantei uma beirada da lona e vi que eram todos do mesmo tamanho e com os mesmos letreiros que não entendi. Ia puxando novamente a lona quando notei uma fenda em um deles, e como não passava ninguém no momento resolvi levar mais longe a minha inspeção. Abri o canivete e estava tentando alargar a fenda quando senti o corredor escurecer. Pensei que fosse a passagem de alguma nuvem, como às vezes acontece, e esperei que a claridade voltasse. Voltou mas foi uma mão pesada agarrando-me pelo pescoço e jogando-me contra a parede. O puxão foi tão forte que eu bati com a cabeça na parede e senti minar água na boca e nos olhos. Antes que a vista clareasse, um tapa na cabeça do lado esquerdo, apanhando o pescoço e a orelha, mandou-me de esguelha pelo corredor até quase a porta da rua. Apoiei-me na parede para me levantar, e um pontapé nas costelas jogou-me esparramado na calçada. Erguendo a cabeça ralada do raspão na laje, vi o homem de culote e blusa cáqui em pé na porta, com as mãos na cintura, olhando-me mais vermelho do que de natural. Com a cabeça tonta, o ouvido zumbindo e o corpo doendo em vários lugares, e o canivete perdido não sei onde, não me senti com disposição para reagir. Apanhei umas coisas caídas dos bolsos, bati o sujo da roupa e desci a rua mancando o menos que pude.

Felizmente não passava ninguém por perto. Se alguém soubesse da agressão haveria de querer saber o motivo, e como poderia eu contar tudo e ainda esperar que me dessem razão?

Para não chegar em casa com sinais de desordem no corpo e na roupa desci até o rio, lavei o sangue dos ralões do punho e da testa e o sujo do paletó e dos joelhos da calça, enquanto pensava um plano eficiente de vingança. Uma pedrada bem acertada na cabeça, ou uma porretada de surpresa, resolveria o meu caso. Ele não perderia por esperar.

Mas eu estava enganado quando supunha que ninguém tinha visto. Em casa encontrei mamãe aflita. Meu pai tinha saído à minha procura, armado com a bengala de estoque. Fiquei sabendo então que d. Lorena costureira tinha visto tudo de sua janela do outro lado da rua e fora contar à vizinha dos fundos — e a notícia espalhou-se como fogo em capim seco. Foi por isso que meu pai, ao dobrar a primeira esquina, foi cercado por um grupo de amigos que não o deixaram prosseguir. Achavam todos, e com razão, que ele não devia agir enquanto não me ouvisse. Tive então que contar tudo, mas achei bom não dizer que tinha sido apanhado escarafunchando o caixote; disse apenas que tinha dado uma palmada nele por cima da lona.

Isso trouxe uma longa discussão sobre o possível conteúdo dos caixotes, e concordamos que devia ser qualquer coisa muito preciosa, ou muito delicada, a ponto de uma palmada por fora deixar o dono alarmado. Mas que coisa poderia ser que preenchesse essa ampla hipótese?

Meu pai achou que estávamos perdendo tempo em aceitar a situação passivamente, enquanto em algum lugar, sabe-se lá onde, gente desconhecida podia estar trabalhando contra nós; era evidente que aqueles dois não agiam sozinhos. As cartas que recebiam e os relatórios que mandavam eram provas de que eles tinham aliados. O que devíamos fazer sem demora, propôs meu pai, era procurar o delegado ou o juiz e pedir que mandasse abrir os caixotes, devia haver alguma lei que permitisse isso. Se não fosse tomada uma providência, as coisas iriam passando de mal a pior, e um dia quando acordássemos nada mais haveria a fazer.

O delegado, como sempre, estava fora caçando. O juiz foi compreensivo, mas disse que dentro da lei nada se podia fazer, e acrescentou, mais aconselhando que perguntando:

– Naturalmente não vamos querer sair fora da lei, não é verdade?

Quanto à agressão, se meu pai quisesse fazer uma queixa, o delegado teria que abrir inquérito – desde que houvesse testemunhas.

Como a única pessoa que tinha visto parte do incidente era d Lorena, meu pai foi o primeiro a reconhecer que contar com ela seria perder tempo. D. Lorena era dessas pessoas que têm medo até de enxotar galinha. No inquérito, na presença do agressor, ela cairia em pânico e juraria nada ter visto. Assim, a despeito de toda atividade continuávamos sem um ponto de partida.

De repente a situação começou a evoluir com rapidez, e fomos percebendo para onde éramos levados. O primeiro a se passar para o outro lado foi o carpinteiro Estêvão. Estêvão tinha uma chácara do outro lado do rio, atrás do morro de Santa Bárbara. Quando os filhos chegaram à idade de escola ele alugou a chácara a Seu Marcos Vieira, escrivão aposentado, e veio morar na cidade. Seu Marcos vinha insistindo com Estêvão para vender-lhe a chácara, mas Estêvão recusava, dizia que quando os filhos estivessem mais crescidos deixaria o ofício e voltaria para a lavoura.

Pois não é que Estêvão achou de vender a chácara para aqueles dois, num negócio feito em surdina? Meu pai disse que o procedimento dele não tinha explicação, nem pela lógica nem pela moral. Houve mistério na transação, isso era fora de dúvida. Apertado um dia por meu pai, Estêvão respondeu com estupidez, disse que fez o negócio porque a chácara era dele e ele não tinha tutor; depois, vendo o espanto de meu pai, seu amigo de tanto tempo, caiu em si e disse:

— Vendi porque não tive outro caminho, Maneco. Não tive outro caminho.

Quando meu pai insistiu por uma explicação mais positiva, ele abriu a boca para falar, mas apenas suspirou, virou as costas e foi-se embora.

Seu Marcos teve que se mudar a bem dizer a toque de caixa. Quem fez a exigência foi o próprio Estêvão, que já estava servindo como uma espécie de procurador dos compradores. Seu Marcos pediu um mês de prazo, queria colher o milho e o feijão e precisava de calma para arranjar uma casa em condições na cidade. Estêvão respondeu que não estava autorizado a conceder tanto tempo, que uma semana era o máximo que podia dar. Quanto às plantações, Seu Marcos não se incomodasse, os compradores indenizariam o que ele pedisse; e se Seu Marcos tivesse dificuldade em encontrar casa, poderia mudar provisoriamente para a do próprio Estêvão, que ia para a chácara ajudar os compradores nas obras.

Todo mundo reprovou o procedimento dos compradores, e mais ainda o de Estêvão, que na qualidade de antigo proprietário e amigo poderia ter dito uma palavra em favor do velho Marcos; mas Estêvão era agora do outro lado, e nada mais se poderia esperar dele. Meu pai achou que não se devia dizer mais nada na frente de Estêvão, pois não seria de admirar que ele estivesse contratado para espião. Se quiséssemos nos organizar para a resistência, convinha não esquecer essa hipótese.

No mesmo dia que Seu Marcos, triste e ressentido, arriou seus pertences na casa desocupada por Estêvão, o caminhão de Geraldo Magela roncou na subida da ponte levando os estrangeiros na boleia e o carpinteiro Estêvão atrás, em cima da carga. Ao vê-los passar em nossa porta, meu pai virou o rosto, enojado; disse que nunca vira um espetáculo mais triste, um homem de bem como Estêvão, competente no seu ofício, largar tudo para acompanhar aquela gente como menino recadeiro.

Mas não deixou de ser um alívio vê-los fora da cidade. Agora podíamos novamente frequentar a pensão de d. Elisa, conversar com os hóspedes, saber quem chegava e quem saía, sem necessidade de falar baixo nem de nos esconder.

Durante muitos dias, quase um mês, não vimos aqueles dois nem tivemos notícias deles. Estêvão de vez em quando vinha à cidade, mas não sei se por influência dos patrões, ou se por vergonha, ou remorso, não conversava com ninguém; fazia o que tinha de fazer, ia ao correio apanhar a correspondência, sempre uns envelopes muito grandes, e voltava no mesmo dia. Nem passava mais por nossa porta, que seria o caminho natural; dava uma volta grande, passando pela rua de cima.

Outro que também sumiu foi Geraldo Magela, parece que agora estava trabalhando só para os estrangeiros. Quando íamos pescar bem em cima do rio, ou apanhar cajus no morro, podíamos ouvir o ronco do caminhão trabalhando do outro lado. Uma vez eu e Demoste saímos escondidos para apurar o que estava se passando na chácara, mas quando chegamos na crista do morro achamos melhor não continuar. Haviam levantado uma cerca de arame em volta da chácara, muito mais alta do que as cercas comuns, e de fios mais unidos, e vimos sentinelas armadas rondando. Ficamos de voltar outro dia levando a marmota do padre, mas nem isso chegamos a fazer porque soubemos que o André gaguinho, que andara apanhando lenha do outro lado, fora alvejado com um tiro de sal na popa.

Um dia correu a notícia de que o casal não estava mais na chácara, havia subido o rio à noite num barco a motor. Devia ser verdade, porque Geraldo Magela voltou a aparecer na cidade. Achamos que agora, com ele ali à disposição íamos afinal saber o que se passava na chácara de Estêvão. Geraldo sempre fora amigo de todos, deixava a meninada subir no caminhão, trazia encomendas para todo o mundo, e quando o padre organizava passeios para os alunos de catecismo, fazia questão de contratar Geraldo, não aceitava oferecimento de nenhum outro, nem que tivéssemos de esperar dias quando calhava de Geraldo estar viajando.

Mas não levamos muito tempo para descobrir que Geraldo também era agora do outro lado. Ele que fora trabalhador e prestativo, sempre preocupado em poupar a mãe – desde que comprara o caminhão exigiu que d. Ritinha deixasse de lavar roupa para fora – agora ficava horas no bilhar jogando ou bebendo cerveja e zombando dos pexotes. Quanto às obras que estavam sendo feitas na chácara, ele não dizia coisa com coisa. A meu pai ele disse que estavam apenas armando um pari, a outro disse que estavam instalando uma olaria. Quando Seu Marcos o interpelou com energia, ele deu uma resposta malcriada:

— Vocês esperem. Vocês esperem que não demora. E ficou olhando para Seu Marcos e assoviando, uma coisa que se d. Ritinha visse haveria de chorar de desgosto.

Vendo-o ali bebendo, fazendo gracinhas, faltando ao respeito com os mais velhos, e dando cada hora uma resposta, achei que ele estava apenas querendo fazer-se de importante, de sabedor de coisas misteriosas, talvez pelo desejo de imitar os patrões. Foi essa também a opinião de Padre Santana quando soube da resposta de Geraldo a Seu Marcos.

Foi mais ou menos nessa época que d. Ritinha apareceu lá em casa para desabafar com mamãe. Começou rodeando, falando nas mudanças que estava havendo em toda parte, e entrou no capítulo do procedimento dos filhos quando crescem.

— Para muita gente, ter filhos resulta num castigo, d. Teresa disse ela. — Os desgostos acabam sendo maiores do que as alegrias.

Vi que mamãe ficou embaraçada, com medo de dizer alguma coisa que pudesse magoar d. Ritinha. Por fim, disse vagamente:

— Os antigos diziam que filho criado, trabalho dobrado.

— Muito certo, d. Teresa. Veja o meu Geraldo. Um rapaz bem criado, inveja de muitas mães; de repente, esquece tudo o que eu e o pai lhe ensinamos.

Mamãe procurou consolá-la dizendo que o procedimento de Geraldo devia ser resultado de uma influência passageira. A culpa era daqueles dois, que deviam estar enfiando coisas na cabeça dele; quando ela menos esperasse, ele mesmo ia abrir os olhos e arrepender-se. D. Ritinha tivesse paciência e confiasse em Deus. Aí Ritinha caiu no choro, disse que a culpa era dela, que o aconselhara a ir trabalhar para aquela gente. Ele não queria, mas ela insistira porque o ordenado era bom, até falara áspero com ele. Agora estava aí o resultado. De que adiantava o dinheiro sem a consideração do filho?

Quando mamãe começou a chorar também, eu fiquei meio encabulado e saí sem destino.

Ao passar pelo chafariz encontrei Geraldo divertindo-se com um gato que havia jogado dentro do tanque. O bichinho esgoelava e pelejava para sair, e cada vez que ia chegando à beirada Geraldo cercava e dava-lhe um papilote na orelha. Fiquei olhando, com medo de salvar o pobrezinho e ter de brigar com Geraldo. Mas quando o pobrezinho veio subindo no ponto onde eu estava, e Geraldo gritou para eu cercar, eu estendi o braço e apanhei-o pela nuca, como fazem as gatas. Pensei que Geraldo ia querer tomá-lo, mas ele apenas olhou e foi-se embora dando gargalhadas e imitando o miado do gato, parecia coisa de louco.

Geraldo sabia o que estava dizendo quando mandou Seu Marcos esperar, porque um belo dia chegaram os caminhões. Chegaram de madrugada, e eram tantos que nem pudemos contá-los. A nossa lavadeira, que morava no alto do cemitério, disse que desde as três da madrugada eles começaram a descer um atrás do outro de faróis acesos. Atravessaram a cidade sem parar, descendo cautelosamente as ladeiras, sacudindo as paredes das casas nas ruas estreitas, passaram a ponte e tomaram o caminho da chácara como uma enorme procissão de vaga-lumes.

Daí por diante não tivemos mais sossego. Desde que amanhecia até que anoitecia eram aqueles estrondos atrás do morro, tão fortes que chegavam a chacoalhar as panelas nas cozinhas apesar da distância, nas paredes não ficou um espelho inteiro. Mamãe vivia rezando e tomando calmante, não queria mais que eu fosse além da ponte em meus passeios. Achei que fosse receio exagerado dela, mas verifiquei depois que a proibição era geral, de todas as mães.

Geraldo andava ocupado novamente lá do outro lado, e quando aparecia na cidade era guiando uns caminhões enormes, de um tipo que ainda não tínhamos visto, e sempre com uns sujeitos esquisitos na boleia, uns homens muito altos e vermelhos, os braços muito cabeludos aparecendo por fora da manga curta da camisa. Ficavam olhando para tudo com olhos espantados, entortavam o pescoço até o último grau para olhar a gente quando o caminhão já ia lá adiante. Paravam no botequim ou no armazém e metiam caixas e mais caixas de cerveja para dentro do caminhão, latas grandes de bolachas, caixotes de cigarros. Uma vez levaram todo o sortimento de cigarros da praça e os fumantes tiveram que picar fumo e enrolar palha durante quase um mês.

Quando os caminhões paravam em alguma casa de comércio e nós fazíamos grupos de longe para olhar, Geraldo ficava na frente fazendo palhaçadas para nos provocar. Seu Marcos disse que ele havia perdido toda a compostura, e se não fosse por causa de d. Ritinha, era o caso de se dar uma surra nele.

E toda noite agora era aquele ruído tremido que vinha de trás do morro, parecia o ronronar de muitos gatos. Não dava para incomodar porque não era forte, mas assustava pela novidade. De dia não o ouvíamos, talvez por causa dos barulhos da cidade, mas quando batia a Ave-Maria, e todo mundo cessava o trabalho, lá vinha ele. Então a gente olhava para os lados da chácara e via um enorme clarão no céu, como o de uma queimada vista de longe, só que não tinha fumaça.

Mas a grande surpresa foi quando Geraldo veio à cidade montado numa motocicleta vermelha. Não vinha mais de roupa cáqui de trabalho e botina de vaqueta, mas de parelho de casimira azul-marinho, sapatos de verniz e gravata. Parou no bilhar, cumprimentou todo mundo e convidou para tomarem cerveja. Uns aceitaram, outros ficaram de longe, ressabiados. Ele disse que não havia motivo para malquerenças, reconhecia que havia se excedido nas brincadeiras, mas não fizera nada com a intenção de ofender. Os tempos agora eram outros, acabaram-se as brincadeiras. Ele estava ali como amigo para dar uma notícia que devia contentar a todos. Aí os mais desconfiados foram se chegando também. Geraldo mandou uns dois ou três saírem na porta e convidarem quem mais encontrassem por perto. Num instante o salão estava cheio, quem estava jogando parou, havia gente até do lado de fora debruçada nas janelas.

Quando viu que não cabia mais ninguém, Geraldo subiu numa das mesas e comunicou que fora nomeado gerente da Companhia e que estava ali para contratar funcionários. Os ordenados eram muito bons, havia casa para todos, motocicletas para os homens, bicicletas para as crianças e máquinas de costura para as mulheres. Quem estivesse interessado aparecesse no dia seguinte ali mesmo para assinar a lista.

Como ninguém estava preparado para aquilo, ficaram todos ali apalermados, se entreolhando calados. Quando alguém se lembrou de pedir explicações sobre as atividades da Companhia, Geraldo já ia longe na motocicleta vermelha.

Após muita confabulação ali mesmo no bilhar, depois nas muitas rodas formadas nos pontos de conversa da cidade, e finalmente nas casas de cada um, muitos se apresentaram no dia seguinte, acredito que a maioria apenas para ter uma oportunidade de saber o que se passava na chácara. Já no segundo dia os caminhões vieram buscá-los, e foi a última vez que os vimos como amigos: quando começaram a aparecer novamente na cidade, ninguém os reconhecia mais. Entravam e saíam como foguetes, montados em suas motocicletas vermelhas, não paravam para falar com ninguém.

Essas máquinas eram uma verdadeira praga. Ninguém podia mais sair à rua sem a precaução de levar uma vara bem forte com um ferrão na ponta para se defender dos motociclistas, que pareciam se divertir atropelando pessoas distraídas. Nem os cachorros andavam mais em sossego, quase todos os dias a Intendência recolhia corpos de cachorros estraçalhados. E quanta gente morreu embaixo de roda de motocicleta! O caso que mais me impressionou foi o de d Aurora. Um dia eu ia atravessando o largo com ela, carregando um cesto de ovos que ela havia comprado lá em casa para a festa do aniversário do padre, quando vimos dois motociclistas que vinham descendo emparelhados. Já sabendo como eles eram, d Aurora atrapalhou-se, correu para a frente, depois quis recuar, e um deles separou-se do outro e veio direito em cima dela, jogando-a no chão, e trilhando-a pelo meio. Quando me abaixava para socorrê-la, ouvi as gargalhadas dos dois e o comentário do criminoso:

— Você viu? Estourou como papo-de-anjo.

D. Aurora morreu ali mesmo, e eu tive de voltar com o cesto de ovos para casa.

A impressão que se tinha era a de haver pessoas ocupadas unicamente em perturbar o nosso sossego, com que fim não sei. Ainda bem não havíamos tomado fôlego de um susto, outro artifício era aplicado contra nós. Mas não havendo motivo para tanta perseguição, também podia ser que os responsáveis pelas nossas aflições nem estivessem pensando em nós, mas apenas cuidando de seu trabalho; nós é que estávamos atrapalhando, como um formigueiro que brota num caminho onde alguém tem que passar e não pode se desviar. Depois do estrago é que vinha a curiosidade de ver como é que estávamos resistindo.

Foi o que verificamos quando as nossas casas deram para pegar fogo sem nenhum motivo aparente. Primeiro era um aquecimento repentino, os moradores começavam a suar, todos os objetos de metal queimavam quem os tocasse, e do chão ia minando um fumaceiro com um chiado tão forte que até assoviava. Pessoas e bichos saíam desesperados para a rua engasgados com a fumaça, sem saberem exatamente o que estava acontecendo. Ouvia-se um estouro abafado, e num instante a casa era uma fogueira. Tudo acontecia tão depressa que em muitos casos os moradores não tinham tempo de fugir.

Depois de cada incêndio aparecia na cidade uma comissão de funcionários da Companhia, remexia nas cinzas, cheirava uma coisa e outra, tomava notas, recolhia fragmentos de material sapecado, com certeza para examiná-los em microscópios. Pelo destino dos moradores não mostravam o menor interesse. Para não perder tempo em casos de emergência, passamos a dormir vestidos e calçados.

Embora sem muita esperança, meu pai foi procurar o delegado para ver se conseguia dele uma providência contra a Companhia. O delegado estava assustado como coelho, piscava nervoso e repetia como falando sozinho:

–Uma providência. É preciso uma providência.

Meu pai quis saber que espécie de providência ele pensava tomar, e ele não saía daquilo:

– É, uma providência. É, uma providência.

Meu pai sacudiu-o para ver se o acordava, ele agarrou meu pai pelo braço e disse desesperado, quase chorando:

– Eu estou de pés e mãos amarradas, Maneco. De pés e mãos amarradas. Que vida! Quanta coisa!

Os espiões eram outra grande maçada. Não sei com que astúcia a Companhia conseguiu contratar gente do nosso meio para informá-la de nossos passos e de nossas conversas. O número de espiões cresceu tanto que não podíamos mais saber com quem estávamos falando, e o resultado foi que ficamos vivendo numa cidade de mudos, só falávamos de noite em nossas casas, com as portas e janelas bem fechadas, e assim mesmo em voz baixa.

Eu estava quase perdendo a esperança de voltarmos à vida antiga, e já não me lembrava mais com facilidade do sossego em que vivíamos, da cordialidade com que tratávamos nossos semelhantes, conhecidos e desconhecidos. Quando eu pensava no passado, que afinal não estava assim tão distante, tinha a impressão de haver avançado anos e anos, sentia-me velho e deslocado. Para onde nos estariam levando? Qual seria o nosso fim? Morreríamos todos queimados, como tantos parentes e conhecidos?

Passávamos os dias com o coração apertado, e as noites em sobressalto. Ninguém queria fazer mais nada, não valia a pena. As casas andavam cheias de goteiras, o mato invadia os quintais, entrava pelas janelas das cozinhas. Nos vãos do calçamento, que cada qual antigamente fazia questão de manter sempre limpo em frente a sua casa, arrancando a grama com um toco de faca e despejando cal nas fendas, agora cresciam tufos de capim. O muro do pombal desmoronou numa noite de chuva, ficaram os adobes na rua fazendo lama, quem queria passar rodeava ou pisava por cima, arregaçando as calças. Não valia a pena consertar nada, tudo já estava no fim.

Mas a esperança, por menor que seja, é uma grande força. Basta um fiapinho de nada para dar alma nova à gente. Eu estava remexendo um dia na tulha de feijão à procura de uma medalha que caíra do meu pescoço e encontrei umas caixas de papelão quadradinhas, escondidas bem no fundo. Abri uma e vi que estava cheia de cartuchos de dinamite. Guardei tudo depressa e não disse nada a ninguém nem deixei meu pai saber, porque não queria colocá-lo na triste situação de ter de prevenir-se contra mim. Tudo era possível naqueles dias.

Agora que nada mais há a fazer, arrependo-me de não ter falado abertamente e entrado na intimidade dos planos, se é que havia algum. Hoje é que imagino a aflição que minha mãe deve ter passado na noite em que em vão esperamos meu pai para a ceia. Com uma indiferença que não me perdoo eu tomei minha tigela de leite com beiju e fui dormir. Mamãe ficou acordada fiando, e quando tomei-lhe a bênção no dia seguinte notei que ela estava pálida e com os olhos vermelhos de quem não havia dormido. Não tenho muito jeito para consolar, fiquei remanchando em volta dela, bulindo numa coisa e noutra, irritando-a com o meu nervosismo inarticulado. Ela mandava-me sair, passear, fazer alguma coisa fora, mas eu tinha medo de deixá-la sozinha estando tão deprimida.

Não me lembro de outro dia tão triste. Uma neblina cinzenta tinha baixado sobre a cidade, cobrindo tudo com aquele orvalho de cal. As galinhas empoleiradas nos muros, nos galhos baixos dos cafezeiros, ou encolhidas debaixo da escada do quintal, pareciam aguardar tristes notícias, ou lamentar por nós algum acontecimento que só elas sabiam por enquanto. Em frente a nossa janela de vez em quando passava uma pessoa, as mãos roxas de frio segurando o guarda-chuva, ou um menino em serviço de recado, protegendo-se com um saco de estopa na cabeça. E nos quintais molhados os sabiás não paravam de cantar.

Em dias de sol nós ainda podíamos resistir, podíamos olhar para os lados da usina e apertar os dentes com ódio, e assim mostrar que ainda não havíamos nos entregado; mas num dia molhado como aquele só nos restava o medo e o desânimo.

A notícia chegou antes do almoço. Uns roceiros que tinham vindo vender mantimentos na cidade, encontraram o corpo na estrada, a barriga celada no meio pelas rodas de uma motocicleta.

Depois do enterro mamãe mandou-me esconder as caixas de dinamite num buraco bem fundo no quintal, vendeu tudo o que tínhamos, todas as galinhas, pelo preço de duas passagens de caminhão e no mesmo dia embarcamos sem dizer adeus a ninguém, levando só a roupa do corpo e um saquinho de matula, como dois mendigos.

[De *Os Cavalinhos de platiplanto*, 3ª ed., Rio, Civilização Brasileira, 1972.]

A MÁQUINA EXTRAVIADA

José J. Veiga

Você sempre pergunta pelas novidades daqui deste sertão, e finalmente posso lhe contar uma importante. Fique o compadre sabendo que agora temos aqui uma máquina imponente, que está entusiasmando todo o mundo. Desde que ela chegou não me lembro quando, não sou muito bom em lembrar datas, quase não temos falado em outra coisa; e da maneira que o povo aqui se apaixona até pelos assuntos mais infantis, é de admirar que ninguém tenha brigado ainda por causa dela, a não ser os políticos.

A máquina chegou uma tarde, quando as famílias estavam jantando ou acabando de jantar, e foi descarregada na frente da Prefeitura. Com os gritos dos choferes e seus ajudantes (a máquina veio em dois ou três caminhões) muita gente cancelou a sobremesa ou o café e foi ver que algazarra era aquela. Como geralmente acontece nessas ocasiões, os homens estavam mal-humorados e não quiseram dar explicações, esbarravam propositalmente nos curiosos, pisavam-lhes os pés e não pediam desculpa, jogavam pontas de cordas sujas de graxa por cima deles, quem não quisesse se sujar ou se machucar que saísse do caminho.

Descarregadas as várias partes da máquina, foram elas cobertas com encerados e os homens entraram num botequim do largo para comer e beber. Muita gente se amontoou na porta, mas ninguém teve coragem de se aproximar dos estranhos porque um deles, percebendo essa intenção nos curiosos, de vez em quando enchia a boca de cerveja e esguichava na direção da porta. Atribuímos essa esquiva ao cansaço e à fome deles e deixamos as tentativas de aproximação para o dia seguinte; mas quando os procuramos de manhã cedo na pensão, soubemos que eles tinham montado mais ou menos a máquina durante a noite e viajado de madrugada.

A máquina ficou ao relento, sem que ninguém soubesse quem a encomendara nem para que servia. É claro que cada qual dava o seu palpite, e cada palpite era tão bom quanto outro.

As crianças, que não são de respeitar mistério, como você sabe, trataram de aproveitar a novidade. Sem pedir licença a ninguém (e a quem iam pedir?), retiraram a lona e foram subindo em bando pela máquina acima, até hoje ainda sobem, brincam de esconder entre os cilindros e colunas, embaraçam-se nos dentes das engrenagens e fazem um berreiro dos diabos até que apareça alguém para soltá-las; não adiantam ralhos, castigos, pancadas; as crianças simplesmente se apaixonaram pela tal máquina.

Contrariando a opinião de certas pessoas que não quiseram se entusiasmar, e garantiram que em poucos dias a novidade passaria e a ferrugem tomaria conta do metal, o interesse do povo ainda não diminuiu. Ninguém passa pelo largo sem ainda parar diante da máquina, e de cada vez há um detalhe novo a notar. Até as velhinhas de igreja, que passam de madrugada e de noitinha, tossindo e rezando, viram o rosto para o lado da máquina e fazem uma curvatura discreta, só faltam se benzer. Homens abrutalhados, como aquele Clodoaldo seu conhecido, que se exibe derrubando boi pelos chifres no pátio do mercado, tratam a máquina com respeito; se um ou outro agarra uma alavanca e sacode com força, ou larga um pontapé numa das colunas, vê-se logo que são bravatas feitas por honra da firma, para manter fama de corajoso.

Ninguém sabe mesmo quem encomendou a máquina. O prefeito jura que não foi ele, e diz que consultou o arquivo e nele não encontrou nenhum documento autorizando a transação. Mas mesmo assim não quis lavar as mãos, e de certa forma encampou a compra quando designou um funcionário para zelar pela máquina.

Devemos reconhecer – aliás todos reconhecem – que esse funcionário tem dado boa conta do recado. A qualquer hora do dia, e às vezes também de noite, podemos vê-lo trepado lá por cima espanando cada vão, cada engrenagem, desaparecendo aqui para reaparecer ali, assoviando ou cantando, ativo e incansável. Duas vezes por semana ele aplica caol nas partes de metal dourado, esfrega, esfrega, sua, descansa, esfrega de novo – e a máquina fica faiscando como joia.

Estamos tão habituados com a presença da máquina ali no largo, que se um dia ela desabasse ou se alguém de outra cidade viesse buscá-la, provando com documentos que tinha direito, eu nem sei o que aconteceria, nem quero pensar. Ela é o nosso orgulho, e não pense que exagero. Ainda não sabemos para que ela serve, mas isso já não tem maior importância. Fique sabendo que temos recebido delegações de outras cidades, do estado e de fora, que vêm aqui para ver se conseguem comprá-la. Chegam como quem não quer nada, visitam o prefeito, elogiam a cidade, rodeiam, negaceiam, abrem o jogo: por quanto cederíamos a máquina. Felizmente o prefeito é de confiança e é esperto, não cai na conversa macia.

Em todas as datas cívicas a máquina é agora uma parte importante das festividades. Você se lembra que antigamente os feriados eram comemorados no coreto ou no campo de futebol, mas hoje tudo se passa ao pé da máquina. Em tempo de eleição todos os candidatos querem fazer seus comícios à sombra dela, e como isso não é possível, alguém tem de sobrar, nem todos se conformam e sempre surgem conflitos. Mas felizmente a máquina ainda não foi danificada nesses esparramos, e espero que não seja.

A única pessoa que ainda não rendeu homenagem à máquina é o vigário, mas você sabe como ele é ranzinza, e hoje mais ainda, com a idade. Em todo caso, ainda não tentou nada contra ela, e ai dele. Enquanto ficar nas censuras veladas, vamos tolerando; é um direito que ele tem. Sei que ele andou falando em castigo, mas ninguém se impressionou.

Até agora o único acidente de certa gravidade que tivemos foi quando um caixeiro da loja do velho Adudes (aquele velhinho espigado que passa brilhantina no bigode, se lembra?) prendeu a perna numa engrenagem da máquina, isso por culpa dele mesmo. O rapaz andou bebendo em uma serenata, e em vez de ir para casa achou de dormir em cima da máquina. Não se sabe como, ele subiu à plataforma mais alta, de madrugada rolou de lá, caiu em cima de uma engrenagem e com o peso acionou as rodas. Os gritos acordaram a cidade, correu gente para verificar a causa, foi preciso arranjar uns barrotes e labancas para desandar as rodas que estavam mordendo a perna do rapaz. Também dessa vez a máquina nada sofreu, felizmente. Sem a perna e sem o emprego, o imprudente rapaz ajuda na conservação da máquina, cuidando das partes mais baixas.

Já existe aqui um movimento para declarar a máquina monumento municipal – por enquanto. O vigário, como sempre, está contra; quer saber a que seria dedicado o monumento. Você já viu que homem mais azedo?

Dizem que a máquina já tem feito até milagre, mas isso – aqui para nós eu acho que é exagero de gente supersticiosa, e prefiro não ficar falando no assunto. Eu – e creio que também a grande maioria dos munícipes – não espero dela nada em particular; para mim basta que ela fique onde está, nos alegrando, nos inspirando, nos consolando.

O meu receio é que, quando menos esperarmos, desembarque aqui um moço de fora, desses despachados, que entendem de tudo, olhe a máquina por fora, por dentro, pense um pouco e comece a explicar a finalidade da máquina, e para mostrar que é habilidoso (eles são sempre muito habilidosos) peça na garagem um jogo de ferramentas, e sem ligar a nossos protestos se meta por baixo da máquina e desande a apertar, martelar, engatar, e a máquina comece a trabalhar. Se isso acontecer, estará quebrado o encanto e não existirá mais máquina.

[De *A Máquina Extraviada*. Rio, Ed. Prelo, 1968.]

BERNARDO ÉLIS

B ernardo Élis Fleury de Campos Curado nasceu em 15 de novembro de 1915 em Corumbá de Goiás. Fez o curso jurídico na Escola de Direito de Goiânia bacharelando-se em 1945. Foi escrivão do crime da Comarca de Corumbá de Goiás, Secretário da Prefeitura Municipal de Goiânia (1939-42) e Prefeito Interino da mesma cidade, em 1940-41. Lecionou Geografia e História em curso secundário e universitário, em Goiânia, até 1964. Lecionou Literatura no Curso de Letras da Universidade Católica de Goiás entre 1965 e 67. Fundador da União Brasileira de Escritores (seção de Goiás) e membro da Academia Brasileira de Letras e da Academia Goiana de Letras. Faleceu no dia 30 de novembro de 1997 na mesma cidade em que nasceu.

OBRAS:

Ermos e gerais. Goiânia: Bolsa de Publicações "Hugo Carvalho Ramos", 1944. (contos)
O Tronco. São Paulo: Martins, 1956. (romance)
Caminhos e descaminhos. Goiânia: Livraria Brasil Central, 1965. (contos)
Veranico de janeiro. Rio de Janeiro: José Olympio, 1966. (contos)
Caminhos dos Gerais. Rio de Janeiro: Civilização Brasileira, 1975. (contos)

André louco. Rio de Janeiro: José Olympio, 1978. (contos)

Apenas um violão. Rio de Janeiro: Nova Fronteira, 1984. (novela e contos)

Chegou o governador. Rio de Janeiro: José Olympio, 1987. (romance)

ANTOLOGIAS:

Dez contos escolhidos. Brasília: Horizonte Editora, 1985. (antologia de contos)

Os melhores contos de Bernardo Élis. São Paulo: Global, 1996. (antologia de contos)

SOBRE O AUTOR:

LIVROS:

Almeida, Nelly Alves de. *Presença literária de Bernardo Élis*. Goiânia: Imprensa Universitária, 1970.

Teles Gilberto Mendonça; Evanildo Bechara. *Seleta* (Bernardo Élis). Rio de Janeiro: José Olympio, 1976.

Abdala Junior, Benjamin. Seleção de textos, notas, estudos biográfico, histórico e crítico e exercícios. *Bernardo Elis*. São Paulo: Abril Educação, 1983. (Literatura comentada)

ARTIGOS E ENSAIOS:

Lobato, Monteiro. "Carta-Prefácio". *In:Ermos e Gerais*, 2ª edição, 1944.

Andrade Mário de. "Carta" a B. Élis de 1944, publicada nos *Cadernos de Estudos Brasileiros*, Goiânia, nº I, 1963.

Candido, Antonio. "Carta" a B. Élis, de dezembro de 1967, publicada em *O Popular*, Goiânia.

Mendonça Teles, Gilberto. *O Conto Brasileiro em Goiás*. Goiânia, 1968.

Lucas, Fábio. *O Caráter Social da Literatura Brasileira*. Rio de Janeiro: Paz e Terra, 1970.

Teixeira de Salles, Fritz. *Literatura e Consciência Nacional*. Belo Horizonte: s/d, 1973.

Gotlib, Nádia Battella. *Cavando* (Uma análise de *A enxada*, de Bernardo Élis). *In*: O eixo e a roda. Belo Horizonte, nº 2, p. -33-51, jun. 1984.

A ENXADA

Bernardo Élis

Matou, roubou,
mas foi prá cadeia.
Matou, roubou,
mas foi prá cadeia.

(Toada dos conguinhos de Corumbá de Goiás.)

– Cala boca sem-veigonha,
De tuda vez é assim.
– Ó muié tem paciença
Lá ninguém fia di mim.
Trata de nossas galinha
E zela de nossos pintim,
Que agora com poucos dia
Eu levo outo caiguerim.

Do *Folclore Goiano*, de J. Aparecida Teixeira.

"Não sei adonde que Piano aprendeu tanto preceito" – pensava Dona Alice. E ninguém podia tirar sua razão. Supriano era feio, sujo, maltrapilho, mas delicado e prestimoso como ele só. Naquele dia, por exemplo, chegou no sítio de Seu Joaquim Faleiro, marido de Dona Alice, beirando aí as sete horas, no momento em que a mulher mais os filhos estavam sapecando um capado matado indagorinha.

Com sua licença, Dona Alice. — E Piano sapecou o bicho, abriu, separou a barrigada, tirou as peças de carne, o toucinho e, na hora do almoço, já estava tudo prontinho na salga. Aí Seu Joaquim chegou da roça para o almoço e enconvidou Piano para comer, mas ele enjeitou.

Estava em jejum desde o dia anterior, porém mentiu que havia almoçado. Com o cheiro do de-comer seu estômago roncava e ele salivava pelos cantos da casa, mas não aceitou a boia. É que Piano carecia de uma enxada e queria que Seu Joaquim lhe emprestasse. Na sua lógica, achava que se aceitasse a comida, Seu Joaquim julgava bem pago o serviço da arrumação do capado e não ia emprestar-lhe a enxada. Não aceitando o almoço, o sitiante naturalmente ficaria sem jeito de lhe negar o empréstimo da ferramenta.

Depois do almoço (o café ele não dispensou) desembuchou:

— Seu Joaquim, num vê que eu estou lá com a roça no pique de planta e não tem enxada. Será que mecê tem alguma aí pra me emprestar?

O pedido não foi formulado assim de um só jato não. Piano roncou, guspiu de esguicho, falou uns "quer dizer", "num vê qui", coçou-se na cabeça e na bunda, consertou o pigarro. Seu Joaquim permaneceu silencioso e de cara fechada o tanto de se rezar uma ave-maria, e Piano completou:

— A gente não quer de graça. É só colher a roça, a gente paga...

O sitiante meteu o indicador entre as gengivas e as bochechas, limpou os detritos de farinha e arroz, lambeu aquilo e por fim guspinhou pra riba de um cachorro que dormia debaixo da mesa.

— É procê mesmo, que mal pergunte? — interrogou depois de alguns minutos de meditação, os olhos vagos para o rumo onde estava deitado o cachorro.

Piano trocou de pernas, gaguejou, teve vontade de não dizer, mas acabou por informar que era pra plantar a roça de Seu Elpídio Chaveiro.

— Aí que o carro pega — disse Joaquim enérgico. — Pra você eu te dou tudo; praquele miserável num dou nadinha dessa vida. Vou pinchá resto de comida no mato, é coisa sem serventia pra mim, mas se esse Elpídio falar para mim – "ô Joaquim, me dá isso" – eu num dou de jeito nenhum!

De imediato Seu Joaquim se levantou e saiu, deixando Piano ali sem almoço e sem enxada. Seu Joaquim saiu assim de supetão, com coisa que estivesse avexado, até com agravo para Piano, o qual pensou consigo que um homem não deve de tratar outro por essa forma, que é faltar com o preceito da boa maneira.

Joaquim Faleiro era sitiante pobre, dono de uma nesguinha de vertente boa. Vivia de fazer sua rocinha, que ele mesmo, a mulher e dois cunhados iam tocando. Vendiam um pouco de mantimento, engordavam uns capadinhos, criavam umas vinte e poucas reses e fabricavam algumas cargas de rapadura na engenhoca de trás da casa, mode vender no comércio. O resto Deus dava determinação. O diabo, porém, era aquele tal de Capitão Elpídio Chaveiro, nas terras de quem estava o sitiante imprensado assim como jabuticaba na forquilha. Por derradeiro arranjou Elpídio encrenca com o açude que abastecia de água a morada de Joaquim, que estava no ponto de acender vela em cabeceira de defunto. Essa tenda é que desdeixava Seu Joaquim emprestar a enxada a Piano, a quem, para demonstrar amizade, disse, já virando as costas:

– Vem trabalhar mais eu, Piano. Te dou terra de dado, te dou interesse...

Mas podia Piano lá aceitar? Obra de cinco anos, Piano pegou um empreito de quintal de café com o delegado. Tempo ruim, doença da mulher, estatuto do contrato muito destrangolado, vai o camarada não pôde cumprir o escrito e ficou devendo um conto de réis ao delegado. Ao depois vieram os negócios de Capitão Benedito com João Brandão, a respeito do tal peixe de ouro de Sá Donana, e no fritar dos ovos acabou Supriano entregue a Elpídio, pelo delegado, para pagamento da dívida. Com ele, foram a mulher entrevada das pernas e o filho idiota, que vieram para a Forquilha, terras pertencentes a Desidéria e Manuel do Carmo, mas que o filho de Donana comprou ao Estado como terra devoluta. Supriano devia trabalhar até o fim da dívida.

Na Forquilha, recebeu Supriano um pedaço de mato derrubado, queimado e limpo. Era do velho Terto, que não pôde tocar por ter morrido de sezão. Como o delegado houvesse aprevenido o novo dono de que Piano era muito velhaco, ao entregar a terra Elpídio ponderou muito braboso:

— Quero ver que inzona você vai inventar para não plantar a roça... Olha lá que não sou quitanda!

Supriano não tinha inzona nenhuma. Perguntou, porque foi só isso que veio à mente do coitado:

— E a enxada, adonde que ela está, nhô?

Elpídio quase que engasga com o guspe de tanta jeriza:

— Nego à toa, não vale a dívida e ainda está querendo que te dê enxada! Hum, tem muita graça!

Piano era trabalhador e honesto. Devia ao delegado porque ninguém era homem de acertar contas com esse excomungado. Pior que Capitão Benedito em três dobros. Se, porém, lhe pagassem o trabalho, capaz de aprumar. Não tinha muita saúde, por via do papo, mas era bom de serviço. Assim, diante da zoada do patrão, foi pelando-se de medo que o camarada arriscou um pedido:

— Me perdoa a confiança, meu patrão, mas mecê fia a enxada da gente e na safra, Deus ajudando, a gente paga com juro...

— Ocê que paga, seu bedamerda! — E Seu Elpídio ficou mais irado ainda. — Te dou enxada e ocê fica devendo a conta do delegado e a enxada pro riba. Não senhor. Vá plantar meu arroz já, já.

— Mas patrãozinho, mas plantar sem... — Elpídio o atalhou: — Vai-se embora, negro. E se fugir te boto soldado no seu rasto.

E Elpídio punha mesmo, que este fora o trato: Elpídio ficaria com Supriano se o delegado se obrigasse a buscar o negro em caso de fuga. Fuga não se daria; Piano não tinha calibre para isso. Essa fama o delegado inventou mode o Chaveiro não aceitar Piano e desistir da dívida. Entretanto nem assim Elpídio desistiu.

— Passe para a roça já, seu... — comandou Elpídio.

Supriano botou a mão na cabeça: adonde achar uma enxada, meu Divino Padre Eterno! Como desmanchar esse nome feio que lhe tinha posto o malvado do delegado? Quem será que ia lhe emprestar uma enxada? Ele tinha conhecimento com o coronel, mas este não o serviria. Procurar negociante era pura bestagem. Elpídio estaria já de língua passada com todos eles para não venderem nada a prazo para os camaradas. Quem é que não conhecia o costume de Seu Elpídio? Era fazendeiro que exigia que todo mundo pedisse menagem para ele. Ele é que fornecia enxada, mantimento, roupa e remédio para seus empregados. Ninguém não iria pois vender uma enxada para Supriano. Só lhe restava ir para casa, largando de mão de levar cobre e meio de sene que a mulher encomendara.

Primeiro, pensou em matar um caititu, vender o couro e comprar a enxada. O cálculo, no entanto ia muito bem até o ponto em que Piano se lembrou que para matar o bicho carecia de pólvora, espoleta, chumbo e espingarda. E ele possuía alguma dessas coisas? Mais fácil era tirar mel.

Piano tomou o machado emprestado de Seu Joaquim e tafulhou no mato. Foi feliz porque trouxe mel de jataí, que é o mais gostoso e o mais sadio. Mel, porém, é coisa que ninguém compra: todo mundo quer comer de graça. O homem andou de porta em porta e mal deu conta de vender uma garrafinha, apurando milréis. Ia continuar oferecendo, mas Seu Elpídio cercou ele no largo do cemitério. Seu Elpídio disse que o encontro foi por acaso, mas Piano acha que foi muito de propósito. O patrão chegou com rompante, enorme em riba da mulona, as esporas tinindo, as armas sacolejando.

— Já plantou a roça? — trovejou ele, mal e mal se vendo a boca relumiando ouro por debaixo do chapéu de aba grande.

Supriano explicou que estava vendendo um melzinho, mode comprar uma enxada. Apois que tocar lavoura carece de ter ferramenta, o senhor não aprova?

Por debaixo do chapéu, entremeio as orelhas da burrona, Piano só divisou um sorriso feroz, de dentes alumiando ouro e a vozona de senhor dão:

— Está brincando, moleque, mas eu te pego você.

Na mesma da hora os ferros das esporas tiniram, os arreios rangiram e a mula chega jogou gorgulho pra trás. Já indo de ida, o Elpídio muito rei na sua homência decretou pro riba dos ombros:

— Em dia de Santa Luzia, tu ainda nesse dia não tenha plantado o arroz, te ponho soldado no lombo, rã-rã.

Piano atarantou, perdeu a cabeça e nem teve mente de lhe oferecer uma garrafinha de mel. Talvez que se ele tivesse ofertado uma: – "Olha, essa aqui é um agrado pros seus filhinhos" – bem que o coração do chefão capaz que tivesse ficado mais brando. Mas perdeu a cabeça de tudo e de lá de longe ainda vieram mais relumiando de ouro as palavras horrorosas:

– Se fugir, sai mais caro...

Piano não tinha mais ideia para nada. Sempre foi assim afobado. Se aperreavam ele, aí não dava conta de fazer coisa alguma dessa vida. E o diabo desse Elpídio com coisa que tinha formiga na bunda. Nem paciência tinha de esperar que o camarada ouvisse sua frase, entendesse e formulasse o pensamento numa resposta suficiente. Falava e saía na carreira.

Se perguntassem como Piano chegou em casa, ele não sabia informar. E o dinheirinho da venda da garrafinha de mel, que destino teria tomado? Bem que a mulher tinha direito de ficar malinando. Não estaria Piano gastando dinheiro na rua com as "tias" que por lá existiam cada qual mais bonita e sem-vergonha?

Daí em diante, no diário, o camarada foi ficar na porteira das terras de Seu Elpídio, por onde rompia a estrada salineira. Um viajante passava e Piano formulava seu rogo:

– Seu moço, num vê que tou aqui com uma roça de arroz no ponto de planta e num tem enxada? Com perdão da pergunta, mas será que mecê não tem por lá alguma enxada assim, meia velha pra ceder para a gente?

Mas ferramenta em tal tempo é coisa vasqueiro. As poucas existentes estão ocupadas e ninguém cedia ferramenta para camarada, porque no final era o mesmo que ceder para o patrão e esse tinha lá precisão de empréstimo? De toadinha era o povo passando e o camarada requerendo.

Supriano já estava quase desistindo. Por vezes, vinha a ideia de furtar. O diabo, porém, é que não era fácil. Assistia pouca gente pela redondeza, todos conhecidos e os ferros eram mais conhecidos ainda, de modo que sem tardança os furtos se descobriam. Não se lembra do Dos Anjos? Estava pubando na cadeia por causa de um cubu de enxada que diziam ter ele furtado. Tinha também o caso do Felisbino, que foi para a cadeia porque matou o sogro numa briga somente por causa de uma foice. E outros que nem sequer tinham chegado a ser presos, mortos ali mesmo pelo mato por simples suspeita de furtos?

E os dias passavam. Santa Luzia vinha chegando de galope. Supriano tacou um punhado de feijão num buraco da parede do rancho. Cada dia era um feijão que ele pinchava fora. Os bagos estavam no fim.

Mesmo de noite o camarada ficava de orelha em pé, que nem coelho.

Olaia, sua mulher, ficava muito cismada com isso. Porteira é lugar perigoso que nem dente de cascavel, pois não é aí que mora o Saci e outras assombrações? Supriano também tinha medo. De onça, de cobra, de gente, não; mas de alma, cuisa-ruim. A valença que a porteira era nova e nunca ninguém não tinha visto visagem alguma. Ah, que se fosse em como na porteira velha do Engenho, por dinheiro nenhum que Supriano ia demorar por lá depois das ave-marias! Nessa porteira existia uma fantasma moradeira das mais brabas desse mundo! Credo! E Supriano fazia o pelo-sinal duas vezes de toada.

Era o delegado que contava. Uma noite, lá ia ele passando pela porteira. Que a bicha bateu, o delegado sentiu que a mula chega gemeu e se encolheu com coisa que uma gente houvesse pulado na garupa. Também o delegado sentiu assim uma como espécie de arrocho por debaixo dos braços, como se alguém o abraçasse pelas costas. E era um abraço frio, esquisito. Ele levou a mão na garupa, mas não deparou ninguém. Correu as esporas no animal e lá se foi, a mula assoprando, encolhida, dando de banda, orelhas murchas. Foi assim até que avistou a cruz da torre da igreja do povoado. Aí o delegado sentiu que quem vinha na garupa pulava pra baixo e a mula pegava sua marcha costumeira, pedindo rédea para chegar logo. O friúme por debaixo do sovaco também sorveu.

Contudo, sua preocupação era tanta que, mesmo dormindo, quando a cancela batia no moirão ele sonhava que passara justamente naquela hora um sujeito com uma enxada desocupada.

No sonho, padecia o grande tormento de ter perdido a ferramenta. Por via disso, toda noite que não estivesse de tocaia na porteira, custava a garrar no sono; e, se dormia, acordava açulerado. A porteira estrondava no batente e Piano dava aquele tranco no couro de boi adonde dormia. No escuro Olaia fazia o pelo-sinal. A todo baque da porteira, Olaia se benzia: "Se for o Cão, tesconjuro. Se for viajante, Senhora da Guia que te guie, filho de Deus!" Hábito velho.

O filho é que não se movia. Era bobo babento, cabeludo, que vivia roncando pelos cantos da casa ou zanzando pelos arredores no seu passo de joelho mole. Diziam que fuçava na lama tal e qual um porco dos mais atentados. Capaz que fosse verdade, porque a fungação dele e o modo de olhar era ver um porco, sem tirar nem pôr.

Piano já estava enjoado de esperar, quando deu de acontecer que passou pela porteira o seu vigário. Adiante o sacristão numa mulinha troncha, vermelha, atrás o vigário na sua mulona ferrada, guarda-sol aberto, dos brancos por fora e azuis por dentro, lendo o breviário, muito seu fresco.

— A bença, seu vigário.

— Deus te abençoe.

E nem teria esbarrado o alimal, nem sequer olhado quem lhe tomara a bênção, se Piano não insistisse:

— A mó que vai numa desobriga, que mal pregunte?

Seu vigário deteve o ginete, fechou o livro e explicou que o Antero das Pedras de Fogo estava passando mal.

"Que tero que nada" – pensou Piano. O que ele queria era outra coisa, que gente morrendo, isso tinha de toadinha toda a vida. E, de chapéu na mão, com o outro braço estendido, apontava a grota onde se assentava o rancho.

— Vamos até lá, seu vigário. É um pulico à toa.

Seu vigário, que já vinha viajeirando desde cedo, aceitou o convite e lá se foram os três rumo ao rancho: de pé, na frente, Piano; atrás, na mulinha, o sancristão, e, mais atrás de tudo, o vigário, mode preservar-se dos carrapatos e rodoleiros que por ali davam demais.

De dentro do rancho veio Olaia, as gengivas supurosas à mostra, se arrastando, pois a coitadinha era entrevada das pernas, em desde o parto do bobo. Bonachão, o padre se ria. Espiando pelas gretas do barro do pau a pique, o bobo careteava. Piano se desmanchava em desculpas: Que o vigário não botasse reparo, ele ia dar um pulico no compadre Joaquim e já voltava. Olaia pretendia servir alguma coisinha ao padre e tinha nada dessa vida. Nem cana para bater com um pau, e depois torcer na mão fazendo garapa, eles tinham.

Seu vigário era prevenido e conhecia das casas velhas a roceirama de sua freguesia. Deu nova risadinha e mandou o sancristão arriar os alforjes, contendo café, açúcar, vasilhame. Era só fazer o café. Quando a bebida ficou pronta, seu vigário estava dizendo a Piano que não havia dúvida. Amanhã ele chegaria à cidade e Piano podia ir lá que receberia uma enxada.

O vigário esperou o sol quebrar a ardência, pegou as vasilhas, deixou o resto das coisas para Olaia, montou e saiu mais o sancristão.

Ora, como o sol estivesse meio altinho obra de duas braças, Piano resolveu sair para a cidade nesse dia mesmo. O comércio ficava meio longinho; de a pé, levava-se bem um dia para ir e voltar. O melhor era sair àquela hora, pousar no Furo; no outro dia chegava cedo à cidade, aí o padre já regressara, pegava a enxada e ainda vinha pousar no rancho.

Com pouco prazo a precata de Piano estalava no gorgulho do espigão. Foi justo o tempo de ir à casa de Seu Joaquim, pedir um pouco de toicinho com uns ovos e farinha, Olaia fazer um virado que ele meteu numa cabeça de palha e enfincou o pé no chão.

Neblinava pelos baixos quando Piano entrou na cidade, no outro dia. Como chegou, procurou o vigário, mas ele não havera retornado ainda; aí Piano ficou bestando com a sela, sem saber o que fazer: ia dar um bordo pela cidade, topar algum conhecido. Por falar nisso, Homero ferreiro, por onde será que anda o Homero, minha gente? Dantes ele morava no fim da rua, tinha oficina, fole, bigorna. Seu malho enchia o comércio de tinido, fabricando cravejamento e chapas para carros de bois.

A Piano representou ver Homero vestido com um avental de couro, seminu, forjando foices, boas foices, as chispas espirrando que nem caga-fogo em entrada das águas. Homem, se fazia foice, por certo que fazia enxadas – pensou Supriano se dirigindo para onde morava o oficial ferreiro, enquanto acendia na binga o cigarro que acabara de fazer.

No fim da rua, no entanto, nenhum tinido de bigorna. Na vendola de Seu Reimundo, uns cavalinhos amarrados à sombra do abacateiro, dentro umas pessoas, inclusive o dono deitado no balcão. Da rua, Piano conheceu um amigo lá dentro e por isso acercou-se, salvou o conhecido que o convidou a tomar assento e beber uma pinguinha. Piano aceitou, tomou o gole de cachaça, guspiu grosso, limpou os beiços com as costas das mãos, no bom preceito. O conhecido lhe deu fumo, ele fez novo cigarro e, para passar o tempo, perguntou o preço do fumo que Seu Reimundo tinha em riba do balcão. O fumo era bom e não era caro. Se saísse a enxada, levaria um pedaço.

Conversa vai, conversa vem, Piano ficou inteirado que Homero não trabalhava mais porque cachaça não deixava. Dia e noite o infeliz vivia caído pelas calçadas, as moscas passeando nos beiços descascados. Uma desgraça! A obrigação passando privações, com a mulher cheia de macacoas e assim mesmo tendo que produzir doces e quitandas que os meninos vendiam pelas ruas. Sol descambando, Piano se despediu e foi ao largo em busca do vigário, que havia chegado. Seu vigário o recebeu naquele seu alegrão de sempre, mandou assentar e deu ordens para trazerem a enxada. Passado um quarto de hora ou quê, o sacristão voltou instruindo que não existia enxada nenhuma: certamente a haviam roubado. A notícia espantou o vigário que, em pessoa, acompanhado de Piano, revirou o porão da casa e rebuscou o quintal. Infelizmente, babau enxada!

— Será que não está emprestada?

— Capaz — mal respondeu o sacristão, que mostrava ser um sujeitinho muito intimador e enfatuado.

De lá seu vigário deu de estar banzeiro, meio recolhido no seu silêncio, caçando jeito de acertar quem tinha levado emprestado o ferro.

— É, seu padre. O que não tem remédio já nasce remediado!

Piano reconhecia o empenho do padre, mas não pretendia dar-lhe maiores trabalhos. Deixasse aquilo. Que se podia fazer? Melhor entregar para Deus, que é pai. Piano pediu louvado e saiu no maior dos desconsolos, a ideia no ferreiro, que pena que ele bebesse daquela quantia! Isso era por demais. A bem que devia ter uma lei, devia de ter um delegado só para não deixar que gente de tanto talento que nem o Homero se perdesse na bebedeira.

Na Rua da Palha topou outro conhecido, que até não era dos mais chegados nada. Por sinal que Piano nem não era sabedor de sua graça; contudo, para não desperdiçar tempo, perguntou se por acaso não teria uma enxada para emprestar ou para vender, mas com o trato de receber a paga com a safra do arroz.

O conhecido não tinha, pois agora não mexia mais com fazenda não. Estava mais era trabalhando de ajudante de caminhão, muito mais melhor, pois o cristão deparava vez de conhecer outros comércios e outras praças. Porém representou a Piano que um irmão seu, morador no rio Vermelho estava muito remediado e era suficiente para lhe arranjar a enxada. Fosse lá. Piano não deixasse de ir lá. Era até não muito distanciado...

"Devera – pensou Piano – e a gente dando com a cabeça pelas cercas, imitando boi que nunca levou tapa". Despediu-se do conhecido, apalpou o taco de fumo, calculou o volume da farofa restante na cabeça de palha e dali já ganhou a ponte, torando para o rio Vermelho, numa vereda.

Na mata dos Chaveiros, a noite o alcançou. Como era dezembro, a noite não veio assim de baque. Veio negaceando, jaguatirica caçando jaó, jogando punhado de cinza nos arvoredos, uma bruma leve pelos vaiados arroxeando a barra do horizonte, um trem qualquer piando triste num lugar perdido, coruja decerto. Supriano foi pousar no Vau dos Araújos, que alcançou já com a papa-ceia alumiando. Dali até o sítio do irmão do conhecido faziam bem três léguas puxadas, distância que venceria sem demora, se rompesse de madrugadinha.

De fato. Estrelas no céu, Piano se levantou e, sem esperar pelo café, abalou-se. Um solão esparramado refletia-se nas poças d'água das derradeiras chuvas quando ele chegou na chapada, no alto, para revirar a cabeceira do Cocal. As seriemas corriam por entre as gabirobeiras, muricizeiros e mangabeiras carregadas. No estirão, quase descambando para o Cocal, Piano ouviu tropel de cavalos. Olhou para trás e viu dois cavaleiros que lá vinham a toda. De relancim até pareceu soldados. "Mas soldados por ali?" Piano destorceu para dentro da saroba, mas nesse meio tempo ouviu um estampido e barulho de ramos estraçalhados por bala. Se deixou cair no chão, onde ficou encolhido feito filhote de nhambu, mas o ouvido alertado. Quando viu foi as patas imensas dos cavalos pisando o barro juntinho com sua cara e já Piano sentia uns safanões, socos, pescoções. Puseram ele de pé, amarraram as munhecas com sedenho. Tudo tão no sufragante!

Retintim dos ferros dos estribos, dos freios, dos fuzis, das esporas, Piano sentiu-se empurrado na frente dos animais, cano de espingarda cutucando nas costas.

– Pera, gente, oi. Eu...

Novos empurrões, um nome feio, levantando falso na pobre da sua mãe. De mistura com xingo, um cheiro ruim de arroto azedo, fedor de cachaça já decomposta no estômago dos soldados.

– Pelo amor de Deus, por que que estão fazendo isso com a gente, ara?

Novos empurrões deram com Piano na lama, um cavalo saltou por cima, lambada de piraí doendo como queimadura de cansanção-de-leite. Piano se pôs de pé mal e mal e saiu numa carreira tonta de galinha de asas amarradas que matava os polidoros de tanto rir.

Dois dias de cadeia sem comer nada. No terceiro dia um soldado o conduziu à casa de Donana, à presença de Seu Elpídio, que lá estava na sua tenência com aqueles braços dependurados, a cara lampejando dentes de ouro, o olhar duro mesmo quando se ria por baixo das abas largas do chapéu de fina lebre.

– Ra-rã! Num falei procê que brincadeira com homem fede a defunto! – proclamou ele de riba das esporonas sempre retinintes nos cachorros de ferro.

Fome, incompreensão, cansaço, dores nas munhecas que o sedenho cortou fundo, ardume das lapadas de sabre no lombo, revolta inútil, temor de tantas ameaças e nenhum vislumbre de socorro – tramelaram a boca de Piano. Só Elpídio continuava forte como um governo.

– Agora, negro fujão, é pegar o caminho da roça e plantar o arroz. Santa Luzia tá aí.

A necessidade de enxada era tamanha que mesmo naquele transe os lábios de Piano murmuraram:

– Sou honrado, capitão. O que devo, pago. Mas em antes preciso de enxada mode plantar.

— Cala a boca, sô! Aqui quem fala é só eu. — Elpídio acendeu novamente o cigarro de palha e reafirmou: — Olha aqui, Piano. Hoje é dia onze. Até dia treze, se ocê num tiver plantado meu arroz, esses dois soldados já tão apalavrados. Vão te trazer ocê debaixo de facão, vão te meter ocê na cadeia que é pra não sair nunca mais. Põe bem sentido nisso e pensa sua vida direito, olha lá! — Nesse ponto Seu Elpídio se despropositou. Até parecia que estavam duvidando dele: — Ora, essa é boa. Me fazendo de besta, querendo passar melado no meu beiço. — Assentou-se, levantou-se de um soco, como se o assento estivesse cheio de estrepes. — Quero mostrar presse delegadinho de bobagem que nele você passou a perna, mas que eu, Elpídio Chaveiro, filho do Senador Elpídio Chaveiro, que esse ninguém não logra. Há-de-o! — Riu seu riso de dentes de ouro, deu uma volta muito senhor rei: — É baixo, moreno!

O cabo, que chegou nesse entretanto, também riu boçalmente e, encostando o fuzil na mesa da sala, permitiu-se tomar confianças, pedindo fumo e palha a Seu Elpídio.

— Dê cá o canivete também. Nóis tá aí de grito, capitão, Percisano... Elpídio, porém, via nos soldados outros tantos camaradas, apenas que momentaneamente armados de fuzil. Não consentia que tomassem confiança. Fez que não ouvia nada e num repelão tomou o canivete e o fumo e comandou:

— Você me leve esse fujão até a saída da rua, viu?

Piano fez um gesto de quem levasse a mão ao chapéu, para despedir-se, mas pegou foi na carapinha enlameada e suja de sangue coalhado, que o bagaço de chapéu se perdera. Perdera-se ou foi o soldado que roubou?

Tudo isso Piano relembrava enquanto Seu Joaquim mais um cunhado se afastavam pelo trilheiro tortuoso da frente da casa, enxada ao ombro, espantando as corujinhas assentadas nos cupins e nos moirões da cerca do pastinho.

Os dois homens desapareceram e Piano se martirizava recompondo na cabeça a cena da cadeia, as pranchadas de refe, os maus-tratos dos soldados. "Num matei, num roubei, num buli com muié dos outros, gente. O que eu quero é uma enxada pra mode lavorar. E num quero de graça não. Agora não posso pagar, mas a safra taí mesmo e eu pago com juro!"

Arrancou-o desse reinar uma topada desgraçada numa pedra cristal. Então é que deu por fé que regressava para o rancho. Quede Seu Joaquim? Quede a casa dele, com Dona Alice, o porco e os meninos? Tudo tinha ficado para trás, lá longe. Transposto o córrego, estaria em terras de Seu Elpídio; daí, pegando o atalho por dentro das terras baixas entupidas de tiriricas, ia sair no seu rancho.

O pé sangrava e doía. Piano parou na grota, meteu o pé na água fresca e caçou jeito de estancar o sangue com o barro pegajoso da margem, com que barreou a ferida. Nesse ponto, sentiu fome. Uma bambeza grande pelo corpo que suava. Veio-lhe também a lembrança de que ali ao lado estava o terreno que Terto descoivarou e que ele deveria plantar. A lembrança aumentou-lhe o mal-estar, trazendo a sensação de que o amarravam, o sujigavam, tapavam-lhe a suspiração, o estavam sufocando.

Num salto, deixou a grota e saiu numa carreira de urubu pelo caminho fundo, sem ao menos querer voltar a vista para o lado do terreno da roça. Muito adiante foi que moderou o galope. Uma canseira forte o dominava; sua respiração saía rascante e dificultosa por causa do papo, aquele papo incômodo que pesava quase uma arroba. Diminuiu o chouto, chupou fôlego e, sentindo a vista turva, se assentou. Passada a zonzura, percebeu que fazia um calor de matar, embora não se visse o sol. Nuvens pesadíssimas, negras, baixas, toldavam o céu. "Tomara que chova." Com esse veranico, quem é que pode plantar? Embora desprevenido de enxada, se o diabo desse solão continuasse como ia, não sobejaria qualquer esperança de colheita. "Tomara que chova." Chuva muita, dessa chuvinha criadeira, porque no dia seguinte Seu Elpídio ia mandar soldado saber se a roça estava plantada. Chuva dia e noite. Não chuva braba, que Santa Bárbara o defendesse, que essa levaria a terra, encheria o córrego e arrastaria todo o arroz que Piano ia plantar pela encosta arriba, o arroz que crescia bonito, verdinho, verdinho, fazendo ondas ao vento.

Um grande alívio encheu o peito do homem, sensação de desafogo, como se houvesse já plantado a roça inteirinha, como se o arrozal subisse verdinho pela encosta, ondeando ao vento. "Será que já plantei o meu arroz? Sim. Plantara. Pois não vira a roça que estava uma beleza?" Agora o que sentia era um desejo danado de ver o seu arrozal, a roça que já havia plantado e que se estendia pela encosta arriba. Queria ter certeza de que a plantara. Queria pegar no arroz, tê-lo em suas mãos. Mas o diabo era que o terreno ficava lá para trás, na beira do córrego, e seu corpo não pedia voltar até lá. Estava cansado, cansado, muito cansado mesmo.

Piano abandonou a estrada, foi até a beira do mato, subiu num pé de jatobá do campo. De lá tentou enxergar, mas era impossível. O mato tapava tudo. Subiu mais até os galhos mais fininhos, de modo a ficar com a cabeça acima da fronde, mal se equilibrando nas grimpas. Perigo de o galho partir e ele despencar para o chão. Jatobá não é feito goiabeira que morgueia, jatobá costuma quebrar de uma vezada só. Nesse meio-tempo o jatobazeiro pegou de balangar. Um pé de vento, chamando guia da chuva, sacolejava o matauréu, desengonçando as árvores, descabelando-as. Num momento que o mato se espandongava, saracoteando, Piano pôde vislumbrar sua roça. O terreno enegrecido, sujo de troncos queimados, nu de qualquer plantação, onde o capim já pegava a crescer afobadamente de parelha com as árvores derrubadas que deitavam brotos novos.

Gotas gordas debulhavam do céu, esborrachavam nos galhos do jatobazeiro e nas suas folhas duras, molhando as costas de Piano, sua cabeça, o mato ao redor. Uma canseira, um desânimo agarraram de novo o camarada e foi a custo que ele desceu do pau e se assentou encostado ao tronco, deixando que a água lhe molhasse a cara e a roupa rasgada e suja.

— Ranjou enxada? – gemeu Olaia perto da fornalha quase apagada. Piano não respondeu de imediato. Tirando com os grossos dedos uma brasa do borralho para acender o pito, balançou a cabeça negativamente, apenas.

— Inteirando dois dias que nós tá fazendo cruz na boca – continuou a mulher a falar no escuro.

Era uma voz pastosa, viscosa, fria. As palavras eram comidas quase que completamente, restando apenas o miolo. Para alguém que não fosse roceiro os vocábulos seriam ininteligíveis.

Num xixixi chiava a chuva fina na saroba que afogava o rancho. Insetos e vermes roíam e guinchavam pela palha do teto apodrecida pela chuva. Nos buracos do chão encharcado, escorregadio e podre, outros bichos também roíam, raspavam e zuniam.

— Inda se tivesse graxa a gente comia esse arroz daí — continuava Olaia espasmodicamente a falar e, com o beiço inferior esticado, indicou as duas sacas de semente que Elpídio ali deixara para a planta.

Como se a mulher houvesse devorado o arroz, Piano sentiu a modos que um coice no peito. O sangue parou nas veias e a boca amargou, correu até o canto e examinou cuidadosamente as sacas empilhadas sobre uns toletes de madeira. Não contente com o que seus olhos viam, apalpou os sacos, esfregou neles as pernas, sentiu que estavam intactos e lhe veio desta certeza um grande descanso, tamanho que deu um assopro igual ao de um cavalo no espojo, e os músculos relaxaram de vez. Só então percebeu que estava molhadinho, tiritando de frio. Quanto tempo teria ficado estendido no chão, ao pé do jatobazeiro, debaixo da chuva? Estava aí uma coisa de que não podia fazer ideia. Lembrava que o tempo escureceu de soco e a noite chegou com a chuva. E agora, que horas seriam? Devia de ser tarde, a escuridão era muita. Piano acercou-se da fornalha e quis reanimar o fogo, mas faltava lenha; foi onde estava o bobo e pegou a chamá-lo. O mentecapto roncava, revirando-se sobre os trapos de baixeiro suarentos, fedendo a carniça de pisaduras, estendidos no chão e que lhe serviam de cama. Piano empurrou ele com o pé. O bicho levantou-se zonzo, cai aqui, cai acolá, aos roncos, feito um porco magro; perto da fornalha, à luz escassa das brasas meio mortas, Piano lhe fez acenos até que o animal se dispôs a sair para fora do rancho. Piano tirou a roupa, jogou-a por cima de um varal e, como não tinha outra muda, amarrou nos rins um dos baixeiros que serviam de cama ao doente e se acocorou cautelosamente junto do fogo moribundo.

O bobo entrou fungando mais só peba e jogou uma braçada de lenha encharcada ao chão, com a qual Piano reatiçou o lume. A fumaça tomou conta do cômodo, ardendo nos olhos e fazendo escorrer o nariz. Olaia se mexia desajeitadamente, querendo acomodar as pernas frias de estuporada. Que nem um cachorro, era na beira da fornalha que permanecia dia e noite; ali cozinhava, ali lavava roupa e remendava, ali dormia, ali fazia suas precisões. Pernas dela eram o bobo, que ela conservava sempre encostado. Quando tinha de ir mais longe, amontava na cacunda dele e lá se iam aqueles destroços humanos pelos trilheiros, numa fungação de anta no vício.

Com as labaredas altas, o cômodo clareou e o bobo veio de seu canto com os trapos restantes, os quais estendeu perto do fogo e se aninhou de novo. Embrulhando tudo, a solidão como um bocado de picumã que a gente pudesse pegar com a mão. O ermo como que alargado com o trilili dos grilos, com o sapear da saparia e o grogoló da enxurrada crescida na grota, onde indagorinha as saracuras apitavam.

A porteira das terras de Seu Elpídio bateu. Batido chocho, como se estivesse empapada d'água. Olaia fez o pelo-sinal e seus beiços bateram uma jaculatória. Piano se levantou cambaleante, ajeitando a saia de aniagem, e foi encostar na porta do rancho.

A noite ia grossa, igual a um fiapo de babo de bobo, com o chuvisco pesado pipiricando na saroba. Berros de reses brotavam de dentro do breu, e o cheiro de mijo e de gado chegava até as narinas de Piano, fazendo ele representar copos de leite espumoso e quente.. E requeijão? Olaia sabia fabricar um requeijão moreno, bem gordo, para comer com açúcar refinado, com folha de hortelã!

"Como é que pode ter tanto vaga-lume, meu Divino?" – perguntava a si mesmo o camarada admirado da infinidade de pirilampos que riscavam a noite. Riscavam na copa dos muricis, dos paus-terra, das lobeiras da frente do rancho. Piscavam nos ares, aqueles traços de fogo imitantes fagulhas de queimada. "Que nem Homero ferreiro." Homero com avental de couro, a peitaria à mostra, metendo o malho no ferro que espirrava pirilampos, enquanto a foice ia saindo, a enxada ia saindo. Ah, enxada! Se Homero não vivesse dormindo pelas ruas, amanhã mesmo iria encomendar uma enxada para Homero, enxada de duas libras. Se tivesse enxada, não seria novamente preso, não levaria chicotadas no lombo, não seria maltratado. Pela frente do rancho, os vultos negros dos cupins, das lobeiras, das moitas de sarandis eram ferreiros arcados nas forjas fabricando enxadas, as faíscas dos caga-fogos espirrando a torto e a direito, no escuro da noite.

Um tropel no chão batido e molhado. Uma voz.

– É o Nego, que mal pregunte?

– Nhor sim.

Tinido de freios e de esporas. Cheiro de animal molhado e suarento. Rangido de sela molhada e mal engraxada.

— Bamo desapear.

— Demora é curta. Noite tá escura despropósito. Careço de romper.

O cavalo assoprou amigo. Tremeu o pelo debaixo dos baixeiros ensopados. O freio, os estribos, as esporas, as fivelas retiniram como faíscas. E do breu, como um arroto de bêbado, veio a fala do passante. Piano nem deu por fé. Era isso que tinha que assuceder. Era do jeitinho como ele esperava que ia acontecer. Parecia que tinham em antes soletrado tudo, por miúdo, para Piano. Até as palavras que o portador soletrava, Piano sabia que só podiam ser aquelas:

— Amanhã é Santa Luzia, soldado e-vem amanhã.

Também não precisava enxergar. Piano sabia que Olaia se benzeu naquele seu modo esquisito, porque a porteira estrondou novamente dentro da noite, mas agora com uma força como nunca Piano imaginou pudesse existir. Olaia também recitava a jaculatória. Os ouvidos de Piano tiniam como se ele estivesse com dieta de quinino, mas eram as bigornas malhando. Faziam enxadas e mais enxadas. As faíscas espirrando do ferro em brasa. Muitos ferreiros, muitos Homeros martelando milhares de enxadas. Enxadas boas, de duas libras, de duas libras e meia e até de três libras.

Piano investiu até perto de um ferreiro graúdo, colheu uma enxada, revirou para o rancho e foi sacudir Olaia:

— Olaia, Olaia, vigia a enxada.

As labaredas brigavam com as sombras, pintando de vermelho ou de preto a cara barbuda de Piano arcado sobre a paralítica:

— Vigia só a enxada!

Olaia, admirada, passou a mão pelos olhos. Será que não estava dormindo? Por mais que procurasse ver a enxada que Piano lhe mostrava, o que percebia era um pedaço de galho verde em suas mãos. Talvez murici, talvez mangabeira. Mas ferramenta nenhuma ela não via. "O homem tava não regulando, será?" – pensou Olaia otusa.

— Enxada!

Piano avançou com ar decidido, atracou o saco de arroz, num boleio jogou-o ao ombro, as pernas encaroçadas de músculos retesos saindo por baixo do saiote de baixeiro, tão desconforme. O passo pesado e duro de Piano batendo incerto no chão molhado e escorregadio, cambaleando sob o peso dos 30 quilos, afastou-se socando, socando, e se perdeu no engrolo do enxôrro na grota do fundo do rancho. Olaia quis seguir com os ouvidos os movimentos de Piano, mas o que vinha do negrume era um mugido de gado triste. Depois, quase sumido, o latido de um cão, latido esquisito, Olaia jamais havera escutado um ganir mais feio, até ficava arrepiada na cacunda, upa frio! "Decerto, a morte que passou por perto ou tava campeando alguém."

— Olha a enxada, Olaia.

A mulher espantou-se novamente, pois estava cochilando, naquela madorna que a fome produz. Será que fora só um cochilão ou dormira um eito de tempo? Devia já ter passado muito tempo. E o cão com seu latido de mau agouro? Nem bois berravam. Mas o que via ante seus olhos horrorizados eram as mãos grossas de Piano manando sangue e lama, agarrando com dificuldade um bagaço verde de ramo de árvore. Seria visão? O fogo, o fogo morria nas brasas que piriricavam, muito vermelhas, tudo alumiando pelas metades. Piano mesmo, ela via partes dele: as mãos em sangue e lama, parte das pernas musculosas sumindo debaixo do baixeiro, os pés em lama e respingos também vermelhos, seriam pingos de sangue? Um pé sumiu, ressurgiu, mudou de forma.

— Enxada adonde? — indagou a mulher, em desespero.

E Piano mostrava o mesmo bagaço de madeira esfiapado em fibras brancas do cerne e verdes da casca, exibia as duas mãos que eram duas bolas de lama, de cujas rachaduras um sangue grosso corria e pingava, de mistura com pelancas penduradas, tacos de unha, pedaços de nervos e ossos, que o diabo do fogo não deixava divulgar nada certo, clareando e apagando no braseiro que palpitava e tremia.

De novo o silêncio devorou o passo pesado, cambaleante e inseguro de Piano que levou o segundo saco de sementes para plantar, antes que o sol despontasse, antes que Seu Elpídio despachasse os soldados para espancar Piano, humilhá-lo, machucá-lo e afinal jogar no calabouço da cadeia para o resto da vida como um negro criminoso. As pálpebras de Olaia pesavam de sono. O mundo existia aos retalhos. Ela quis reagir, tacar o sono no mato, levantar-se, chamar Piano, "acender o fogo e ver direito que história estúrdia era aquela.

Mas o silêncio era de chumbo, era como uma lagoa viscosa estorvando os movimentos e a vontade. O cão, o cão latia ainda? Ou voltou a latir naquele momento pontual? Ou eram grilos? Passarinhos? Eram galos? Um pântano o silêncio.

– Oi de fora!

"Será que estavam chamando? Chamando tão tarde? Para não ser Piano, quem estaria destraviado por aqueles ocos de mundo numa noite assim tão feia, em horas tão fora de hora?"

Olaia arrastou-se. Se não houvesse aquele chuvisqueiro de paleio por certo que o sol já devia de estar bem um palmo arriba do cerrado. Mas a manhã imitava assim um fundo de camarinha, escuroso de cinzento, tudo encharcado, pespingando. O que Olaia entreviu foi dois soldados na frente do rancho, montados a cavalo, as capas escorrendo água. De começo, não tinha certeza se eram soldados; mas aí eles contaram e, abrindo a capa, mostraram a farda por baixo. E tiraram para fora o fuzilão preto, muito grande demais. Os animais fumegavam e arfavam de ventas dilatadas, ressoprando o ar frioso.

– Tá na roça, meu amo – informou Olaia, com uma mão apontando a roça, com a outra segura duro no bentinho do pescoço, preso pela volta de contas de lágrimas-de-nossa-senhora. "Bem que aqueles latidos não era boa coisa!" Soldado para ela tinha parte com o Sujo. Era uma nação de gente que metia medo pela ruindade. Soldado não podia ser filho de Deus. Nem convidou para desaparear. "Que Deus me livre de um trem desse entrar no meu rancho!"

Como eles não atinassem com o caminho da roça, a paralítica deu explicação: pegassem o trilheiro que beiradeava o mato até sair na grota do corgo. Desse ponto já estavam avistando a roça, pra banda do braço direito.

Chegando na grota, logo os soldados viram a roça. Piano já havia plantado o terreno baixo das margens do corgo, onde a terra era mais tenra, e agora estava plantando a encosta, onde o chão era mais duro. O camarada tacava os cotos sangrentos de mão na terra, fazia um buraco com um pedaço de pau, depunha dentro algumas sementes de arroz, tampava logo com os pés e principiava nova cova. Estava nu da cintura pra cima, com a saia de baixeiro suja e molhada, emprestando-lhe um jeito grotesco de velha ou de pongó.

Os soldados aproximaram-se mais para se certificarem se aquele era mesmo o preto Supriano. Tão esquisito! Que diabo seria aquilo? Aí Piano os descobriu e, delicado como era, suspendeu o trabalho por um momento, para salvá-los:

— Óia, ô! Pode dizer pra Seu Elpídio que tá no finzinho, viu? Ah, que com a ajuda de Santa Luzia... — E com fúria agora tafulhava o toco de mão no chão molhado, desimportando de rasgar as carnes e partir os ossos do punho, o taco de graveto virando bagaço: — ...em ante do meio-dia, Deus adjutorando...

Um soldado que estava ainda em jejum sentiu uma coisa ruim por dentro, pegou a amarelar e com pouco estava gomitando. O outro chegou para perto do que se sentia mal e se pôs a favorecê-lo com uma ajuda. No que, eles conversavam, trocando ideias. De onde estava, Piano não podia ouvir, mas teve medo. Teve muito medo, mode a cara de um dos soldados. Embora de longe e olhasse só de soslaio, desajudado da luz embaciada da manhã chuvosa, pôde o camarada observar que a cara do soldado se fechava, como que escurecia anoitecida e inchava num inchume de ruindade, recrescia de vulto, virava feição de Seu Elpídio, até os dentes de ouro relumiando fogo de satanás. O soldado se sacolejava vestido na capona de chuva; e preto, catuzado, dava sintoma assim de urubu farejando carniça, nuns passos asquerosos de coisa-ruim. Vote!

Aí o soldado abriu a túnica, tirou de debaixo um bentinho sujo de baeta vermelha, beijou, fez o pelo-sinal, manobrou o fuzil, levou o bruto à cara no rumo do camarada.

Do seu lugar, Piano meio que se escondeu por trás de um toco de peroba-rosa que não queimou, mas o cano do fuzil campeou, cresceu, tampou toda a sua vista, ocultou o céu inteirinho, o mato longe, a mancha por trás do soldado, que era o sol querendo romper as nuvens.

Os periquitos que roíam o olho dos buritis da vargem esparramaram seu voo verdolengo numa algazarra de menino, porque o baque de um tiro sacudiu o frio da manhã. Nalgum ponto, umas araras ralharam severas.

No rancho, cuidando que foi baque da porteira, Olaia fez o sinal da cruz e gungunou dente no dente: "Nossa Senhora da Guia que te guie, meu irmão." Certamente eram os capetas que lá iam de volta para a cidade, pensou ela, que ficou com os ouvidos campeando outros rastros, mas o tempo se fechava ainda mais, de céu baixo, e longe, como um fiapinho sumido no horizonte, era o mesmo uivo de cão que ouvira durante a noite – "credo!".

Olhava-se para a banda da Mata, vinha gente. Olhava-se para o lado do Barreiro, vinha gente. Para onde quer que se olhasse estava gente chegando para a festa do Divino Espírito Santo: gente de a cavalo, cargueirama, carros de bois e uns poucos de a pé. Os pastos da redondeza logo pretejaram de animais, de bois de carro, polacos e cincerros tilintando. O diabo da minha égua rosilha que eu deixei peada na beira do rio, não é que a peia sumiu, gente!

A cidade como que engordava, uma alegria forte abrindo risos nas bocas, muita conversa, apertos de mão e abraços. "Ara, comadre, e eu que achava que a senhora nem num vinha. Apois, então eu ia soltar seu compadre no meio de tanta moça bonita! É baixo, uai! Cavalo velho num reseste eguada nova."

Muitas casas que permaneciam fechadas, tristonhas, ver tapera fora da quadra da festa, agora se abriam, com a roceirama entupindo as salas, sentados nos toscos e pesados bancos de jatobá encostados nas paredes, ou agachados pelas cunzinhas, pelos quintais, numa conversa cheia de risadas que entravam pela noite adentro. Debaixo de uma tolda, na porta da venda de Zé Roxinho, montaram dois gamelões e a jogatina ia entusiasmada até tarde da noite, rendendo já alguma pancadaria.

Algumas casas haviam sido rebocadas e caiadas, o que deu ensejo a que Martinho pedreiro ganhasse uns pedaços de rapadura, uns metros de pano ou um tiquinho de dinheiro.

Em casa de Neca havia um ror de gente arranchada. Também em casa de Chiquinha do Amaro. A bem dizer, chegaram hóspedes em todas as casas, excetas as casas dos graúdos, como o coronel, Donana e Seu Evangelista. Esses não tinham parentes moradores na roça e não aceitavam roceiros em casa. A casa de Capitão Benedito estava que não cabia de genros e noras, cada roceirão de pé mais grosso que casco de boi, camisa de banda de fora das calças, facão jacaré na cintura. Passavam o dia agachados pelos cantos, chapéu enterrado na cabeça, ronronando conversas pontilhadas de risos tossidos e soltando cada gusparada que inundava a sala. A conversa era em torno de bois, vacas, cavalos, porcos, sela, capa, mantimentos e fazendas. A festa era uma grande feira para negociatas e badrocas. Que o leilão ia ser muito arrojado, que Estêvo da Estiva deu um par de novilho mestiço de zebu, um trem chique mesmo. Capaz que alcance bom preço, pois o compadre Niceto andava roncando que os marruás eram dele, mesmo que tivesse de vender a fazenda inteira.

– Mas vende, hem!

– Aquilo é farroma só, que besorro também ronca.

Por trás do balcão da casa de comércio do coronel, Hilarinho não dava conta do serviço. Até meia-noite a labuta pesada, atendendo o queijeiro molengo e inzoneiro, que gastava duas horas para comprar um carretel de linha ou um par de ouvidos de espingarda.

A cidade inteira retinia com o retintim das enxadas limpando o mato dos quintais das casas que permaneceram fechadas durante o ano. Os moradores da cidade também se valiam da quadra da festa para limpar as calçadas, capinando a grama, que crescia entremeio às lajes, abrir uma estradinha no largo, enfim, dar um toque mais urbano à cidade tão rural.

Na porta da igreja, os mordomos cumpriam suas tarefas: as fogueiras do Divino, de São Benedito e Santa Ifigênia iam-se erguendo. A do Divino naturalmente que era a mais alta e larga das três. As restantes eram de santos de negros e de pobres e não podiam ter a imponência, a intimação das outras, que isso até era mesmo uma determinação de Deus Nossinhô. Ainda no céu havera de guardar estatuto de primazia e lá mais do que na terra isso de grandezas e honrarias era muito baseado, com poder de castigo para quem não cortasse em ribinha do risco.

Os mastros, pela mesma forma, se arranjavam: a pindaíba foi descascada e agora pintavam nela as cintas de toá e oca, enquanto prendiam aqui e ali pencas de laranjas e ramos de flores.

Seu Amadeus das Porteiras tinha sido sorteado Imperador do Divino e estava numa lavoura desde uns seis meses, preparando os doces e as bebidas para a mesada. Esse trabalho ocupou Inácia de Flores, Maria do Galdininho e outras mulheres hábeis na fabricação das verônicas, alfinins, doces de cidra e mamão, as quais favoreciam o festeiro no arranjo dos enfeites para a mesada.

Meio-dia, o sino repicava e redobrava, os foguetes estralavam no ar. Mestre Ambrosino comandava a bandinha que espantava a quieteza e chamava para a porta da igreja a meninada roceira, cada qual com a cara mais espantada por baixo dos chapéus novos desajeitados.

No de repente, pra banda de baixo armou-se um tendepá, aquele guaiú, que vinha vindo para cá. Assovios, gritos, empurrões, epa, arreda, gente! E-vem, e-vem, a poeira toma conta, as portas e janelas ficam entupidas de gente, alguns comendo, outros pitando, mulheres carregando crianças, outras dando de mamar. Será que é soldado prendendo gente? Ei, que falaram que é João Brandão que já sujou o caráter e vem, mas vem com vontade de meter bala em todo o mundo! Fasta, negrada, que é boi brabo.

Que João Brandão que nada, que tudo isso é festa, ara!

Na porta do coronel o bloco abriu-se em redemunho.

Um homem forte carregava na cacunda uma velha magra que nem um louva-deus. Aí, na porta do coronel, ele largou a mulher no chão, a qual saiu se arrastando, sururucou na loja e garrou a pedir esmolas. Em respeito ao coronel, a meninada dispersou-se, mas ficou pelas imediações querendo tacar pedra e cochichando e fazendo gatimônias. O filho de Diomede, esse que era do comércio e menos respeitador, pegou a gritar:

– Otomove!

Era o apelido que haviam outorgado aos infelizes.

– Otomove – respondia o coro.

Com pouco de prazo, a molecoreba amontoou novamente gritando, rindo e assoviando. Novamente o homem trotava baldeando a velha na cacunda. Adiante, soltou-a na calçada e ela se arrastou, entrou noutra loja e se pôs novamente a pedir um auxílio pelo amor de Deus, que favorecesse uma pobre aleijada que tinha ainda a desdita de sustentar um filho surdo-mudo como aquele.

Ninguém nunca não vira essa gente? Isto é, apareceu ali na rua uma conversa que o vigário teria dito que aquela velha era a mulher e o bobo era o filho de um tal de Supriano, por apelido Piano, um sujeito papudo, muito delicado demais, que por derradeiro foi camarada do delegado e do Capitão Elpídio Chaveiro.

— Ah, bem que eu falei que tava reconhecendo as feições. Conheci muito esse tal de Piano — disse o Neca, o qual, descendo do mocho furado posto do lado de dentro da janela da sala, veio praticar com o par de mendigos.

Inquiriu, reinquiriu, mas era dificultoso demais entender aquela gente. O bobo era bobo inteirado, de só roncar feito porco. A mulher até que era boa de língua, mas não explicava nada. Informava que sempre morou no mato e que não tinha ido nunca numa cidade, no que muita gente desacreditava. Então seria isso possível, uma pessoa já derrubando os dentes e nunca ter visto uma rua, qual! Via-se que ela desqueria dar seguimento a qualquer definição.

— E Piano? Piano era seu marido?

— Nhor não. — E a mulher fechou a cara brabosa, mascando cada palavra como quem come raiz de losna.

E de toada pegou a dar arrancos no braço do bobo, o qual se aprochegou e foi arcando para o chão, feito um cavalo ensinado e num "upa" ela já estava em riba da cacunda dele.

Nesse auto, o bobo também está muito brabo, braceja, aponta para o começo da rua, dá sinais de pavor e está querendo escapulir. A mulher também profere uns sons que o bobo entende e ela igualmente está irada, retreme e gesticula, até que o bobo desabala pela rua fora numa corrida dura, sacudida, desconchavada, com os calcanhares socando as lajes. A molecada grita, assovia, joga pedras e tampa atrás do casal.

— Que será que eles viram? — pergunta Neca.

É. Que será mesmo? No começo da rua não tem nada de anormal. O que vem lá são um cabo e um praça.

— Será que é medo de soldado? Capaz — conclui Neca.

[De *Veranico de Janeiro*. Rio, José Olympio, 1966.]

MURILO RUBIÃO

Murilo Eugênio Rubião nasceu em Carmo de Minas, em 1916. Formou-se em Direito, em Belo Horizonte (1942). Foi diretor da Associação dos Jornalistas Profissionais de Minas Gerais, chefe da delegação mineira ao I Congresso Brasileiro de Escritores, realizado em São Paulo, em 1945 e presidente da Associação Brasileira de Escritores (Seção de Minas Gerais). Em 1966 foi encarregado de organizar o Suplemento Literário do "Minas Gerais" de cuja direção se afastou, em 1969, para assumir a chefia do Departamento de Publicações da Imprensa Oficial. Foi Presidente da Fundação de Arte de Ouro Preto. Faleceu em Belo Horizonte em 1991.

OBRAS:

O ex-mágico. Rio de Janeiro: Universal, 1947. (contos)
A Estrela Vermelha. Rio de Janeiro: Hipocampo, 1953. (contos)
Os *Dragões e Outros Contos*. Belo Horizonte: Movimento-Perspectiva, 1965. (contos)
O Pirotécnico Zacarias. São Paulo: Ática, 1974. (contos)
O Convidado. São Paulo: Quíron, 1974. (contos)
A Casa do Girassol Vermelho. São Paulo: Ática, 1978. (contos)
O Homem do Boné Cinzento e Outras Histórias. São Paulo: Ática, 1990. (contos)

Murilo Rubião: Contos Reunidos. São Paulo: Ática, 1999. (antologia de contos)

Obra Completa. São Paulo: Companhia das Letras (Cia. de Bolso), 2010.

Sobre o autor:

Livros:

Lucas, Fábio. *O Caráter Nacional da Literatura Brasileira*. Guanabara: Paz e Terra, 1970.

Schwartz, Jorge. *Murilo Rubião: a poética do Uroboro*. São Paulo: Perspectiva, 1981.

Bastos, Hermenegildo J. *Literatura e colonialismo: rotas de navegação e comércio no fantástico de Murilo Rubião*. Brasília: Editora da UNB, 2001.

Artigos e ensaios:

Lins, Álvaro. "Sagas de Minas Gerais". *In: Os Mortos de Sobrecasaca*. Rio de Janeiro: Civilização Brasileira, 1963 (o artigo é de 1948), pp. 265-68.

Davi Arrigucci Jr. "O Mágico desencantado ou as metamorfoses de Murilo", introdução a *O Pirotécnico Zacarias*. São Paulo: Ática, 1974.

Jorge Schwartz, introdução a *O Convidado*. São Paulo: Quíron, 1974., *op. cit.*

Paes, José Paulo. "O sequestro do divino". *In: A Aventura Literária: Ensaios sobre Ficção e Ficções*. São Paulo: Companhia das Letras, 1990, pp. 117-123.

Arrigucci, Davi. "O mágico desencantado ou as metamorfoses de Murilo". Prefácio a *O Pirotécnico Zacarias*. São Paulo: Ática, 1974. (Reunido em *Outros Achados e Perdidos*. São Paulo: Companhia das Letras, 1999)

Arrigucci, Davi. "O sequestro das surpresa". *In: Outros Achados e Perdidos*. São Paulo: Companhia das Letras, 1999.

A FLOR DE VIDRO

Murilo Rubião

"E haverá um dia conhecido do Senhor que não será dia nem noite, e na tarde desse dia aparecerá a luz." – Zacarias, XIV, 7.

Da flor de vidro restava somente uma reminiscência amarga. Mas havia a saudade de Marialice, cujos movimentos se insinuavam pelos campos – às vezes verdes, também cinzentos. O sorriso dela brincava na face tosca das mulheres dos colonos, escorria pelo verniz dos móveis, desprendia-se das paredes alvas, do casarão. Acompanhava o trem de ferro que ele via passar, todas as tardes, da sede da fazenda. A máquina soltava fagulhas e o apito gritava: Marialice, Marialice, Marialice. A última nota era angustiante.

– Marialice!

Foi a velha empregada que gritou e Eronides ficou sem saber se o nome brotara da garganta de Rosária ou do seu pensamento.

– Sim, ela vai chegar. Ela vai chegar!

Uma realidade inesperada sacudiu-lhe o corpo com violência. Afobado, colocou uma venda negra na vista inutilizada e passou a navalha no resto do cabelo que lhe rodeava a cabeça.

Lançou-se pela escadaria abaixo, empurrado por uma alegria desvairada. Correu entre aleias de eucaliptos, atingindo a várzea.

◈

Marialice saltou rápida do vagão e abraçou-o demoradamente:

– Oh! meu general russo! Como está lindo!

Não envelhecera tanto como ele. Os seus trinta anos, ágeis e lépidos, davam a impressão de vinte e dois – sem vaidade, sem ânsia de juventude. Antes que chegassem à casa, apertou-a nos braços, beijando-a por longo tempo. Ela não opôs resistência e Eronides compreendeu que Marialice viera para sempre.

Horas depois (as paredes conservavam a umidade dos beijos deles), indagou o que fizera na sua ausência.

Preferiu responder à sua maneira:

– Ontem pensei muito em você.

◈

A noite surpreendeu-os sorrindo. Os corpos unidos, quis falar em Dagô, mas se convenceu de que não houvera outros homens. Nem antes nem depois.

◈

As moscas de todas as noites, que sempre velaram a sua insônia, não vieram.

◈

Acordou cedo, vagando ainda nos limites do sonho. Olhou para o lado e, não vendo Marialice, tentou reencetar o sono interrompido. Pelo seu corpo, porém, perpassava uma seiva nova. Jogou-se fora da cama e encontrou, no espelho, os cabelos antigos. Brilhavam-lhe os olhos e a venda negra desaparecera.

Ao abrir a porta, deu com Marialice:

– Seu preguiçoso, esqueceu-se do nosso passeio?

Contemplou-a maravilhado, vendo-a jovem e fresca. Dezoito anos rondavam-lhe o corpo esbelto. Agarrou-a com sofreguidão, desejando lembrar-lhe a noite anterior. Silenciou-o a convicção de que doze anos tinham-se esvanecido.

O roteiro era antigo, mas algo de novo irrompia pelas suas faces. A manhã mal despontara e o orvalho passava do capim para os seus pés. Os braços dele rodeavam os ombros da namorada e, amiúde, interrompia a caminhada para beijar-lhe os cabelos. Ao se aproximarem da mata – termo de todos os seus passeios – o sol brilhava intenso. Largou-a na orla do cerrado e penetrou no bosque. Exasperada, ela acompanhava-o com dificuldade:

– Bruto! Ó bruto! Me espera!

Rindo, sem voltar-se, os ramos arranhando o seu rosto, Eronides desapareceu por entre as árvores. Ouvia, a espaços, os gritos dela:

– Tomara que um galho lhe fure os olhos, diabo!

De lá, trouxe-lhe uma flor azul.

Marialice chorava. Aos poucos acalmou-se, aceitou a flor e lhe deu um beijo rápido. Eronides avançou para abraçá-la, mas ela escapuliu, correndo pelo campo afora.

Mais adiante tropeçou e caiu. Ele segurou-a no chão enquanto Marialice resistia, puxando-lhe os cabelos.

A paz não tardou a retornar, porque neles o amor se nutria da luta e do desespero.

Os passeios sucediam-se. Mudavam o horário e acabavam na mata. Às vezes, pensando ter divisado a flor de vidro no alto de uma árvore, comprimia Marialice nos braços. Ela assustava-se, olhava-o silenciosa, à espera de uma explicação. Contudo ele guardava para si as razões do seu terror.

O final das férias coincidiu com as últimas chuvas. Debaixo de tremendo aguaceiro, Eronides levou-a à estação.

Quando o trem se pôs em movimento, a presença da flor de vidro revelou-se imediatamente. Os seus olhos se turvaram e um apelo rouco desprendeu-se dos seus lábios.

O lenço branco, sacudido da janela, foi a única resposta. Porém os trilhos, paralelos, sumindo-se ao longe, condenavam-no a irreparável solidão.

Na volta, um galho cegou-lhe a vista.

[De *Os Dragões e Outros Contos.* Belo Horizonte, Ed. Movimento/Perspectiva, 1965.]

OS TRÊS NOMES DE GODOFREDO

Murilo Rubião

"*Multiplicaste a gente, não aumentaste a alegria.*"
– *Isaías, IX, 3.*

Ora, aconteceu que vislumbrei uma ruga na sua testa.

De uma data que não poderia precisar, todos os dias, ao almoço e ao jantar, ela sentava-se à minha frente, na mesa, onde por quinze anos fui o único ocupante.

Quando, por acaso, me certifiquei da sua constante presença, considerei o fato perfeitamente natural. A mesa não me pertencia por nenhum direito e, ademais, a minha vizinha nada fazia que me importunasse. Nunca me dirigia a palavra e o seu comportamento durante as refeições era alheio a qualquer ruído ou atitude que despertasse atenção.

Naquela noite, porém, sentia-me desinquieto. Não por mim, mas por desconhecer os motivos que provocavam a pequena ruga que lhe sulcava a testa. Já me dispusera a abandonar a mesa, certo de que, passando para outra, deixaria a moça à vontade. Talvez estivesse cheia de atribulações e a minha vizinhança se encarregasse de aumentá-las. Todavia, percorrendo com os olhos o recinto, notei que as mesas vagas eram em maior número do que as ocupadas. O que não deixava de ser comum no restaurante, cuja frequência, em geral, era muito reduzida. Desse modo, considerei um desaforo ter que me incomodar desnecessariamente, quando a minha companheira poderia fazer o mesmo. Se a prejudicada era ela! E, além do mais, por que não escolhera outro lugar e viera assentar-se justamente a meu lado?!

No entanto, convindo ser pouco cavalheiresco alimentar os pensamentos que vinha ruminando, resolvi abandonar a mesa. Afinal, como eu, ela poderia preferir justamente aquela em que estávamos.

Tomada a resolução, virei-me para a moça e lhe perguntei se não levaria a mal se eu mudasse de lugar.

– Como quiser, retrucou.

Decepcionou-me a indiferença com que fora acolhido o meu desprendido gesto. Fiz-lhe um rápido cumprimento com a cabeça e me afastei para a extremidade oposta da sala.

Tão logo me acomodei noutra cadeira, nova surpresa me aguardava: a mulher caminhava para o meu lado, com a evidente intenção de assentar-se perto de mim. Ao mesmo tempo, alegrei-me, vendo que a ruga desaparecera da sua testa. E me condenei por não ter-me ocorrido antes a ideia de escolher outra mesa que não a anterior. Se era exclusivamente aquele o motivo da sua apreensão!

Contudo, passava-se qualquer coisa que fugia por inteiro ao meu entendimento. Quem sabe não a teria convidado para jantar? E nos outros dias? Ou seria minha convidada permanente?

Insatisfeito com as hipóteses que formulava, arrisquei-me a uma tímida observação:

– Você é minha convidada, não?

– Claro! E não precisava ser para estar aqui.

– Como? – indaguei estupefato.

– Ora, desde quando se tornou obrigatório ao marido convidar a esposa para jantar ou almoçar?

– Você é minha mulher?!

– Sim, a sua segunda esposa. E preciso dizer-lhe que a primeira era loura e que você a matou, num acesso de ciúmes?

– Não é necessário. (Ficara bastante abalado em saber que era casado e não desejava que me criassem o remorso de um assassinato, do qual nenhuma lembrança tinha.)

— Gostaria de saber ainda se somos casados há muito tempo.
Sem demonstrar constrangimento pela pergunta, foi respondendo:

— Poderia afirmar que tantos anos passaram após o nosso casamento, que já não me lembro mais.

— E temos dormido juntos? – insisti, esperando que a qualquer momento se desfizesse o equívoco e verificasse, aliviado, que estava sendo vítima de uma ridícula farsa.

A resposta não se fez esperar e me desiludiu por completo:

— Que pergunta! Sempre dormimos juntos!

Ante ao que ouvira, convenci-me de que nada mais havia a perguntar. A curiosidade, entretanto, sobrepujou essa convicção e retornei ao interrogatório:

— Desde que época nos conhecemos? (Estava plenamente capacitado da inutilidade da pergunta.)

Ela não se contrariou com a minha insistência e acho até que se sentiu bem-humorada com o meu crescente embaraço.

— Há muitos anos andamos juntos, mesmo antes do seu casamento com a loura.

Desconcertado, indaguei se a minha primeira mulher não ficava enciumada com a nossa camaradagem.

— Absolutamente. (E não era também camaradagem.) Você, sim, é que tinha um ciúme feroz dela, sabendo – como ninguém – que ela lhe era fiel. Deve tê-la matado por essa mesma razão.

— Não me fale desse crime, pedi, agarrando-lhe o rosto – um rosto macio e fresco. Olhei os seus olhos, castanhos e meigos. Toda a sua fisionomia era suave e dela jorrava infindável doçura. Achei-a linda. Cautelosamente, temendo ser repelido, acariciei as suas pequeninas mãos.

— Pensei que fosse uma sombra.

— Que bobagem, João de Deus! Por que seria eu uma sombra?

— É que há anos que não converso com ninguém, não possuo amigos, nem reparo nas pessoas que passam por mim. Talvez seja por esse motivo que me custou a dar pela sua presença.

Parei um pouco e lhe perguntei:

— E você não se incomodava com o meu constante silêncio, já que, andando sempre juntos, é a primeira vez que conversamos?

— De maneira alguma, você nunca deixou de conversar comigo.

Tornei a fixar os olhos nela: diabólica era a sua beleza. Tão bela que me tirou a vontade de fazer quaisquer objeções. Em silêncio, pus-me a contemplar o seu rosto, enquanto ela continuava comendo, sem se importar com o meu embevecimento.

Findo o jantar, indaguei para onde íamos.

— Para a nossa casa, não?

Confesso que fiquei curioso em saber qual o aspecto da "nossa casa" que, por certo, deveria ser diferente da minha. Não me recordava exatamente como era o prédio onde eu morava. Nem ao menos nisso eu prestara atenção naqueles últimos anos, refleti com amargura. Sabia localizá-la, acho que sabia, mas não descrevê-la.

Ao chegarmos em frente à nossa residência, estaquei indeciso se era mesmo lá a minha casa. Tem certeza de que é aqui, Geralda?

Ela murmurou que sim, porém não dei importância à resposta, preocupava-me o meio que usara para descobrir-lhe o nome, pois ela não o declinara antes. (Achei-o horrível.)

Depois de aberta a porta da entrada, senti-me um pouco tranquilizado: o meu sobretudo, de gola de peles, continuava em cima do sofá. Dissiparam-se as minhas dúvidas: encontrava-me em casa. Só que, agora, surgia para mim uma série de detalhes que ainda não observara. Os móveis da sala de jantar, apesar de antigos, eram sóbrios e bem desenhados. Os quadros, mal distribuídos pelas paredes, destoavam pelo seu chocante mau gosto. E havia flores por toda a parte. Graciosas flores que me consolaram da feiúra das telas.

Geralda me observava, silenciosa, acompanhando sem estranheza as minhas recentes descobertas.

Saciada a curiosidade, lembrei-me novamente da minha mulher. Desajeitado e incerto quanto à correção do meu procedimento, estendi as mãos para trazê-la de encontro ao meu corpo. Pálida, os cabelos negros, os olhos grandes, permanecia sorridente no centro da sala, esperando que a abraçasse. O temor e a emoção me contiveram momentaneamente. Mas não foi possível dominar os instintos, que exigiam a posse de Geralda, que se oferecia integral aos meus braços. Para ela avancei, procurando-lhe a boca, com uma sensualidade não adivinhada antes em mim. Beijei-a com sofreguidão, sentindo um sabor novo, como se fosse a primeira mulher que beijava. Docilmente, ela se entregava, sorrindo ante a ferocidade com que eu a comprimia de encontro ao meu corpo.

Somente quando entrevi um bocejo nos lábios de Geralda, dei conta de que era tarde.

Ela concordou que fôssemos dormir. Por instantes, preocupei-me, ao notar que minha mulher me acompanhava, rumo ao quarto. Ao chegar-me lá, percebi o despropósito da minha preocupação: a cama era de casal e tinha dois travesseiros. Na nossa frente estava uma penteadeira com diversos objetos de uso feminino.

Geralda sentou-se na cama e começou, com extrema naturalidade, a tirar as meias. Não sabia se me retirava, enquanto ela punha a camisola, ou se trocava de roupa ali mesmo. Talvez por culpa de estúpida indecisão ou pela beleza de suas pernas, que ainda não pudera observar nitidamente, faltou-me a iniciativa e fiquei parado no meio do aposento. Após acomodar-se no leito, perguntou-me se eu iria deitar-me logo.

Assentei-me, encabulado, na beirada da cama e, de costas para a minha esposa, fui, desajeitadamente, desembaraçando-me das roupas. Deitei-me e acho que, apesar de todas as dúvidas, sentia, pela primeira vez, o delicioso calor daquele corpo. Varava-me intensa sensação de posse, de posse definitiva. Não mais podia duvidar de que ela fora sempre minha. Baixinho, quase sussurrando, lhe falei longamente, sentindo os seus cabelos roçarem o meu rosto.

Os dias se aligeiravam e passamos a evitar o restaurante. (Não desejava que ninguém presenciasse a nossa intimidade, os meus excessivos cuidados com ela.)

Eu agora era loquaz e gostava de vê-la comer, aos bocadinhos, mastigando demoradamente os alimentos. Às vezes me interrompia com uma observação ingênua:

— Se a terra roda, por que não ficamos tontos?

Longe de me impacientar, dizia-lhe uma porção de coisas graves, que ela ouvia com os olhos arregalados, para, no final, lisonjear-me com um descabido elogio à minha cultura.

Não tardaram, porém, a se acompridarem os dias, tornando rotineiros os meus carinhos. As palavras se espaçavam, criando enormes vácuos entre nós, até que me calei. Ela também emudeceu.

Restava-nos o restaurante. E para lá nos dirigimos, guardando um silêncio, condenado a dolorosa permanência.

O rosto dela passou a aborrecer-me, bem como o reflexo de meu tédio no seu olhar. Enquanto isso, em mim despontava uma necessidade imperiosa de ficar só, sem que ela deixasse a minha companhia por um segundo. Seguia-me para onde eu me encaminhasse. Nervoso, implorando piedade com os olhos, não tinha suficiente coragem de lhe declarar o que ia no meu íntimo.

Uma tarde, olhei muito para os lados, sem nenhuma intenção aparente. Enxerguei uma corda dependurada num prego, na sala de jantar. Agarrei-a e disse para Geralda, que se mantinha abstrata, distante:

— Ela lhe servirá de colar.

Minha esposa nada objetou, limitando-se a apresentar-me o pescoço, no qual, com delicadeza, passei a corda. Em seguida, puxei suavemente as pontas. Geralda fechou os olhos, como se estivesse recebendo uma carícia. Apertei com mais força o nó e a vi tombar no assoalho.

Como fosse hora do jantar, maquinalmente, rumei para o restaurante, onde procurei a minha mesa habitual. Sentei-me, distraído, sem nada que me preocupasse. Pelo contrário, envolvia-me doce euforia. Momentos depois, senti estremecer meu corpo. Na cadeira, defronte a minha, acabava de assentar-se uma jovem mulher que, não fossem os cabelos louros, juraria ser Geralda. A semelhança dela com a minha esposa me assombrava. Os mesmos lábios, nariz, olhos e a mesma maneira de franzir a testa.

Passada a perplexidade que a sua presença me causara, quis saber quem era.

— É você, não Geralda? (Perguntei mais para iniciar conversa do que para receber resposta afirmativa. Minha mulher tinha os cabelos castanhos e um dente de ouro.)

— Não, respondeu — sou a sua primeira esposa. A segunda, que se chamava Geralda, você a matou, faz poucos instantes.

— Sim, já sei. Matei-a num acesso de ciúmes...

— Tinha que ser desse modo. O ciúme sempre lhe corroeu a alma, meu pobre Robério.

— Como, Robério?! Agora me davam nome diferente daquele que usava desde menino. Havia um engano, um enorme erro em tudo aquilo.

Tentei recuperar a calma, a fim de desfazer um possível equívoco da minha interlocutora.

— Tudo já passou, Joana. Chamo-me Godofredo.

— Engana-se Robério. Não lhe virá o esquecimento. Irritou-me tamanha impostura e levantei-me, agressivo:

— Por que não virá? Por que, hein?!

Ela ignorou a minha rispidez. Mansa — infinitamente tranquila — me provocava:

— Pode gritar, o restaurante está vazio.

— E por que está vazio?! — Indaguei, áspero, alteando mais a voz.

Joana sabia ser desnecessária a explicação. Mesmo assim, respondeu, esforçando-se por ocultar a piedade:

— Somente nós dois frequentamos este restaurante, que papai comprou para você.

Um súbito terror estancou-me a cólera. Veloz, ganhei a porta principal e corri, rua afora, sem noção do que pretendia fazer. O importante era fugir.

Quando encontrei-me frente ao portão de casa senti-me aliviado. Fechei-o com o cadeado e tranquei, por dentro, a porta da entrada. Não guardara ainda as chaves no bolso, e estive para retroceder-me à lembrança do cadáver de Geralda. Demasiado tarde. Diante de mim, parada no vestíbulo, estava uma mulher parecidíssima com as minhas esposas. Tinha os cabelos alourados de Joana e se diferençava das duas por ter as sobrancelhas muito arqueadas, além de uma ametista no dedo anular.

Abateu-me uma tristeza desesperante e abri os braços para a moça. Ela se aconchegou neles, beijando-me o rosto. Levei-lhe os dedos ao pescoço, apertando-o.

Ficou caída no tapete, enquanto eu prosseguia até a sala de jantar. Mal atravessara a soleira desta, recuei, sob ressaltado: na cabeceira da mesa, posta para o jantar, uma jovem, igual em tudo a Joana e Geralda, sorria. Sorria feliz, como se a paz nunca se ausentara daquela casa.

– Naturalmente você é a minha quarta esposa.

– Não, João de Deus. Ainda somos noivos. O casamento será dentro de duas semanas – respondeu, indicando-me o lugar ao lado dela.

Aquiesci ao convite, certo de que não teria ânimo para enfrentar novos acontecimentos.

Minha noiva!

Cedo viria o casamento. E eu arrastaria, por longos anos, a lembrança das cerimônias e festas.

Entrevendo a sinceridade nos olhos de Isabel, desceram-me as lágrimas pela face. Mas como era possível existir uma verdade contrária à evidência dos fatos?

Ocorreu-me formular as mesmas perguntas que fizera à Geralda, naquela noite, no restaurante. Desisti. As respostas não seriam diferentes das que recebera da minha segunda mulher.

Os olhos presos ao prato, levei a comida à boca, ingerindo-a sem mastigar, alheio ao sabor, sem vontade de comer. Desejava pensar nos dias futuros e me veio o pressentimento de que a vida se repetirá incessante, sem possibilidade de fuga, silêncio e solidão.

[De *Os Dragões e Outros Contos*. Belo Horizonte, Ed. Movimento/Perspectiva, 1965.]

OTTO LARA RESENDE

Otto Oliveira de Lara Resende nasceu a 1º de maio de 1922 em São João del Rei, Minas Gerais, Passou a infância e a adolescência na cidade natal, onde fez os estudos primários e secundários como aluno interno do Colégio Padre Machado que seu pai fundara e dirigia. Em 1938 transferiu-se para Belo Horizonte: aí cursou Direito e iniciou-se no jornalismo fazendo crítica literária e alguma ficção. No Rio, a partir de 1946, trabalhou no setor político do *Diário de Notícias* e de *O Globo,* aproximando-se dos líderes da União Democrática Nacional. Sua atividade jornalística foi sempre intensa e culminou com a direção da revista *Manchete*. Entre 1957 e 1960, Otto Lara Resende serviu em Bruxelas como adido à Embaixada do Brasil.

OBRAS:

O Lado Humano. Rio de Janeiro: A Noite, 1952. (contos)
Boca do Inferno. Rio de Janeiro: José Olympio, 1957. (contos)
O Retrato na Gaveta. Rio de Janeiro: Editora do Autor, 1962. (contos)
O Braço Direito. Rio de Janeiro: Editora do Autor, 1963. (romance)
"A Cilada". *In: Os Sete Pecados Capitais* (obra coletiva). Rio de Janeiro: *Civilização Brasileira*, 1964. (novela)
As Pompas do Mundo. Rio de Janeiro: Rocco, 1975. (contos)

O elo partido e outras histórias. São Paulo: Ática, 1992. (contos)

A testemunha silenciosa. São Paulo: Companhia das Letras, 1995; livro póstumo. (duas novelas)

Sobre o autor:

Livros:

Olinto, Antônio. *Cadernos de Crítica*. Rio de Janeiro, 1959.

Perez, Renard. *Escritores Brasileiros Contemporâneos*. 2ª série. Rio de Janeiro: Civilização Brasileira, 1964.

Lucas, Fábio. *Horizontes da Crítica*. Belo Horizonte, 1965.

Medeiros, Benício. *Otto Lara Resende: a poeira da glória*. Rio de Janeiro: Relume-Dumará, 1998.

Ambires, Juarez Donizete. *Imagens da infância e da adolescência em Otto Lara Resende*. Prefácio de João Adolfo Hansen. São Paulo: Porto das Ideias, 2010.

O Rio é tão longe: cartas a Fernando Sabino, de Otto Lara Resende. Introdução e notas Humberto Werneck. São Paulo: Companhia das Letras, 2011.

Artigos e ensaios:

Queiroz, Rachel de. "O lado humano". *In: O Cruzeiro*, Rio de Janeiro, 15 ago. 1953.

Campos, Paulo Mendes. "Boca do inferno". *In: Para Todos*, 1 (23/24): 6, Rio de Janeiro, 2 quinzena abril/1 quinzena maio 1957.

Pellegrino, Hélio. "Boca do inferno". *In: Jornal do Brasil*, Rio de Janeiro, 28 mar. 1957.

Callado, Antonio. "Otto Lara Resende e a revisão amorosa de *O braço direito*". *In: Folha de São Paulo*, 8 ago. 1993.

Tezza, Cristóvão. "Momentos de tensão", posfácio de *A testemunha silenciosa*. São Paulo: Companhia das Letras, 2012.

Massi, Augusto. "Narrador de tocaia", posfácio para *Boca do inferno*. São Paulo: Companhia das Letras, 2014.

GATO GATO GATO

Otto Lara Resende

Familiar aos cacos de vidro inofensivos, o gato caminhava molengamente por cima do muro. O menino ia erguer-se, apanhar um graveto, respirar o hálito fresco do porão. Sua úmida penumbra. Mas a presença do gato. O gato, que parou indeciso, o rabo na pachorra de uma quase interrogação.

Luminoso sol a pino e o imenso céu azul, calado, sobre o quintal. O menino pactuando com a mudez de tudo em torno – árvores, bichos, coisas. Captando o inarticulado segredo das coisas. Inventando um ser sozinho, na tontura de imaginações espontâneas como um gás que se desprende.

Gato – leu no silêncio da própria boca. Na palavra não cabe o gato, toda a verdade de um gato. Aquele ali, ocioso, lento, emoliente – em cima do muro. As coisas aceitam a incompreensão de um nome que não está cheio delas. Mas bicho, carece nomear direito: como rinoceronte ou girafa se tivesse mais uma sílaba para caber o pescoço comprido. Girarafa, girafafa. Gatimonha, gatimanho. Falta um nome completo, felinoso e peludo, ronronante de astúcias adormecidas: O pisa macio, as duas bandas de um gato. Pezinhos de um lado, pezinhos de outro, leve, bem de leve para não machucar o silêncio de feltro nas mãos enluvadas.

O pelo do gato para alisar. Limpinho, o quente contato da mão no dorso, corcoveante e nodoso à carícia. O lânguido sono de morfinômano.

O marzinho de leite no pires e a língua secreta, ágil. A ninhada de gatos, os trêmulos filhotes de olhos cerrados. O novelo, a bola de papel – o menino e o gato brincando. Gato lúdico. O gatorro, mais felino do que o cachorro é canino. Gato persa, gatochim – o espirro do gato de olhos orientais. Gato de botas, as aristocráticas pantufas do gato. A manha do gato, gatimanha: teve uma gata miolenta em segredo chamada Alemanha.

Em cima do muro, o gato recebeu o aviso da presença do menino. Ondulou de mansinho alguns passos denunciados apenas na branda alavanca das ancas. Passos irreais, em cima do muro eriçado de cacos de vidro. E o menino songamonga, quietinho, conspirando no quintal, acomodado com o silêncio de todas as coisas.

No se olharem, o menino suspendeu a respiração, ameaçando de asfixia tudo que em torno dele com ele respirava, num só sistema pulmonar. O translúcido manto de calma sobre o claustro dos quintais. O coração do menino batendo baixinho. O gato olhando o menino vegetalmente nascendo do chão, como árvore desarmada e inofensiva. A insciência, a inocência dos vegetais.

O ar de enfado, de sabe-tudo do gato: a linha da boca imperceptível, os bigodes pontudos, tensos por hábito. As orelhas acústicas. O rabo desmanchado, mas alerta como um leme. O pequeno focinho úmido embutido na cara séria e grave. A tona dos olhos reverberando como laguinhos ao sol. Nenhum movimento na estátua viva de um gato. Garras e presas remotas, antigas.

Menino e gato ronronando em harmonia com a pudica intimidade do quintal. Muro, menino, cacos de vidro, gato, árvores, sol e céu azul: o milagre da comunicação perfeita. A comunhão dentro de um mesmo barco. O que existe aqui, agora, lado a lado, navegando. A confidência essencial prestes a exalar, e sempre adiada. E nunca. O gato, o menino, as coisas: a vida túmida e solidária. O teimoso segredo sem fala possível. Do muro ao menino, da pedra ao gato: como a árvore e a sombra da árvore.

O gato olhou amarelo o menino. O susto de dois seres que se agridem só por se defenderem. Por existirem e, não sendo um, se esquivarem. Quatro olhos luminosos – e todas as coisas opacas por testemunha. O estúpido muro coroado de cacos de vidro. O menino sentado, tramando uma posição mais prática. O gato de pé, vigilantemente quadrúpede e, no equilíbrio atento, a centelha felina. Seu íntimo compromisso de astúcia.

O menino desmanchou o desejo de qualquer gesto. Gaturufo, inventou o menino, numa traiçoeira tentativa de aliança e amizade. O gato, organizado para a fuga, indagava. Repelia. Interrogava o momento da ruptura – como um toque que desperta da hipnose. Deu três passos de veludo e parou, retesando as patas traseiras, as patas dianteiras na iminência de um bote – para onde? Um salto acrobático sobre um rato atávico, inexistente.

Por um momento, foi como se o céu desabasse de seu azul: duas rolinhas desceram vertiginosas até o chão. Beliscaram levianas um grãozinho de nada e de novo cortaram o ar excitadas, para longe.

O menino, forcejando por nomear o gato, por decifrá-lo. O gato mais igual a todos os gatos do que a si mesmo. Impossível qualquer intercâmbio: gato e menino não cabem num só quintal. Um muro permanente entre o menino e o gato. Entre todos os seres emparedados, o muro. A divisa, o limite. O odioso mundo de fora do menino, indecifrável. Tudo que não é o menino, tudo que é inimigo.

Nenhum rumor de asas, todas fechadas. Nenhum rumor.

Ah, o estilingue distante – suspira o menino no seu mais oculto silêncio. E o gato consulta com a língua as presas esquecidas, mas afiadas. Todos os músculos a postos, eletrizados. As garras despertas unhando o muro entre dois abismos.

O gato, o alvo: a pedrada passou assobiando pela crista do muro. O gato correu elástico e cauteloso, estacou um segundo e despencou-se do outro lado, sobre o quintal vizinho. Inatingível às pedras e ao perigoso desafio de dois seres a se medirem, sumiu por baixo da parreira espapaçada ao sol.

O tiro ao alvo sem alvo. A pedrada sem o gato. Como um soco no ar: a violência que não conclui, que se perde no vácuo. De cima do muro, o menino devassa o quintal vizinho. A obsedante presença de um gato ausente. Na imensa prisão do céu azul, flutuam distantes as manchas pretas dos urubus. O bailado das asas soltas ao sabor dos ventos das alturas.

O menino pisou com o calcanhar a procissão de formigas atarantadas. Só então percebeu que lhe escorria do joelho esfolado um filete de sangue. Saiu manquitolando pelo portão, ganhou o patiozinho do fundo da casa. A sola dos pés nas pedras lisas e quentes. À passagem do menino, uma galinha sacudiu no ar parado a sua algazarra histérica.

A casa sem aparente presença humana.

Agarrou-se à janela, escalou o primeiro muro, o segundo, e alcançou o telhado. Andava descalço sobre o limo escorregadio das telhas escuras, retendo o enfadonho peso do corpo como quem segura a respiração. O refúgio debaixo da caixa d'água, a fresca acolhida da sombra. Na caixa, a água gorgolejante numa golfada de ar. Afastou o tijolo da coluna e enfiou a mão: bolas de gude, o canivete roubado, dois caramujos com as lesmas salgadas na véspera. O mistério. Pessoal, vedado aos outros. Uma pratinha azinhavrada, o ainda perfume da caixa de sabonete. A estampa de São José, lembrança da Primeira Comunhão.

Apoiado nos cotovelos, o menino apanhou uma joaninha que se encolheu, hermética. A joaninha indevassável, na palma da mão. E o súbito silêncio da caixa d'água, farta, sua sede saciada.

Do outro lado da cidade, partiram solenes quatro badaladas no relógio da Matriz. O menino olhou a esfera indiferente do céu azul, sem nuvens. O mundo é redondo, Deus é redondo, todo segredo é redondo.

As casas escarrapachadas, dando-se as costas, os quintais se repetindo na modorra da mesma tarde sem data.

Até que localizou embaixo, enrodilhado à sombra, junto do tanque: um gato. Dormindo, a cara escondida entre as patas, a cauda invisível. Amarelo, manchado de branco de um lado da cabeça: era um gato. Na sua mira. Em cima do muro ou dormindo, rajado ou amarelo, todos os gatos, hoje ou amanhã, são o mesmo gato. O gato eterno.

O menino apanhou o tijolo com que vedava a entrada do mistério. Lá embaixo – alvo fácil – o gato dormia inocente a sua sesta ociosa. Acertar pendularmente na cabeça mal adivinhada na pequena trouxa felina, arfante. Gato, gato, gato: lento bicho sonolento, a decifrar ou a acordar?

A matar. O tijolo partiu certeiro e desmanchou com estrondo a tranquila rodilha do gato. As silenciosas patinhas enluvadas se descompassaram no susto, na surpresa do ataque gratuito, no estertor da morte. A morte inesperada. A elegância desfeita, o gato convulso contorcendo as patas, demolida a sua arquitetura. Os sete fôlegos vencidos pela brutal desarmonia da morte. A cabeça de súbito esmigalhada, suja de sangue e tijolo. As presas inúteis, à mostra na boca entreaberta. O gato fora do gato, somente o corpo do gato. A imobilidade sem a viva presença imóvel do sono. O gato sem o que nele é gato. A morte, que é a ausência de gato no gato. Gato — coisa entre as coisas. Gato a esquecer, talvez a enterrar. A apodrecer.

O silêncio da tarde invariável. O intransponível muro entre o menino e tudo que não é o menino. A cidade, as casas, os quintais, a densa copa da mangueira de folhas avermelhadas. O inatingível céu azul.

Em cima do muro, indiferente aos cacos de vidro, um gato — outro gato, o sempre gato — transportava para a casa vizinha o tédio de um mundo impenetrável. O vento quente que desgrenhou o mormaço trouxe de longe, de outros quintais, o vitorioso canto de um galo.

[De *O Retrato na Gaveta*. Rio, Editora do Autor, 1962.]

LYGIA FAGUNDES TELLES

Lygia Fagundes Telles nasceu em São Paulo, capital, mas passou a infância em várias cidades do interior onde o pai exerceu funções de delegado e promotor público: Areias, Sertãozinho, Assis, Apiaí. Formou-se em Educação Física e em Direito. Ainda adolescente, escreveu os seus primeiros contos, que reuniu sob o título de *Porão e Sobrado* (1938), mas que, depois, renegou. A sua estreia oficial ficou sendo *Praia Viva*, contos (1944). Colaborou ativamente na imprensa paulista. Em 1969, conquistou, em Cannes, o Grande Prêmio Internacional Feminino para Estrangeiros com o conto "Antes do Baile Verde". Integrou o Corpo Deliberativo de Cultura do Estado de São Paulo. É membro da Academia Brasileira de Letras.

OBRAS:

Praia viva. São Paulo: Martins, 1944. (contos)
O cacto vermelho. São Paulo: Mérito, 1949. (contos)
Ciranda de Pedra. Rio de Janeiro: Cruzeiro, 1954. (romance)
Histórias do desencontro. Rio de Janeiro: José Olympio, 1958. (contos)
Verão no Aquário. São Paulo, Martins, 1963. (romance)
Histórias escolhidas. São Paulo: Martins, 1964. (contos)
Gaby. (Obra coletiva) In: *Os Sete Pecados Capitais.* Rio de Janeiro: Civilização Brasileira, 1964.
O jardim selvagem. São Paulo: Martins, 1965. (contos)

Antes do Baile Verde. Rio de Janeiro: Bloch, 1970. (contos)
As Meninas. Rio de Janeiro: José Olympio, 1973. (romance)
Seminário dos Ratos. Rio de Janeiro: José Olympio, 1977. (contos)
Filhos pródigos. São Paulo: Cultura, 1978.* (contos)
A Disciplina do Amor. Rio de Janeiro: Nova Fronteira, 1980. (memória e ficção)
As Horas Nuas. Rio de Janeiro: Nova Fronteira, 1989. (romance)
A Estrutura da Bolha de Sabão. Rio de Janeiro: Nova Fronteira, 1991 (contos)
A Noite Escura e Mais Eu. Rio de Janeiro: Nova Fronteira, 1995. (contos)
Invenção e Memória. Rio de Janeiro: Rocco, 2000. (memória e ficção)
Durante Aquele Estranho Chá. Rio de Janeiro: Rocco, 2002. (memória e ficção)
Meus Contos Preferidos. Rio de Janeiro: Rocco, 2004. (coletânea de contos)
Meus Contos Esquecidos. Rio de Janeiro: Rocco, 2005. (coletânea de contos)
Conspiração de Nuvens. Rio de Janeiro: Rocco, 2007. (memória e ficção)

ANTOLOGIAS:

Um Coração Ardente (seleção de contos feita pela autora). São Paulo: Companhia das Letras, 2012.
O Segredo e Outras Histórias da Descoberta. São Paulo: Companhia das Letras, 2012. (Coletânea de contos)
Entre outras.

SOBRE A AUTORA:

PREFÁCIOS E POSFÁCIOS:

Bosi, A. "A decomposição do cotidiano em contos de Lygia Fagundes Telles" posfácio a *A Estrutura da Bolha de Sabão.* São Paulo: Companhia das Letras, 2010, pp. 167-173

---

* Reeditado com o título *A estrutura da bolha de sabão*. Rio de Janeiro: Nova Fronteira, 1991.

Dimas, A. "Garras de Veludo", posfácio a *Antes do Baile Verde*. São Paulo: Companhia das Letras, 2009, pp. 181-196.

Lucas, F. "As inovações de Lygia Fagundes Telles", posfácio a *A Noite Escura e Mais Eu*. São Paulo: Companhia das Letras, 2009, pp. 115-120.

Machado, Ana M.. "Flagrantes da criação", posfácio a *Invenção e Memória*. São Paulo: Companhia das Letras, 2009, pp. 125-134.

Marques, I. "Atração do Abismo", posfácio a *Verão no Aquário*. São Paulo: Companhia das Letras, 2010, pp. 219-227.

Paes, J. P. "Entre a nudez e o mito", posfácio a *As Horas Nuas*. São Paulo: Companhia das Letras, 2010, pp. 243-248.

Santiago, S. "O avesso da festa", posfácio a *Ciranda de Pedra*. São Paulo: Companhia das Letras, 2009, pp. 205-214.

ENSAIOS E ARTIGOS:

Adonias Filho. *Modernos Ficcionistas Brasileiros*, 1ª série, Rio de Janeiro, 1958.

Milliet, S. "Fevereiro 11". *In: Diário crítico*. São Paulo, Martins, 1959, pp. 20-1.

Pontes, Joel. *O Aprendiz de Crítica*, Rio de Janeiro: I.N.L., 1960.

Rónai, Paulo. "A Arte de Lygia Fagundes Telles", introdução às *Histórias Escolhidas*. São Paulo: Martins, 1964.

Casais Monteiro, Adolfo. "Um Romance de L.F.T.". *In: O Romance* (Teoria e Crítica). Rio de Janeiro: José Olympio, 1964.

Ataíde, Vicente. *A Narrativa de Lygia Fagundes Telles*. Curitiba: Escola Construtural, 1969.

Novaes Coelho, Nelly. "Encontro com Lygia" e "O Mundo de Ficção de L.F.T.". *In: Seleta,* Rio de Janeiro: José Olympio, 1971.

Lucas, Fábio. "Mistério e Magia, contos de L.F.T.". *In: A Face Visível*. Rio de Janeiro: José Olympio, 1973.

Linhares, Temístocles. *22 Diálogos sobre o Conto Brasileiro Atual*. Rio de Janeiro: José Olympio, 1973.

A ESTRUTURA DA BOLHA DE SABÃO

Lygia Fagundes Telles

Era o que ele estudava. "A estrutura, quer dizer, a estrutura" – ele repetia e abria a mão branquíssima ao esboçar o gesto redondo. Eu ficava olhando seu gesto impreciso porque uma bolha de sabão é mesmo imprecisa, nem sólida nem líquida, nem realidade nem sonho. Película e oco. "A estrutura da bolha de sabão, compreende?" Não compreendia. Não tinha importância. Importante era o quintal da minha meninice com seus verdes canudos de mamoeiro, quando cortava os mais tenros que sopravam as bolas maiores, mais perfeitas. Uma de cada vez. Amor calculado porque se afobava, o sopro desencadeava o processo e um delírio de cachos escorriam pelo canudo e vinham rebentar na minha boca, a espuma descendo pelo queixo. Molhando o peito. Então eu jogava longe canudo e caneca. Para recomeçar no dia seguinte, sim, as bolhas de sabão. Mas e a estrutura? "A estrutura" – ele insistia. E seu gesto delgado de envolvimento e fuga parecia tocar mas guardava distância, cuidado, cuidadinho, ô a paciência. A paixão.

No escuro eu sentia essa paixão contornando sutilíssima meu corpo. Estou me espiritualizando, eu disse e ele riu fazendo fremir os dedos-asas, a mão distendida imitando libélula na superfície da água mas sem se comprometer com o fundo, divagações à flor da pele, ô, amor de ritual sem sangue. Sem grito. Amor de transparências e membranas, condenado à ruptura.

Ainda fechei a janela para retê-la mas com sua superfície que refletia tudo ela avançou cega contra o vidro. Milhares de olhos e não enxergava. Deixou um círculo de espuma. Foi simplesmente isso, pensei quando ele tomou a mulher pelo braço e perguntou: "Vocês já se conheciam?" Sabia muito bem que nunca tínhamos nos visto mas gostava dessas frases acolchoando situações, pessoas. Estávamos num bar e seus olhos de egípcia se retraíam, apertados. A fumaça, pensei. Aumentavam e diminuíam até que se reduziram a dois riscos de lápis-lazúli e assim ficaram. A boca polpuda também se apertou, mesquinha. Tem boca à toa, pensei. Artificiosamente sensual, à toa. Mas como é que um homem como ele, um físico que estudava a estrutura das bolhas podia amar uma mulher assim. Mistérios, eu disse e ele sorriu, nos divertíamos em dizer fragmentos de ideias, peças soltas de um jogo que jogávamos meio ao acaso, sem encaixe.

Convidaram-me e sentei, os joelhos de ambos encostados nos meus, a mesa pequena enfeixando copos e hálitos. Me refugiei nos cubos de gelo amontoados no fundo do copo, ele podia estudar a estrutura do gelo, não era mais fácil? Mas ela queria fazer perguntas. Uma antiga amizade? Uma antiga amizade. Ah. Fomos colegas? Não, nos conhecemos numa praia, onde? Enfim, uma praia. Ah. Aos poucos o ciúme foi tomando forma e transbordando espesso como um licor azul-verde, do tom da pintura dos seus olhos. Escorreu pelas nossas roupas, empapou a toalha da mesa, pingou gota a gota. Usava um perfume adocicado. Veio a dor de cabeça: "Estou com tanta dor de cabeça", repetiu não sei quantas vezes. Uma dor fulgurante que começava na nuca e se irradiava até a testa, na altura das sobrancelhas. Empurrou o copo de uísque. "Fulgurante". Empurrou para trás a cadeira e antes que empurrasse a mesa ele pediu a conta. Noutra ocasião a gente poderia se ver, de acordo? Sim, noutra ocasião, é lógico. Na rua, ele pensou em me beijar de leve, como sempre, mas ficou desamparado e eu o tranquilizei, está bem, querido, está tudo bem, já entendi. Tomo um táxi, não tem problema, vá depressa, vá. Quando me voltei, dobravam a esquina. Que palavras estariam dizendo enquanto dobravam a esquina? Fingi me interessar pela valise de plástico de xadrez vermelho, estava diante de uma vitrine de valises. Me vi perplexa no vidro. Mas como era possível. Choro em casa, resolvi. Em casa telefonei a um amigo, fomos jantar e ele concluiu que o meu cientista estava felicíssimo.

Felicíssimo, repeti quando no dia seguinte cedo ele telefonou para explicar. Cortei a explicação com o *felicíssimo* e lá do outro lado da linha senti o sorrir como uma bolha de sabão sorriria. Realmente, a única coisa inquietante era aquele ciúme. Mudei logo de assunto com o licoroso pressentimento de que ela ouvia na extensão, oh, o teatro. A poesia. Então ela desligou.

O segundo encontro foi numa exposição de pintura. No começo aquela cordialidade. A boca pródiga. Ele me puxou para ver um quadro de que tinha gostado muito. Não ficamos distantes dela nem cinco minutos. Quando voltamos, os olhos já estavam reduzidos aos dois riscos. Passou a mão na nuca. Furtivamente acariciou a testa. Despedi-me antes da dor fulgurante. Vai virar sinusite, pensei. A sinusite do ciúme, bom nome para um quadro ou ensaio.

"Ele está doente, sabia? Aquele cara que estuda bolhas, não é seu amigo?" Em redor, a massa latejante de gente, música. Calor. Quem é que está doente? eu perguntei. Sabia perfeitamente que se tratava dele mas precisei perguntar de novo, é preciso perguntar uma, duas vezes para ouvir a mesma resposta, que aquele cara, aquele que estuda essa frescura da bolha, não era meu amigo? Pois estava muito doente, quem contou foi a própria mulher, bonita, sem dúvida, mas um pouco sobre a grossa, fora casada com o primo de um amigo, um industrial meio nazista que veio para cá com passaporte falso, até a Interpol já estava avisada, durante a guerra se associou com um tipo que se dizia conde italiano mas não passava de um contrabandista muito. Estendi a mão e agarrei seu braço porque a ramificação da conversa se alastrava pelas veredas, mal podia vislumbrar o desdobramento da raiz varando por entre pernas, sapatos, croquetes pisados, palitos, fugia pela escada na descida vertiginosa até a porta da rua, espera! eu disse. Espera. Mas que é que ele tem? Esse meu amigo. A bandeja de uísque oscilou perigosamente acima do nível das nossas cabeças.

Os copos tilintaram na inclinação para a direita, para a esquerda, deslizando num só bloco na dança de um convés na tempestade. O que ele tinha? O homem bebeu metade do copo antes de responder: não sabia os detalhes e nem se interessara em saber, afinal, a única coisa gozada era um cara estudar a estrutura da bolha, ora que ideia! Tirei-lhe o copo e bebi devagar o resto do uísque com o cubo de gelo colado ao meu lábio, queimando. Não ele, meu Deus. Não ele, eu repeti. Embora grave, curiosamente minha voz varou todas as camadas de barulho como a ponta agudíssima varara todas as camadas do meu peito até tocar no fundo onde as pontas todas acabam por dar, que nome tinha? Esse fundo, perguntei e fiquei sorrindo para o homem e seu espanto. Expliquei-lhe que era o jogo que eu costumava jogar com ele, com esse meu amigo, o físico. O informante riu. "Juro que nunca pensei que fosse encontrar no mundo um cara que estudasse um troço desses", resmungou ele voltando-se rápido para apanhar mais dois copos na bandeja, ô, tão longe ia a bandeja e tudo o mais, fazia quanto tempo? "Me diga uma coisa, vocês não viveram juntos?" – lembrou-se o homem de perguntar. Peguei no ar o copo borrifando na tormenta. Estava nua na praia. Mais ou menos, respondi.

Mais ou menos, eu disse ao motorista que perguntou se eu sabia onde ficava essa rua. Tinha pensado em pedir notícias por telefone mas a extensão me travou. E agora ela abria a porta e o sorriso. Contente de me ver? A mim?! Elogiou minha bolsa. Meu penteado despenteado. Nenhum sinal da sinusite. Mas daqui a pouco vai começar. Fulgurante.

"Foi mesmo um grande susto, ela disse. Mas passou, ele está ótimo ou quase", acrescentou levantando a voz. Do quarto ele poderia nos ouvir se quisesse. Não perguntei nada.

A casa. Aparentemente, não mudara mas reparando melhor, tinha menos livros. Mais cheiros: flores de perfume ativo no vaso, óleos perfumados nos móveis. E seu próprio perfume. Objetos frívolos – os múltiplos – substituindo em profusão os únicos, aqueles que ficavam obscuros nas antigas prateleiras da estante. Examinei-a enquanto me mostrava um tapete que tecera nos dias em que ele ficou no hospital. E a fulgurante? Os olhos continuavam bem abertos, a boca descontraída. Ainda não.

"Você poderia ter se levantado, hein, amor? Mas é um preguiçoso", disse ela quando entramos no quarto. E começou a contar muito animada a história de um ladrão que entrara pelo porão da casa ao lado, "a casa da mãezinha", acrescentou afagando ligeiramente os pés dele debaixo da manta de lã. Acordaram no meio da noite com o ladrão aos berros, pedindo socorro com a mão na ratoeira, tinha ratos no porão e na véspera a mãezinha armara uma enorme ratoeira para pegar o rei de todos, lembra, amor?

O amor estava de chambre verde, recostado na cama cheia de almofadas. As mãos branquíssimas descansando entrelaçadas na altura do peito. Ao lado, um livro aberto e cujo título deixei para ler depois e não fiquei sabendo. Ele mostrou interesse pelo caso do ladrão mas estava distante do ladrão, de mim e dela. De quando em quando me olhava interrogativo, sugerindo lembranças mas eu sabia que era por delicadeza, sempre foi delicadíssimo. Atento e desligado. Onde? Onde estaria com seu chambre largo demais. Era devido àquelas dobras todas que fiquei com a impressão de que emagrecera? Duas vezes enxugou o queixo úmido, transpirava. Enfim, fazia calor.

Comecei a sentir falta de alguma coisa, era do cigarro? Acendi um e ainda a sensação aflitiva de que alguma coisa faltava, mas o que estava errado ali? Na hora da pílula lilás ela foi buscar o copo d'água e então ele me olhou lá do seu mundo de estruturas. Bolhas. Por um instante relaxei completamente: Não sei onde está mas sei que não está, eu disse e ele perguntou: "Jogar?" Rimos um para o outro.

"Engole, amor, engole – pediu ela segurando-lhe a cabeça. E voltou-se para mim: – Preciso ir aqui na casa da mãezinha e minha empregada está fora, você não se importa em ficar mais um pouco? Não demoro muito, a casa é ao lado", acrescentou. Ofereceu-me uísque, não queria mesmo? Se quisesse, estava tudo na copa, uísque, gelo, ficasse à vontade. O telefone tocando será que eu podia?...

Saiu e fechou a porta. Fechou-nos. Então descobri o que estava faltando, ô Deus. Agora eu sabia que ele ia morrer.

[*In* Revista *Colóquio-Letras*. Lisboa, 1973.]

AS CEREJAS

Lygia Fagundes Telles

Aquela gente teria mesmo existido? Madrinha tecendo a cortina de filé com um anjinho a esvoaçar por entre rosas, a pobre Madrinha sempre afobada, piscando os olhinhos estrábicos, "vocês não viram onde deixei meus óculos?" A preta Dionísia a bater as claras de ovos em ponto de neve, a voz ácida contrastando com a doçura dos cremes, "esta receita é nova..." Tia Olívia enfastiada e lânguida, abanando-se com uma ventarola chinesa, a voz pesada indo e vindo ao embalo da rede, "fico exausta no calor..." Marcelo muito louro – por que não me lembro da voz dele? – agarrado à crina do cavalo, agarrado à cabeleira de tia Olívia, os dois tombando lividamente azuis sobre o divã. "Você levou as velas à tia Olívia?", perguntou Madrinha lá debaixo. O relâmpago apagou-se. E no escuro que se fez, veio como resposta o ruído das cerejas se despencando no chão.

A casa em meio do arvoredo, o rio, as tardes como que suspensas na poeira do ar – desapareceu tudo sem deixar vestígios. Ficaram as cerejas, só elas resistiram com sua vermelhidão de loucura. Basta abrir a gaveta: algumas foram roídas por alguma barata e nessas o algodão estoura, empelotado, não, tia Olívia, não eram de cera, eram de algodão suas cerejas vermelhas.

Ela chegou inesperadamente. Um cavaleiro trouxe o recado do chefe da estação pedindo a charrete para a visita que acabara de desembarcar.

– É Olívia! – exclamou Madrinha. É a prima! Alberto escreveu dizendo que ela viria, mas não disse quando, ficou de avisar. Eu ia mudar as cortinas, bordar umas fronhas e agora!... Justo Olívia. Vocês não podem fazer ideia, ela é de tanto luxo e a casa aqui é tão simples, não estou preparada, meus céus! O que é que eu faço, Dionísia, me diga agora o que é que eu faço!

Dionísia folheava tranquilamente um livro de receitas. Tirou um lápis da carapinha tosada e marcou a página com uma cruz.

– Como se já não bastasse esse menino que também chegou sem aviso...

O menino era Marcelo. Tinha apenas dois anos mais do que eu mas era tão alto e parecia tão adulto com suas belas roupas de montaria, que tive vontade de entrar debaixo do armário quando o vi pela primeira vez.

– Um calor na viagem! – gemeu tia Olívia em meio de uma onda de perfumes e malas. – E quem é este rapazinho?

– Pois este é o Marcelo, filho do Romeu – disse Madrinha. – Você não se lembra do Romeu? Primo-irmão do Alberto...

Tia Olívia desprendeu do chapeuzinho preto dois grandes alfinetes de pérola em formado de pera. O galho de cerejas estremeceu no vértice do decote da blusa transparente. Desabotoou o casaco.

– Ah, minha querida, Alberto tem tantos parentes, uma família enorme! Imagine se vou me lembrar de todos com esta minha memória. Ele veio passar as férias aqui?

Por um breve instante Marcelo deteve em tia Olívia o olhar frio. Chegou a esboçar um sorriso, aquele mesmo sorriso que tivera quando Madrinha, na sua ingênua excitação, nos apresentou a ambos, "pronto, Marcelo, aí está sua priminha, agora vocês poderão brincar juntos". Ele então apertou um pouco os olhos. E sorriu.

– Não estranhe, Olívia, que ele é por demais arisco – segredou Madrinha ao ver que Marcelo saía abruptamente da sala. – Se trocou comigo meia dúzia de palavras, foi muito. Aliás, toda a gente de Romeu é assim mesmo, são todos muito esquisitos. Esquisitíssimos!

Tia Olívia ajeitou com as mãos em concha o farto coque preso na nuca. Umedeceu os lábios com a ponta da língua.

— Tem *charme*...

Aproximei-me fascinada. Nunca tinha visto ninguém como tia Olívia, ninguém com aqueles olhos pintados de verde e com aquele decote assim fundo.

— É de cera? — perguntei tocando-lhe uma das cerejas.

Ela acariciou-me a cabeça com um gesto distraído. Senti bem de perto seu perfume.

— Acho que sim, querida. Por quê? Você nunca viu cerejas?

— Só na folhinha.

Ela teve um risinho cascateante. No rosto muito branco a boca parecia um largo talho aberto, com o mesmo brilho das cerejas.

— Na Europa são tão carnudas, tão frescas.

Marcelo também tinha estado na Europa com o avô. Seria isso? Seria isso que os fazia infinitamente superiores a nós? Pareciam feitos de outra carne e pertencer a um outro mundo tão acima do nosso, ah! como éramos pobres e feios. Diante de Marcelo e tia Olívia, só diante dos dois é que eu pude avaliar como éramos pequenos: eu, de unhas roídas e vestidos feitos por Dionísia, vestidos que pareciam as camisolas das bonecas de jornal que Simão recortava com a tesoura do jardim. Madrinha, completamente estrábica e tonta em meio das suas rendas e filés. Dionísia, tão preta quanto enfatuada com as tais receitas secretas.

— Não quero é dar trabalho — murmurou tia Olívia dirigindo-se ao quarto. Falava devagar, andava devagar. Sua voz foi se afastando com a mansidão de um gato subindo a escada. — Cansei-me muito, querida. Preciso apenas de um pouco de sossego...

Agora só se ouvia a voz de Madrinha que tagarelava sem parar: a chácara era modesta, modestíssima, mas ela haveria de gostar, por que não? O clima era uma maravilha e o pomar nessa época do ano estava coalhado de mangas. Ela não gostava de mangas? Não?... Tinha também bons cavalos se quisesse montar, Marcelo poderia acompanhá-la, era um ótimo cavaleiro, vivia galopando dia e noite. Ah, o médico proibira? Bem, os passeios a pé também eram lindos, havia no fim do caminho dos bambus um lugar ideal para piqueniques, ela não achava graça num piquenique?

Fui para a varanda e fiquei vendo as estrelas por entre a folhagem da paineira. Tia Olívia devia estar sorrindo, a umedecer com a ponta da língua os lábios brilhantes. Na Europa eram tão carnudas... Na Europa.

Abri a caixa de sabonete escondida sob o tufo de samambaia. O escorpião foi saindo penosamente de dentro. Deixei-o caminhar um bom pedaço e só quando ele atingiu o centro da varanda é que me decidi a despejar a gasolina. As chamas azuis subiram num círculo fechado. O escorpião rodou sobre si mesmo, erguendo-se nas patas traseiras, procurando uma saída. A cauda contraiu-se desesperadamente. Encolheu-se. Investiu e recuou em meio das chamas que se apertavam mais.

— Será que você não se envergonha de fazer uma maldade dessas?

Voltei-me. Marcelo cravou em mim o olhar feroz. Em seguida, avançando para o fogo, esmagou o escorpião no tacão da bota.

— Diz que ele se suicida, Marcelo.

— Era capaz mesmo quando descobrisse que o mundo está cheio de gente como você.

Tive vontade de atirar-lhe a gasolina na cara. Tapei o vidro.

— E não adianta ficar furiosa, vamos, olhe para mim. Sua boba. Pare de chorar e prometa que não vai mais judiar dos bichos.

Encarei-o. Através das lágrimas ele pareceu-me naquele instante tão belo quanto um deus, um deus de cabelos dourados e botas, todo banhado de luar.

Fechei os olhos. Já não me envergonhava das lágrimas, já não me envergonhava de mais nada. Um dia ele iria embora do mesmo modo imprevisto como chegara, um dia ele sairia sem se despedir e desapareceria para sempre. Mas isso também já não tinha importância. Marcelo, Marcelo! chamei. E só meu coração ouviu.

Quando ele me tomou pelo braço e entrou comigo na sala, parecia completamente esquecido do escorpião e do meu pranto. Voltou-lhe o sorriso.

— Então é essa a famosa tia Olívia? Ah, ah, ah.

Enxuguei depressa os olhos na barra da saia.

— Ela é bonita, não?

Ele bocejou.

— Usa um perfume muito forte. E aquele galho de cerejas dependurado no peito. Tão vulgar.

— Vulgar?

Fiquei chocada. E contestei mas em meio da paixão com que a defendi, senti uma obscura alegria ao perceber que estava sendo derrotada.

— E além do mais, não é meu tipo — concluiu ele voltando o olhar indiferente para o trabalho de filé que Madrinha deixara desdobrado na cadeira. Apontou para o anjinho esvoaçando entre grinaldas. — Um anjinho cego.

— Por que cego? — protestou Madrinha descendo a escada. Foi nessa noite que perdeu os óculos. — Cada ideia, Marcelo!

Ele debruçara-se na janela e parecia agora pensar em outra coisa.

— Tem dois buracos em lugar dos olhos.

— Mas filé é assim mesmo, menino! No lugar de cada olho deve ficar uma casa vazia — esclareceu ela sem muita convicção. Examinou o trabalho. E voltou-se nervosamente para mim: — Por que não vai buscar o dominó para vocês jogarem uma partida? E vê se encontra meus óculos que deixei por aí.

Quando voltei com o dominó, Marcelo já não estava na sala. Fiz um castelo com as pedras. E soprei-o com força. Perdia-o sempre, sempre. Passava as manhãs galopando como louco. Almoçava rapidamente e mal terminava o almoço, fechava-se no quarto e só reaparecia no lanche, pronto para sair outra vez. Restava-me correr ao alpendre para vê-lo seguir em direção à estrada, cavalo e cavaleiro tão colados um ao outro que pareciam formar um corpo só.

Como um corpo só os dois tombaram no divãa, tão rápido o relâmpago e tão longa a imagem, ele tão grande, tão poderoso, com aquela mesma expressão com que galopava como que agarrado à crina do cavalo, arfando doloridamente na reta final.

Foram dias de calor atroz os que antecederam à tempestade. A ansiedade estava no ar. Dionísia ficou mais casmurra. Madrinha ficou mais falante, procurando disfarçadamente os óculos nas latas de biscoitos ou nos potes de folhagens, esgotada a busca em gavetas e armários. Marcelo pareceu-me mais esquivo, mais crispado. Só tia Olívia continuava igual, sonolenta e lânguida no seu negligê branco. Estendia-se na rede. Desatava a cabeleira. E com um movimento brando, ia se abanando com a ventarola. Às vezes vinha com as cerejas que se esparramavam no colo polvilhado de talco. Uma ou outra cereja resvalava por entre o rego dos seios e era então engolida pelo decote.

— Sofro tanto com o calor...

Madrinha tentava animá-la:

— Chovendo, Olívia, chovendo você verá como vai refrescar. Ela sorria umedecendo os lábios com a ponta da língua.

— Você acha que vai chover?

— Mas claro, as nuvens estão baixando, a chuva já está aí. E vai ser um temporal daqueles, só tenho medo é que apanhe esse menino lá fora. Você já viu menino mais esquisito, Olívia? Tão fechado, não? E sempre com aquele arzinho de desprezo.

— É da idade, querida. É da idade.

— Parecido com o pai. Romeu também tinha essa mesma mania com cavalo.

— Ele monta tão bem. Tão elegante.

Defendia-o sempre enquanto ele a atacava, mordaz, implacável: "É afetada, esnobe. E como representa, parece que está sempre no palco". Eu contestava, mas de tal forma que o incitava a prosseguir atacando.

Lembro-me de que as primeiras gotas de chuva caíram ao entardecer, mas a tempestade continuava ainda em suspenso, fazendo com que o jantar se desenrolasse numa atmosfera abafada. Densa. Pretextando dor de cabeça, tia Olívia recolheu-se mais cedo. Marcelo, silencioso como de costume, comeu de cabeça baixa. Duas vezes deixou cair o garfo.

– Vou ler um pouco – despediu-se assim que nos levantamos.

Fui com Madrinha para a saleta. Um raio estalou de repente: como se esperasse por esse sinal, a casa ficou completamente às escuras enquanto a tempestade desabava.

– Queimou o fusível! – gemeu Madrinha. – Vai, filha, vai depressa buscar o maço de velas, mas leva primeiro ao quarto de tia Olívia. E fósforos, não esqueça os fósforos!

Subi a escada. A escuridão era tão viscosa, que se eu estendesse a mão, poderia senti-la amoitada como um bicho por entre os degraus. Tentei acender a vela mas o vento me envolveu. Escancarou-se a porta do quarto. E em meio do relâmpago que rasgou a treva, vi os dois corpos completamente azuis, tombando enlaçados no divã.

Afastei-me cambaleando. Agora as cerejas se despencavam sonoras como enormes bagas de chuva caindo de uma goteira. Fechei os olhos. Mas a casa continuava a rodopiar desgrenhada e lívida com os dois corpos rolando na ventania.

– Levou as velas para tia Olívia? – perguntou Madrinha.

Desabei num canto, fugindo da luz do castiçal aceso em cima da mesa.

– Ninguém respondeu, ela deve estar dormindo.

– E Marcelo?

– Não sei, deve estar dormindo também.

Madrinha aproximou-se com o castiçal:

– Mas que é que você tem, menina? Está doente? Não está com febre? Hem?! Sua testa está queimando... Dionísia, traga uma aspirina, esta menina está com um febrão, olha aí!

Até hoje não sei quantos dias me debati esbraseada, a cara vermelha, os olhos vermelhos, escondendo-me debaixo das cobertas para não ver por entre clarões de fogo milhares de cerejas e escorpiões em brasa, estourando no chão.

— Foi um sarampo tão forte — disse Madrinha ao entrar certa manhã no quarto. — E como você chorava, dava pena ver como você chorava! Nunca vi um sarampo doer tanto assim.

Sentei-me na cama e fiquei olhando uma borboleta branca pousada no pote de avenças da janela. Voltei-me em seguida para o céu límpido. Havia um passarinho cantando na paineira. Madrinha então disse:

— Marcelo foi-se embora ontem à noite, quando vi, já estava de mala pronta, sabe como ele é. Veio até aqui se despedir mas você estava dormindo tão profundamente.

Dois dias depois, tia Olívia partia também. Trazia o costume preto e o chapeuzinho com os alfinetes de pérola espetados na copa. Na blusa branca, bem no vértice do decote, o galho de cerejas. Sentou-se na beirada da minha cama:

— Que susto você nos deu, querida — começou com sua voz pesada. — Pensei que fosse alguma doença grave. Agora está boazinha, não está?

Prendi a respiração para não sentir seu perfume.

— Estou.

Ótimo! Não te beijo porque ainda não tive sarampo — disse ela calçando as luvas. Riu o risinho cascateante. — E tem graça eu pegar nesta altura doença de criança?

Cravei o olhar nas cerejas que se entrechocavam sonoras, rindo também entre os seios. Ela desprendeu-as rapidamente:

— Já vi que você gosta, pronto, uma lembrança minha.

— Mas ficam tão lindas aí, lamentou Madrinha. — Ela nem vai poder usar, bobagem, Olívia, leve suas cerejas!

— Comprarei outras.

Durante o dia seu perfume ainda pairou pelo quarto. Ao anoitecer, Dionísia abriu as janelas. E só ficou o perfume delicado da noite.

– Tão encantadora a Olívia – suspirou Madrinha sentando-se ao meu lado com sua cesta de costura. Vou sentir falta dela, um encanto de criatura. O mesmo já não posso dizer daquele menino. Romeu também era assim mesmo, o filho saiu igual. E só às voltas com cavalos, montando em pelo, feito índio. Eu quase tinha um enfarte quando via ele galopar.

Exatamente um ano depois ela repetiria, num outro tom, esse mesmo comentário ao receber a carta onde Romeu comunicava que Marcelo tinha morrido de uma queda de cavalo.

– Anjinho cego, que ideia! – prosseguiu ela desdobrando o filé nos joelhos. – Já estou com saudades de Olívia, mas dele?

Sorriu alisando o filé com as pontas dos dedos. Tinha encontrado os óculos.

[De *Seleta*. Rio, José Olympio, 1971.]

OSMAN LINS

Osman da Costa Lins nasceu em Vitória de Santo Antão, Pernambuco, em 5 de julho de 1924. Cursou os estudos secundários naquela cidade e superiores (Ciências Econômicas) em Recife, em cuja Universidade estudou também Dramaturgia. Foi professor titular de Literatura Brasileira na Faculdade de Filosofia, Ciências e Letras de Marília. Em 1973 doutorou-se em Letras com a tese: "Lima Barreto e o Espaço Romanesco". Faleceu em São Paulo em 8 de julho de 1978.

OBRAS:

O visitante. Rio de Janeiro: José Olympio, 1955. (romance)
Os gestos. Rio de Janeiro: José Olympio, 1957. (contos)
O fiel e a pedra. Rio de Janeiro: Civilização Brasileira, 1961. (romance)
Nove, novena. São Paulo: Martins, 1966. (narrativa)
Avalovara. São Paulo: Melhoramentos, 1973. (romance)
A rainha dos cárceres da Grécia. São Paulo: Melhoramentos, 1976. (romance)
O diabo na noite de Natal. São Paulo: Pioneira, 1977. (literatura infantil)

Sobre o autor:

Livros:

Andrade, Ana Luiza. *Osman Lins: Crítica e criação*. São Paulo: Hucitec, 1987.

Nitrini, Sandra. *Poéticas em Confronto. Nove, novena e o novo romance*. São Paulo: Hucitec/INL, 1987.

Igel, Regina. *Osman Lins: Uma biografia literária*. São Paulo: T. A. Queiroz/INL, 1988.

Castro e Silva, Odalice. *A obra de arte e seu intérprete (Reflexões sobre a contribuição artística de Osman Lins)*. Fortaleza: UFC, 2000.

Moura, Ivana. *Osman Lins, o matemático da prosa*. Recife: Prefeitura do Recife/Secretaria de Cultura/Fundação de Cultura, 2003.

Almeida, Hugo (org.) *Osman Lins. O sopro na argila*. São Paulo: Nankin, 2004.

Nitrini, Sandra. *Transfigurações*. São Paulo: Fapesp/Hucitec, 2010.

Artigos e ensaios:

Portela, Eduardo . "Dois Acentos Rítmicos do Conto". *In: Dimensões*, II, Rio de Janeiro: Agir, 1959.

Pontes, Joel. "Os Contrastes no Conto de Osman Lins". *In: O Aprendiz de Crítica*, Rio de Janeiro: I.N.L., 1960.

Ramos, Ricardo. "Romance do Agreste". *In: Anhembi*, São Paulo, agosto de 1962.

Barbosa, João Alexandre. "Nove Novena Novidade". *In*: Suplemento Literário de *O Estado de S. Paulo*, 12-11-1966.

Nunes, Benedito. "Narração a Muitas Vozes". *In*: Suplemento Literário de *O Estado de S. Paulo*, 4-2-1967.

Rosenfeld, Anatol. "O Olho de Vidro de Nove, Novena". *In*: Suplemento Literário de *O Estado de S. Paulo*, 6-12 e 13-121970.

Rosenfeld, Anatol. "The Creative Narrative Processes of Osman Lins". *In: Studies in Short Fiction*. Newberry College, South Carolina, vol. VIII, no 1, 1971.

Lucas, Fábio. "Osman Lins e a Renovação do Conto". *In: A Face Visível,* Rio de Janeiro: José Olympio, 1973.
Candido, Antonio. "Apresentação" de *Avalovara*. São Paulo: Melhoramentos, 1973.
Moisés, Massaud. "O Fiel e a Pedra Hoje", apresentação à 4ª ed. do romance *Avalolavra*. São Paulo: Melhoramentos, 1974.
Paes, José Paulo. "Palavra feita vida". Posfácio a *Nove, novena*. São Paulo: Companhia das Letras, 1994, pp. 201-211.
Rosenfeld, Anatol. "Os processo narrativos de Osman Lins". *In: Letras e leituras.* São Paulo: Unicamp/Edusp/Perspectiva, 1994.
Candido, Antonio. "A espiral e o quadrado". Prefácio a *Avalovara*. São Paulo: Companhia das Letras, 2005.

RETÁBULO DE SANTA JOANA CAROLINA

Osman Lins

PRIMEIRO MISTÉRIO

As estrelas cadentes e as que permanecem, bólidos, cometas que atravessam o espaço como répteis, grandes nebulosas, rios de fogo e de magnitude, as ordenadas aglomerações, o espaço desdobrado, as amplidões refletidas nos espelhos do Tempo, o Sol e os planetas, nossa Lua e suas quatro fases, tudo medido pela invisível balança, com o pólen num prato, no outro as constelações, e que regula, com a mesma certeza, a distância, a vertigem, o peso e os números.

⊕ Acompanhei, durante muitos anos, Joana Carolina e os seus. Lá estou, negra e moça, sopesando-a (tão leve!), sob o olhar grande de Totônia, que me pergunta: "É gente ou é homem?" Porque o marido, de quem não se sabe o nome exato, e que não tem um rosto definido, às vezes de barba, outras de cara lisa, ou de cabelo grande, ou curto – também os olhos mudavam de cor – só vem em casa para fazer filhos ou surpresas, até encontrar sumiço nas asas de uma viagem. Aquelas quatro crianças que nos olham, perfiladas do outro lado da cama, guardando nos punhos fechados sobre o peito seus destinos sem brilho, são as marcas daquelas passagens sem aviso, sem duração: Suzana, João, Filomena e Lucina, todos colhidos por mim das pródigas entranhas de Totônia, de quem os filhos tombam fácil, igualmente a um fruto sazoado. Dizem dos filhos serem coisas plantadas, promessas de amparo. Com todos esses, Totônia acabará seus dias na pobreza: Suzana, mulher de homem bruto e mais jovem do que ela, chegará à velhice mordida de ciúmes, vendo em cada mulher, mesmo na mãe, olho de cobiça no marido, um bicho, capaz de se agarrar no mato, aos urros, até com padres e imagens de santo, com tudo que lembre mulher ou roupas de mulher, com o demônio se lhe aparecer de saias, mesmo com chifres, e rabo, e pés de cabra; João, homem de não engolir um desafio, viverá sem ganho certo, mudando sempre de emprego e de cidade, entortando pernas, braços, dedos, em punhaladas e tiros; Filomena, mulher de jogador, cultivará todas as formas de avareza, incapaz de oferecer a alguém um copo d'água; Lucina ficará inimiga de Totônia, lhe negará a mão e a palavra. Joana, apenas, Joana Carolina, apesar da pobreza, será seu arrimo: a velha haverá de morrer aos seus cuidados, em sua casa, daqui a trinta e seis anos, no Engenho Serra Grande. Lucina andará três léguas, para ajoelhar-se ao pé da cama e lhe pedir perdão, em pranto. Nem Filomena, nem ela, nem Suzana oferecerão à irmã nenhuma ajuda. Para enlutar os filhos, Joana Carolina, já viúva, comprará fazenda negra a crédito. Será difícil pagar essa conta. O lojista, como se de posse da balança que pesa as nossas virtudes e pecados, lhe escreverá uma carta, lembrando que a hora da morte é ignorada e que portanto devemos saldar depressa nossas dívidas, para não sofrer as danações do inferno. Venderei um porco, emprestarei o dinheiro a Joana Carolina, ela pagará ao vendilhão. Palavras minhas: "Se você não me trouxer de volta o emprestado, Joana, nem assim há de penar por isto. É mulher fiel. Em seu coração, jamais deverá a ninguém."

SEGUNDO MISTÉRIO

A casa. Com a árvore e o sol, o primeiro e o mais frequente desenho das crianças. É onde ficam a mesa, a cama e o fogão. As paredes externas e o teto nos resguardam, para que não nos dissolvamos na vastidão da Terra; e as paredes internas, ao passo que facultam o isolamento, estabelecem ritos, definidas relações entre lugar e ato, demarcando a sala para as refeições e evitando que engendremos os filhos sobre a toalha do almoço. Através das portas, temos acesso ao resto do Universo e dele regressamos; através das janelas, o contemplamos. Um bando de homens faz uma horda, um exército, um acampamento ou uma expedição, sempre alguma coisa de nostálgico e errante; um agrupamento de casas faz uma cidade, um marco, um ponto fixo, um aqui, de onde partem caminhos, para onde convergem estradas e ambições, que estaciona ou cresce segundo as próprias forças, e será talvez destruída, soterrada, e mesmo assim poderá esplender de sob a terra, em silêncio, das trevas, por vias do seu nome.

⬚ É em novembro, quando mudava – e ainda mude talvez – a diretoria da Irmandade das Almas. Joana, que completou onze anos no mês anterior, olha para mim com as mãos espalmadas, nada sabendo explicar sobre o porque do seu ato e espantada com as nossas opas verdes. Ao fundo, algumas cruzes e um pé de eucalipto. À esquerda do grupo, o filho pela mão, Dona Totônia, entre humilde e colérica, tem o pé erguido sobre os escorpiões que achei entre as moedas. Um pouco à direita, com a portinhola aberta, a Caixa das Almas, pequena construção igual a tantas outras dispersas na cidade, para receber esmolas dos passantes e transformada quase em santuário, pois algumas pessoas aí acendem velas, rezam para seus mortos; e que eu, como Segundo Tesoureiro, com um pequeno cofre, muitas chaves na mão e guarda-sol aberto por causa do calor, percorri pela primeira vez, nessa sexta-feira. No chão, grandes como lagostas e ainda menores que os vinténs de cobre, os mesmos escorpiões a serem esmagados por Dona Totônia, um dos quais passeia no braço nu de nosso Presidente. Explicação de Joana: "Eu queria dar alguma coisa." "Mas por que lacraus? E não, por exemplo, pedaços de vidro?" "Não tinha pedaços de vidro." "Que foi que você fez pra que eles não lhe metessem o ferrão?" "Eles não mordem." Por esse mesmo lugar, daqui a muitos anos, Joana haverá de passar, à noite, segurando a pequena mão de Laura, sua filha, que estremecerá de medo, fascinada, vendo no cemitério os fogos-fátuos, mesclado esse terror a uma alegria que impregnará sua memória por causa do odor de café, de pão no fogo, que se desprende das casas do arruado, ao entardecer, como um barulho de festa. Não é muito frequente, em casa de Totônia, o cheiro de café, de pão. Joana carece de divertimentos. Não faz muitas semanas, descobriu duas coisas que não custam dinheiro e lhe causam prazer; acompanhar enterros de crianças; um ninho de escorpiões, no fundo do quintal. Pondo-os numa lata, brinca com eles; vai ao cemitério e deixa-se ficar junto à Caixa das Almas, até que o cheiro de pão e de café mescla-se à luz do ocaso. Aqui estamos, cercando-a, interrogando-a, porque decidiu juntar seus dois prazeres: trouxe para o enterro a lata de lacraus, deu os bichos de esmola para as almas, metendo-os pela fenda, como se fossem dinheiro. Grita o Presidente da Irmandade que ninguém pode pegar num escorpião. Joana Carolina: "Eu pego." Fecha-os na palma da mão, suavemente. Solta-os. "Se a menina faz isso, com os poderes de Deus eu também faço." O Presidente com a manga arregaçada, o braço branco e tenro. O lacrau subindo no seu pulso, ferrão no ar, dobrado, cor de fogo; depois, com os três que estavam no chão, indo para Dona Totônia; ela esmagando-os com os pés. Agarra a filha pelo braço, deixa-nos. Ficamos discutindo, acreditando em partes com o demônio, pois o aceitamos bem mais facilmente que aos anjos.

TERCEIRO MISTÉRIO

A praça, o templo. Lugar de encontro. Os homens reunidos para a discussão, para o divertimento, para as rezas. Perguntas e perguntas, respostas, diálogos com Deus, passeatas, sermões, discursos, procissões, bandas de música, circos, mafuás, andores carregados, mastros e bandeiras, carrosséis, barracas, badalar de sinos, girândolas e fogos de artifício lançados para o alto, ampliando, na direção das torres, o espaço horizontal da praça.

♂ Joana, descalça, vestida de branco, os cabelos de ouro esvoaçando, traz sobre o peito a imagem emoldurada de São Sebastião. Por cima dos ombros, encobrindo-lhe braços, mãos, e tão comprida que quase chega ao solo, estenderam uma toalha de crochê, com figuras de centauros. As setas grossas, no tronco do santo, parecem atravessá-lo, cravar-se firmes em Joana. Por trás, numa fila torta, cantando em altas vozes, com velas acesas, muitas mulheres. A noite de dezembro não caiu de todo, alguma luz diurna resta no ar. Posso ver que os olhos de Joana são azuis e grandes; e que seu rosto, embora desfigurado, pois ela ainda está convalescente, difere de todos que encontrei, firme e delicado a um tempo. Adaga de cristal. Mesmo eu, que não estou há muito na cidade, soube de sua doença. Meio cega, ausente das coisas, febril, as pernas mortas. A mãe fez promessa, caso ela se curasse; procissão com velas, andando pelas ruas. Assim, na breve duração desse olhar, o primeiro que trocamos, e já unindo-nos com tudo que isto implica, vejo apenas em Joana Carolina a adolescente arrancada à imobilidade e à cegueira por obra de um milagre, para vir ao meu encontro com seus claros pés e descobrir-me. Tenho, ignorante que sou, uma sensação de agraciado, certo de que nessa jovem triplamente iluminada – pelo sol da tarde, pelas chamas das velas, pelo meu êxtase – e em quem a enfermidade, mais do que uma pena, foi um desígnio para resguardá-la até que emergisse, das entranhas do tempo, este minuto, residem as venturas da vida e que, ligando-me a ela, aposso-me de grandezas que não entenderei e que nem sequer adivinho. Arpoado em minhas profundezas pelo seu olhar, ofereço-me com a máxima candura, imaginando que este brio de súbito gerado em meu espírito pode comprar a paz e o júbilo. Desconheço que esta flecha lançada ao som do hino solto pelas mulheres é semente cujos frutos ninguém pode antever e que as alegrias serão quase nenhumas ante os sofrimentos, as depredações em nossas vidas, sobretudo na existência de Joana, minha vítima.

QUARTO MISTÉRIO

Verdor das folhagens, sol das artérias, manto invisível da terra. Atiçador de incêndios, voz dos moinhos, remo de veleiros algumas vezes quebrado pelas calmarias, caminho sem princípio nem margem de todos os bichos voantes morcegos, mariposas, aves de pequena ou grande envergadura. Revolvedor de oceanos, cólera dos redemunhos, dos furacões, dos vendavais, dos tornados. Zagal de mastodontes de dinossauros, de renas gigantescas, guiados em bandos sobre pastagens azuis e cujos ossos, cujo couro e chifres se convertem em chuva, em arco-íris.

✓ Nosso pai gostava de animais. Ensinou um galo-de-campina a montar no dorso de uma cabra chamada Gedáblia, esporeando-a com silvos breves. Eu e Nô apanharemos essa inclinação e, de certo modo, por causa disto é que, daqui a anos, quando nossa mãe, ele já morto, estiver penando no Engenho Serra Grande, partiremos no mundo, à procura de emprego, deixando-a com Teófanes e Laura, nossos irmãos mais novos, ainda não nascidos. Depois a tiraremos do Engenho, de volta para a cidade. Por agora somos dois meninos, deitados em folhas de bananeira, nossa mãe curvada sobre nós, atiçando o fogareiro com alfazema. Um odor nauseante empesta a casa inteira, odor de nossos corpos ulcerados. Maria do Carmo, nossa única irmã, morreu há dois dias, o décimo do ano. Fazia calor, esse calor de janeiro que nos sufoca a todos, ela pedia água. Morreu com sede. Nosso pai, com o pássaro e Gedáblia tenta distrair-nos, fazendo com que o galo-de-campina cavalgue a cabra em torno de nossos leitos de folhas, sem que porém lhe demos atenção. Condutor de trem, vive sempre fora. Em suas horas de folga nos leva para o mato, pega passarinhos, tenta domesticá-los. Ganha pouco. Para ajudá-lo, nossa mãe instalou, perto da estação, um hotelzinho onde comem outros funcionários da estrada. Mas quem quer saber de sentar-se à mesa de um hotel com essa epidemia, as bexigas matando, escalavrando a pele dos que conseguem curar-se? Mesmo que houvesse fregueses, nossa mãe não abriria o hotel. Faz uma semana que não dorme, velando noite e dia à nossa cabeceira e sem ter onde pedir socorro. Quase todas as portas estão aferrolhadas, mal ouvimos passos, ou pregões, riso algum. Mergulhamos num silêncio pontilhado de gritos e meus sonhos são povoados de ameaçadoras cabras que me pisam e de grandes pássaros de cabeça vermelha, que voam sobre mim e arrancam-me pedaços. Nem por isto virei a odiar aves e cabras. O senhor do Engenho Serra Grande terá ciúmes de seu laranjal. Na tristeza daqueles dias futuros, onde a comida será ainda menos abundante do que hoje, quando já não muita, minha alegria e a de Nô vai ser como a de nosso pai: caçar passarinhos novos, criá-los junto do fogo, amestrá-los. Nossa vingança da vida, bicho indomesticável. O senhor do Engenho nos surpreenderá dentro do seu pomar. Nos pássaros implumes em nossas mãos verá laranjas, irá queixar-se irado à nossa mãe. Então, ela nos mandará embora, procuraremos emprego e um dia viremos buscá-la, orgulhosos de nós. A bexiga, em Nô, é mais terrível que em mim. Entortará seu braço, o esquerdo, durante muito tempo. Nossa mãe, todos os dias, dar-lhe-á massagens com sebo de carneiro, todos os dias, pacientemente, sem faltar um dia, até que ele poderá mover de novo o braço, roubar comigo pássaros novos, e depois trabalhar, até que levaremos nossa mãe, trar-lhe-emos um pouco da paz e da segurança que nosso pai, sem jamais conseguir, quis dar-lhe.

QUINTO MISTÉRIO

A lenta rotação da água, em torno de sua vária natureza. Sua oscilação entre a paz dos copos e as inundações. Talvez seja um mineral; ou um ser mitológico; ou uma planta, um liame, enredando continentes, ilhas. Pode ser um bicho, peixe imenso, que tragou escuridões e abismos, com todas as conchas, anêmonas, delfins, baleias e tesouros naufragados. Desejaria ter, talvez, a definição das pedras; e nunca se define. Invisível. Visível. Trespassável. Dura. Inimiga. Amiga. Existem os ciclones, as trombas marinhas. Golpes de barbatanas? E também as nuvens, frutos que, maduros, tombam em chuvas. O peixe as absorve e cresce. Então este peixe, verde e ramal, de prata e sal, dele próprio se nutre? Bebe a sua própria sede? Come sua fome? Nada em si mesmo? Não saberemos jamais sobre esse ente fugidio, lustral, obscuro, claro e avassalador. Tenho-o nos meus olhos, dentro das pupilas, Não sei portanto se o vejo; se é ele que se vê.

☉ Vi nesse moço, quando me pediu a mão de Joana, o traço da morte. O aviso. O sinal. Tentei demovê-lo. Éramos gente sem posse, de poucas letras. "Não tem importância. Desde que vi sua filha, na procissão... Desculpe, mas desde aquela hora imagino-a como esposa. Quero tanto protegê-la!" "O senhor se engana, ela é que vai protegê-lo." "Eu trabalho. Sou ferroviário. Terei promoções." "Como é sua graça?" "Jerônimo José." "Senhor Jerônimo, desculpe que lhe diga: tenho visto poucos homens tão franzinos. Não digo no corpo. É por dentro. Feito para trabalhar de ourives. Ou de imaginário, ficar sentado em si, fazendo nossas-senhoras, meninos jesuses. Gosta de leituras?" "Leio muito." Não tinha pai, nem mãe. Desatou em pranto, me apertando os dedos, como se eu houvesse descoberto as fraquezas que ele mais tentasse esconder. Sempre fui mulher dura. Tenho duas torres na cabeça, sou a esposa, a igreja, a terrena, a que se polui, a que pare os filhos, a que transforma em leite o próprio sangue, a frágil. Não é assim que diz a liturgia? Pois se sou fraca, tenho de ser de pedra. Sou de pedra; mas também chorei. "Joana casará com você, meu filho. (Foi assim que o chamei.) Não tenha acanhamento de suas qualidades de menino. Sua fraqueza, a ignorância das coisas. As iluminações que os outros, quase todos, acham de louco. Isso também são valores." Nos outros pedidos, não me comovi: eram homens grosseiros. Mas o espírito, a presença de um espírito sempre haverá de perturbar-me. As idas e vindas desse pobre rapaz, para montar sua casa! Quatro cadeiras trazidas de Natã; um candeeiro comprado no Recife; um urinol ganho de presente; dois enfeites ganhos numa barraca de prendas; o broche de gravata vendido para as últimas despesas. Tudo para viver esses dez anos, até morrer de repente, com oito mil-réis no bolso e mais alguns vinténs pelas gavetas. Devia ser enterrado num caixão azul, feito os meninos pequenos. Tão bom que muitas vezes maldei se Joana sentia mesmo prazer, prazer de mulher, em deitar-se com ele, tão diferente do varão que esposei e que parecia andar no mundo só para aprender artes noturnas, ou amadurecendo a carne em banhos de rio, em dormidas ao ar livre, de modo que eu cedia sempre à sua ordem, me abria igual ao Mar Vermelho diante de Moisés – sabendo que em nove meses teria mais um filho com boca e intestinos, e nenhum níquel a mais – e ele me atravessava com as suas hostes de fogo e de alegria, desfraldadas nos mastros as bandeiras mais vivas. Essa pode ser a razão de minhas outras filhas viverem tão nos sombrios, Suzana envenenada de luxúria, Filomena aduncando o nariz e as unhas na avareza, Lucina irada com todos, até contra mim. João Sebastião, errante mas sem calço nas ações deve ser obra do pai, um seu reflexo. Mas por que pões, Totônia, em origens tão vagas, as deficiências de teus filhos? Por que hão de nascer numa tendência dacarne, sobre a qual no fim de contas ninguém tem governo, e não no teu modo habitual de agir, na tua falta de pulso, aqueles erros tão graves? Ainda que te enganes, que sejas severa contigo, deves crer que os erros de teus filhos são filhos de teus erros, mas sem que isto confranja tua alma, pois é humilde, Totônia, crer-se capaz de erros – e soberbo ter que os enganos e falhas sempre são para os outros. Mesmo que hajas perdido, no amestramento de teus filhos, o rumo e o norte, não será esta Joana recompensa? Vê sua firmeza. Bem podia estar de braços levantados, acusando-se, acusando os tempos, querendo refazer o que só uma vez pode ser feito, ou temerosa, ou desacordada. Ela não faz da dor um estandarte, guarda-a como um segredo. Nos socavões da alma. Não quer apagar o sol, que entra pela janela; nem silenciar os tambores, os bombos, os violões, as flautas e os ganzás que andam pelas ruas, neste domingo de Carnaval; nem pensa que seria melhor outro dia para a morte. Sabe que dia algum é melhor que os outros para a desgraça; que o homem vê o sol, mas não o sol aos homens; e que as pessoas, quando felizes, têm direito às suas alegrias, pois cada qual há seus dias de lágrimas e o pranto de um nem sempre é o de todos. E quem, mais do que Joana, poderia esquecer, varrer da mente, por hoje, essas verdades? Podia dizer-me que se tivesse ido, quando o marido chamou-a, para Belém do Pará, ele estaria vivo. Estranho! Esse moço, tão delicado, tinha rompantes largos, gestos inesperados, como se escondesse uma asa decidida, pronta a voar por ele, quando preciso. Os ingleses da estrada queriam e exigiam que fechasse o hotel, subsídio indigno de um condutor de segunda. Digno, para os gringos, era ter um ordenado de manco e passar fome. "Ou fecha o hotel, ou é demitido." Perdeu o emprego, comprou duas latas de querosene, derramou-as em dois vagões da linha, incendiou-os, partiu para Belém, meteu-se a rábula, conseguiu um lugar de juiz no interior, escreveu a Joana, dizendo que fosse. Perguntou-me se eu ia. "Ir como? Velha como estou, quase setenta anos? Nesta idade, a única viagem que ainda hei de fazer é para o cemitério, se Deus me der a graça de não morrer queimada ou afogada numa dessas enchentes que levam até os bois e as cumeeiras. Mas você deve ir." Recusou-se. Dos filhos, era só quem restava, os outros não me serviam. Me visitava, ia à missa comigo, fazia-me passar os domingos com ela, até me dava presentes: um alguidar, uma ou duas dúzias de alfinetes, um canário ensinado por Jerônimo. Era o arrimo. A mão de força. A fonte das alegrias. O contrário da solidão. Ele entendeu, não se queixou e veio. Joana lhe pediu desculpas. Resposta: "Foi erro meu te chamar. A oportunidade era boa, me tentou. Muitos podem achar que você devia ir. Mas nem sempre a casa é onde está o marido; a casa é onde está a paz de consciência." Mostrou-me seus novos livros de lei e uma caixinha com estampilhas. Foi processado pela Great-Western como incendiário, defendeu-se, ganhou a questão. Tinha coragem, mas não para jogá-la por aí, aos montes; tinha para o gasto. Assim, quando lhe explicaram, no Engenho da Barra, em que pé estavam os ânimos entre os Barnabós e a família Câmara, que o havia chamado para advogar numa pendência de terras, decidiu voltar na mesma hora. "Qualquer advogado que assumir a questão leva um balaço. E depois, você sabe; também os Câmaras não são flor que se cheire. Numa briga entre demônios existe algum com razão? Todos, ali, estão fora da justiça. Digo mais, sendo você não me demorava. Punha a cabeça do cavalo no lugar da cauda e voltava para casa. É uma gente muito dada a tocaias." Quando passou a perna no cavalo, sentiu a dor no peito e achou que ia morrer. A morte é igualmente propensa a acabar com os outros na tocaia. O cavalo é a prova do que foi a viagem deste meu genro. "Joana, vim para morrer em casa." Os cascos do cavalo caíram como cacos. Jerônimo deitou-se na rede, pediu um chá, juntou os cinco filhos. A água estava fervendo, Joana trouxe a bebida, quente a ponto de queimar os beiços do doente. Ele nem bebeu toda a xícara. Não é, da parte de Joana, para desesperar? Em vez disso, corta o pão da merenda para os cinco filhos, dois à sua esquerda, os outros à direita. Pela janela, mascarados contemplam o morto no caixão, uma das máscaras com o banjo sobre o peito; o cavalo repousa, é todo veias, tem olhos roxos, patas sangrentas; dois visitantes de cada lado, dois anjos, dois castiçais, estou com um braço pendido, outro estendido, a mão pousada na fronte de Jerônimo; sobrevoa-nos um dos pássaros que ele domesticou e que, havendo fugido, voltará pela janela ao entardecer e pousará em silêncio sobre as chinelas de Joana.

SEXTO MISTÉRIO

– Que faz o homem, em sua necessidade?

– Vara e dilacera. Mata as onças na água, os gaviões na mata, as baleias no ar.

– Que inventa e usa, em tais impossíveis?

Artimanha e olho, braço e baraço, trompas e cavalos, gavião, silêncio, aço, cautela, matilha e explosão.

– Não tem compaixão?

– Não. Tem majestade.

– Com necessidade?

– É sua condição.

– Acha sempre a caça? A pesca? Com sua rede escura, sua flecha clara, seu anzol de fogo, seu duro arcabuz, descobre sempre o animal no voo, na sombra, no abismo?

– Não todas as vezes. E no fim lhe sucede ser executado.

– Por qual maior algoz?

– A Morte, que devora, com seu frio dente, pesca e pescadores, caça e caçadores.

Ψ   Pareço-me bem mais com o diabo, do que com gente. Vade retro. Não era assim que me achavam as mulheres. Vara de pescar no ombro, feixe de peixes na mão, olho para Joana com o olho de ver fundo de rio. Barba pontuda, abas do chapéu levantadas de um lado e outro da cabeça, a modo de chifres. Aterrador, um mau. Eu não era assim. Tomava banho no poço, com sabão, meu chapéu era alvo, quebrado nos olhos, usava suíças, gostava de caçar, não de pescar. Às mulheres me achegava de manso, meu fraco eram as viúvas e as casadas, nunca me aproveitei de inocentes; as donzelas comigo estavam seguras e não houve um só filho que eu não protegesse. Por isso arruinei-me, joguei fora tudo que meu pai juntou; e dos vinte e dois filhos que registrei com o meu nome, de dezoito mulheres diferentes, nenhum, depois de grande, me reconheceu como pai. Viam-me, decerto, como nunca fui: barbas de bode, cascos, cheiro de enxofre. Joana, a professora, me afasta com a régua e a palmatória na mão, fazendo com os dois instrumentos uma espécie de compasso aberto; o outro braço protege os cinco filhos. Nô, o vivaz; Álvaro, o inteligente; Teófanes, o conformado; Laura, a concentrada; Maria do Carmo, a segunda com esse nome, e que também há de morrer criança. Bobagem de meu pai, coisas de velho, aceitar professora em nossas terras. Para ensinar a esses desgraçados? Enfim, como era o município que pagava, só nos cabendo ceder uma casa à professora... Ela viajava seis léguas por mês, três de ida e outras três de volta, para receber o ordenado. Quanta gente miserável neste mundo! Largar-se da sua casa, com uma fieira de filhos, para ensinar de sete às duas da tarde, sem comer um biscoito, metendo letras e algarismos em trinta e tantas cabeças de quartaus. Para, no fim, um deles escrever no quadro-negro a paga, a recompensa: "A professora é uma cachorra." Chegou pela Semana Santa. A idade, não sei bem. Estava no seu março, no fim de seu verão. Mais de sete anos passou aqui em Serra Grande. Quando se foi, tinha envelhecido vinte: o rosto duro, queimado, sem a claridade anterior, os cabelos de ouro descorados, a espinha curva e perdera alguns dentes. Mesmo assim, olhando-a, eu me sentia às vezes perturbado. Vinha, de dentro dela, uma serenidade como a que descobrimos nas imagens de santo, as mais grosseiras. Um som de eternidade. Tenho a consciência tranquila: para deitar-me com ela, fiz o que se pode. Não foi fácil, levei mais de ano para a primeira investida. Ela possuía um anteparo que tive de vencer aos poucos, um resguardo invisível, de compostura e silêncio, um zimbório de força, realeza. Olhava-me de frente, com seus olhos azuis, severos como os de um senhor. Instalei-a bem, na melhor casa, perto da senzala. Porta larga, uma janela de frente, outra de lado, sala grande para as aulas inúteis; o corredor servia de cozinha. Não eram bons os quartos; cavernosos, escuros, tinha-se de descer alguns degraus para chegar até eles; mas serviam; Joana dormia no primeiro com as filhas, os meninos pousavam no segundo. A janela do lado olhava para a horta de cacau, onde eu podia vê-la durante as lições, e ser visto por ela. Nunca houve horta mais tratada. Poli o chão com as botas; com a sombra indo e vindo, acho que dei lustro nos troncos. Ela podia olhar ao menos para a horta; mas não, era como se a janela não existisse. À tarde, desaparecia; com certeza estava no corredor, preparando as comidas para o dia seguinte. Com a boca da noite, fechava tudo, ia fazer crochê. Nunca me pediu um grão de milho, uma folha de capim. Como podia viver? Multiplicava os pães, os peixes? Absurda mulher. Nunca entendi suas contas, ela possuía o dom da multiplicação. Eu também, a meu modo: nesse ano, me nasceram dois filhos. Mas eu queria ter um era de Joana. Passei a buscar mulheres parecidas com ela, não achava, espalhei minha intenção (falsa) de casar com pessoa instruída. Continuei sem ser olhado na horta de cacau. Resolvi ir às falas com a viúva. Recebeu-me bem: viu-me afogueado, ofereceu-me água, ou um café. Como iria eu pegar num copo ou numa xícara, se minhas mãos tremiam? Não pronunciei uma palavra das que preparara. Tinha um anzol na língua, fiquei mudo, um peixe. Meu pai nunca foi desfeiteado em cima de um cavalo meio-sangue, que adquiriu na Bahia; em cima de outros cavalos ou no chão, sua autoridade era menor. Há coisas assim, que apoiam as pessoas. Decidi transferi-la para uma casa maior, onde suas escoras talvez ficassem mais frouxas. "A senhora se muda esta semana mesmo. Vou botar, isto abaixo, o ponto é bom pra fazer um barracão. Preciso aumentar minhas rendas. Tenho errado muito, vou acertar minha vida, constituir família." "O senhor já tem tantas! Mais uma não faz diferença." Fingi-me de surdo, saí de orelhas queimando, mandei derrubar tudo, varrer de minha frente a janela da qual jamais fui visto. Nada ergui no lugar. A casa para onde mudei Joana, com a escola e os filhos, era uma babilônia. Fora dividida: parte era uma destilaria. Mesmo assim, um grito solto na sala, chegava apagado à cozinha. Paredes úmidas, telhado alto, quartos descomunais, onde caberiam seis camas de casal e algumas cômodas, e onde em certas noites era preciso acender um fogareiro, para não morrer de frio. Aí, duma só vez, adoeceram seus filhos, todos, a pequena morreu. Sua mãe, que de tempos em tempos vinha lhe fazer uma visita, morreu também aí. Nada abalou a mulher. Levei três anos e meio rondando aquela casa, para um dia perder a paciência e entrar de porta adentro e perguntar-lhe, prometendo mundos e fundos, se queria amigar-se comigo. Não me respondeu. Fitou-me dentro dos olhos com seu olhar severo. "Responde ou não? Fala. Você é de quê? De madeira? De pedra?" O olhar continuava. Decidi agarrá-la duma vez, queria ver em que ficava sua altaneria. Dei por mim andando no canavial, como se um ente invisível me houvesse arrebatado. Esse ente, sem dúvida, era o meu opróbrio. Vieram as Santas Missões. Confessei-me, batizei os oito filhos que me haviam nascido naqueles cinco anos, resolvi tomar o caminho da justiça, tirei a professora daquele casarão, coloquei-a numa velha estrebaria. Divisões com empanadas faziam as vezes de quartos. Assediei-a só para humilhá-la, para destruir seu orgulho, nada consegui. É verdade que não lhe falei, nunca mais, em deitar-se comigo. Reclamava, fazia-lhe censuras, insultava-a, insistia nos males da soberba. Sua resposta, uma vez: "O senhor não deixa de ter certa sabedoria: fala do que conhece" Decidi propor-lhe casamento. Não tive boca para dizer-lhe as palavras, nem mesmo quando soube que estava de partida. Tive-lhe ódio, durante alguns anos. Emprenhava as mulheres e detestava os filhos que nasciam, porque nenhum era seu. Com o tempo, o ódio foi passando, veio uma espécie de enlevo, talvez de gratidão. Acabei achando que Joana Carolina foi minha transcendência, meu quinhão de espanto numa vida tão pobre de mistério.

SÉTIMO MISTÉRIO

Os que fiam e tecem unem e ordenam materiais dispersos que, de outro modo, seriam vãos ou quase. Pertencem à mesma linhagem dos FIANDEIRA CARNEIRO FUSO LÃ geômetras, estabelecem leis e pontos de união para o desuno. Antes do fuso, da roca, do tear, das invenções destinadas a estender os fios e LÃ LINHO CASULO ALGODÃO LÃ cruzá-los, o algodão, a seda, era como se ainda estivessem imersos no limbo, TECEDEIRA URDIDURA TEAR LÃ nas trevas do informe. É o apelo à ordem que os traz à claridade, transforma-os em obras, portanto em objetos humanos, iluminados pelo espírito do homem. Não é por ser-nos úteis LÃ TRAMA CROCHÊ DESENHO LÃ que o burel ou o linho representam uma vitória do nosso engenho; sim por serem tecidos, por TAPECEIRA BASTIDOR ROCA LÃ cantar neles uma ordem, o sereno, o firme e rigoroso enlace da urdidura, das linhas enredadas. Assim é que suas expressões mais nobres são LÃ COSER AGULHA CAPUCHO LÃ aquelas em que, com ainda maior disciplina, floresce o ornamento: no croFIANDEIRA CARNEIRO FUSO LÃ chê, no tapete, no brocado. Então, é como se por uma espécie de alquimia, de álgebra, de mágica, algodoais e carneiros, casulos, campos de linho, LÃ TRAMA CASULO CAPUCHO LÃ novamente surgissem, com uma vida menos rebelde, porém mais perdurável.

⌒ Não tínhamos sequer regador. Minha mãe, curvada, nos dá um clister de pimenta d'água, com bexiga de boi e canudo de carrapateira, untado com banha de porco. A doença era febre, o corpo cheio de manchas. Comíamos pouco, sempre estávamos propensos a cair de cama. Antes, foi a tosse convulsa, Tossíamos todos, o couro de Álvaro estourou abaixo do ouvido. Foi quem mais sofreu. Tomou duas almotolias de óleo de fígado, duas colheres por dia, meia laranja após a colherada. Gostava de laranjas, queria chupar uma inteira, mamãe não deixava: saía muito caro. Tudo era pela metade. Meia laranja, meio pão, meia banana, meio copo de leite, meio ovo, um sapato no pé e outro guardado. Só calçávamos os dois quando ela nos levava à cidade, para receber seu ordenado, três léguas para ir e três para voltar. Esse caminho durante quase oito anos, jamais a cavalo, ou em carro de boi ou num jumento. Todas as vezes a pé. No princípio, falava com as pessoas de influência. Dessem-lhe uma cadeira menos afastada. Era longe demais e sem condução. Não podia vir com os cinco filhos, trazia um, ou dois, ou três, os outros ficavam lá, isto lhe dava cuidados. Franziam a testa, mexiam com os ombros. Tivesse paciência. Quando fosse possível... Nunca foi possível. Mamãe levou uns três anos sem insistir no pedido, indo todos os meses à cidade. Muitas ladeiras, trechos desertos; pedaços onde não se escutava nem mesmo um latido de cão; estiradas de areia, que fatigavam mais do que as ladeiras; uma extensão cheia de pedrinhas rolantes, brilhando à flor do solo e que feriam os pés. Cobríamos, no verão, as cabeças com chapéus de palha. Que braço aguentaria sustentar aquele tempo todo uma sombrinha, por leve que fosse? Os chapéus só evitavam que nos queimássemos demais na cara e no pescoço. E que nossos miolos não fervessem. Subia do chão da areia, das pedrinhas – um bafo ardente, difícil de engolir e que fazia indecisas, as distâncias. Vagava por toda parte uma poeira torrada, parecendo de sal, tanta era a sede. E em certos quilômetros as árvores fugiam, debandavam, as únicas sombras sendo as de nossos chapéus. Ainda pior quando o inverno chegava. Os rios cheios nem sempre davam passagem. E às vezes não davam e nós passávamos, que grande era a necessidade. Ou os cruzávamos por sobre pontes desconjuntadas, com a água rugindo, lambendo nossos pés, Nô, um dia, quase foi chifrado por um touro morto, vindo na correnteza. Por assim dizer, tudo virava lama. A madeira das pontes ficava enlameada, as árvores, os rios eram massas barrentas que avançavam, e até as pedrinhas como se dissolviam, transformavam-se em lama. Então – havia outro jeito? – levávamos guarda-chuvas, segurávamos o cabo com as duas mãos trançadas, ficávamos de braços mortos. A ventania chegava na segunda metade dos invernos, plantação de crescimento rápido, brotando com as primeiras pancadas d'água. Rolava sem termo naquelas paragens. Doía nos ouvidos, entortava as varetas das sombrinhas, levar o pé adiante passava a ser difícil, coisa trabalhosa, todo caminho se inclinava em ladeira. E nunca sucedia encontrarmos homens de bem nas estradas: só nos deparávamos com bêbados. Mamãe tinha medo, estou certa de quê. Tinha de ter medo, sei. Nunca demonstrou, salvo uma vez. Tínhamos ido apenas eu e ela. Chegáramos, como em geral, ao cair da noite. Mamãe dormiu, recebeu seu dinheiro, vendeu uns trabalhos de agulha: quando cuidou em si, já era tarde para voltar. Decidiu ficar mais uma noite, partir pela madrugada. Enganou-se nas horas e sinais, pensou que a lua era a manhã chegando, despertou-me, tocamos para casa. Fora da cidade, vimos que um homem nos seguia. "Vai amanhecer." Não amanhecia. Por cima do ombro, mamãe observava o caminhante e apertava o passo: ele também; diminuía a passada: o desconhecido amolecia a sua; mamãe parava nas imediações de um sítio, de um estábulo, sempre de olho no vulto, fingindo que a viagem acabara: o seguidor imobilizava-se; descemos quase correndo uma ladeira: quando olhamos, vimos que a distância entre ele e nós duas pouco se alterara. Ela dizia: "Enganei-me de hora." Como quem diz: "Bebi do poço envenenado." Estávamos com o veneno da noite em nossos corpos, sem poder vomitá-lo, um veneno de erro, de abandono, de desproteção. Não encontrávamos ninguém na estrada – e o sujeito em nossos calcanhares. Assim todo o caminho, até chegarmos no engenho. Então, me tomou nos braços e abalou. Gritava pelos filhos, com ânimo, como quem brande uma arma: eram nomes de homem. As primeiras claridades do dia assomavam nos serrotes. Nô veio abrir de candeeiro na mão, ela entrou com tal ímpeto que o atropelou, a manga de vidro saltou entre nós três, fez-se em pedaços no chão. Fechada a porta, sentou-se, pediu um copo d'água. Tremia da cabeça aos pés. Alegria e fartura só conhecíamos quando minha avó Totônia vinha da cidade, para uns dias. Não que fosse alegre. Severa, poucas palavras, contados sorrisos, a fronte meio baixa, com um jeito de bode que prepara a marrada. Que outro acontecimento, porém, haveríamos nós de festejar? Mamãe fazia bolos, doces, não precisava mandar que fôssemos para os coqueiros, dar as boas-vindas. Íamos os cinco, os meninos a pé, eu no carneiro, Maria do Carmo na ovelha. Quase nossos irmãos, esses dois bichos: falávamos com eles, vivíamos juntos e, quando o frio mais cru, dormiam em nossas camas. Éramos sete correndo para nossa avó Totônia, aos berros, quando ela apontava, de chale, bata, saia comprida, pé firme, o falar descansado, como se viesse de perto e não de longe. Chegaria, uma vez, para adoecer e morrer com poucos dias, quando ainda vagava pela casa o cheiro das comidas que mamãe fizera para alegrar sua vinda. Nesse tempo, éramos apenas eu, Téo e mamãe. Nô e Álvaro tinham ido embora, haviam conseguido emprego numa loja, começavam a vida; Maria do Carmo,

Carminha, irmã querida, minha companheira verdadeira, porque mulher, morrera naquela doença cujo nome não soubemos. Nela é que mamãe está aplicando o clister, com a bexiga de boi na extremidade do canudo de carrapateira. Assemelha-se, minha irmãzinha, a um grotesco soprador de vidro. Sou eu a de tranças. Nô, Álvaro e Téo não aparecem. Mas estavam aí, amontoados conosco nessa peça, todos queimando de febre. Tínhamos sido obrigados a deixar a casa onde morávamos, ir para essa na mata: aí se isolavam os bexiguentos. Não tínhamos bexigas. Mas estávamos de cama, todos, com doença forte e que podia alastrar-se. Fôssemos. Fomos. Lá mesmo, entre as árvores, Carminha foi enterrada. Ouvi, em minha febre, mamãe fazer a cova. Os carneiros baliram muito tempo, um balir diferente, pesaroso – tive pesadelos nos quais eles baliam há sete anos. Nossa comida, durante todo o tempo da doença, foram bananas compridas com café. Havia na cidade um surto de bubônica, interdito ir lá, de modo que as lavagens de pimenta d'água foram toda nossa medicina. Vencida essa quadra, mamãe voltou a pedir um lugar mais perto da cidade, a ouvir as mesmas negativas. E assim outros anos se passaram, mês depois de mês, verões, invernos, um mês, depois outros, um ano, outros ainda, debaixo do sol, sob a ventania, mamãe cruzando com bêbados, correndo de cães doidos, de bois brabos fugidos do cercado, três léguas na ida, três léguas na volta, para receber a paga do trabalho feito durante um mês inteiro, de sete às duas, todos os dias, fora somente apenas os domingos. Alguns dizem: *O tempo da infância é um abril.* O meu foi um agosto ventoso e atormentado, que terminou quando veio, certo anoitecer, um negro com o rosto cheio de verrugas, trazendo uma carta. "A filha da senhora do Engenho Queimadas, depois de tanto tempo se lembrou de mim. Vão abrir uma escola, a mãe quer que eu vá ser a professora. Tem procurador na cidade, não preciso ir buscar meus vencimentos." As lágrimas saltavam dos cansados olhos de mamãe, moídos de fazer, todos, aqueles anos, toalhas de crochê à luz do candeeiro, para vender na cidade. Só então confessou: "Eu tinha tanto medo de ir por essas sendas! E depois, cada vez me sinto mais cansada. Por mais que procure ser forte, as pernas já não querem. Parece mentira, não ter mais que fazer essas viagens." Pela única vez em toda sua vida, ergueu o punho, um punho incrivelmente frágil, numa revolta breve contra aquelas estradas cento e oitenta vezes percorridas. Como pudera esconder, tantos anos durante, seu pavor? O mesmo negro da cara verrugosa nos conduziu para o Engenho Queimadas. Fomos a cavalo, Téo num ruço, vibrando de alegria, eu e mãe num alazão. Nos limites do Engenho Serra Grande, num cabeço, ela se voltou. Abrangíamos, dali, canaviais e casas, o bueiro do engenho, a roda d'água, gente, burros, bodes, galinhas e cavalos, um pedaço da estrada tantas vezes refeita. Ouço-a dizer: "Sete anos, sete meses e sete dias morei neste inferno. Sete anos, sete meses e sete dias. Parece sentença escrita num livro." Ergueu a mão espalmada e passou-a diante da paisagem, com o mesmo gesto que fazia ao quadro-negro, apagando o que já fora ensinado e aprendido. Para mim, tinham sido anos ímpios. Mas naquele instante, percebendo o fim de um ciclo e de um mundo, veio-me, do fundo das lembranças, uma pena. Era ladeando o cemitério, que entrávamos na cidade. Chegávamos aí, quase sempre, às seis, às sete horas. Eu tinha medo das cruzes e vinha com fome. Fechava os olhos, para não ver os túmulos, os fogosfátuos, ia como um cego; e sentia, com o inteiro ser, o cheiro de café e pão que envolvia os casebres, e que também era para mim um cheiro de repouso, de trégua, de ruas, de segurança, luzes dentro das casas, o cheiro da viagem terminada, Tive saudade desses precários momentos. Avareza ou zelo da memória que, mesmo na adversidade, guarda em seus alforjes todo grão de bonança.

OITAVO MISTÉRIO

O massapê, a cana, a caiana, a roxa, a demerara, a fita, o engenho, a bica, o mel, a taxa, o alambique, a aguardente, o açúcar, o eito, o cassaco, o feitor, o cabo, o senhor, a soca, a ressoca, a planta, a replanta, o ancinho, o arado, o boi, o cavalo, o carro, o carreiro, a charrua, o sulco, o enxerto, o buraco, o inverno, o verão, a enchente, a seca, o estrume, o bagaço, o fogo, a capinação, a foice, o corte, o machado, o facão, a moagem, a moenda, a conta, o barracão, a cerca, o açude, a enxada, o rifle, a ajuda, o cambão, o cabra, o padrinho, o mandado, o mandão.

⊕ Totônia deitada, pálpebras descidas, as mãos sobre o lençol. A cabeça do Touro, com suas aspas recurvas, ocupa quase todo o quadrado da janela. Conduzindo uma bacia de estanho, inclino-me para a doente. Ao pé da cama (as três formando uma espécie de cruz florenciada) Lucina de joelhos, vestida de branco, Suzana às suas costas, de azul, com os punhos levantados e, no reverso do grupo, também ajoelhada, Filomena, de quem só os braços abertos, com as fofas mangas vermelhas, são visíveis. À esquerda, Joana Carolina, prostrada, toca o soalho com a fronte e as palmas das mãos. Pela porta aberta, Laura espreita-nos. Através das paredes, brilhando sobre o campo, o dia claro de maio e ondulações de terra, sobrelevadas por grandes pássaros brancos, as amáveis cabeças guarnecidas com um chifre, a claridade pesando em suas asas. Há o cavaleiro numa trilha, o menino sozinho e o carro com toldo, puxado por quatro bois, vermelha a junta do coice, roxa a da guia. O carreiro, no extremo da vara, leva uma bandeira negra. O cavaleiro é Nô e Álvaro, a chamado de Joana; o menino, Teófanes, sozinho, levando carta para o farmacêutico; no carro vamos nós, com a morta. Sua proposta, que contrariei, era aguardar aparecesse um vaqueiro, ou pelo menos um jovem, para escoltar nós duas. No meio do cercado, eu e ela sem árvores por perto, o Touro, inesperado, pulou do chão com seus chifres. Deitamo-nos, caras no solo estercado, protegendo as nucas, o Touro jogou longe sua bolsa, ficou tentando aspeá-la nas costelas, queria levantar-me, gritar, espavori-lo, não tinha voz, nem ânimo, nem pernas, apareceu o homem no cavalo, com chapéu e suíças, afugentou o boi, desceu, falou, sorriu e nos levou as duas pelo braço. Até o outro lado da cerca. Pensar que quase lhe beijei as unhas, sem saber que ele trazia dentro do gibão as bestas da maldade, com seus cascos ferrados, seus chifres pontudos! Nos quatro dias em que Totônia esteve à morte, a casa de Joana encheu-se. Só ele, a bem dizer, não apareceu. Ele e o pai, que não tinha juízo, passava os dias no alpendre, de camisão, balançando-se na rede e areando tachos. O filho, se fosse outro, teria vindo, era o dono do Touro. Totônia, é certo, chegou como se nada houvesse, comeu os bolos de Joana, puxou a ladainha e o terço. Depois é que pegou a amolecer, ficar com um lado esquecido, embora não tivesse ferimentos. Mas estava na vista, ela se finava pelo que sofrera no cercado. Depois que lavei a defunta e pus-lhe o vestidinho melhor (estava cerzido na barra), Joana me chamou, deu-me as instruções. Totônia abominava a ideia de entregar a chão estranho os despojos, era preciso levar seu cadáver para casa e enterrá-la em meio a inscrições com nomes conhecidos, que ela em vida poderia ter escutado com desgosto, ou ódio, mas faziam parte de seu mundo. Joana pedia um carro de bois emprestado, ou alugado. O homem perguntou se eu era da família. "Pela cor da pele, o senhor vê que não." "Então vem a título de quê?" "De pessoa amiga. Na mesma bacia com que lavei a finada, dei o primeiro banho em todos os seus filhos." "Isso não é título. Diga à professora que venha ela mesma." Berrou, vendo-me ao lado de Joana, que eu ficasse de fora, não admitia negros na capela. Foi na capela, pegada à Casa-Grande, que se fechou, batendo a porta com ostentação. Nem parecia o mesmo que nos salvara do Touro, devia estar num mau dia, foi o que pensei. Havia um silêncio! A rede no alpendre, o ranger dos ganchos, compassado, o arear vagaroso do pai, nos tachos de cobre. Eu afiava as ouças para o que se passava na capela. Não alcançava o senso de todo aquele aparato. Era preciso tanto para o que se pedia? Então, a calma se rompeu, eu escutei. As palavras do homem, o preço sem medida. Como podia ter coragem de fazer tão brutal exigência na frente dos santos? De Joana, aguardei os protestos, os gritos de cólera. Escutava apenas sua voz, que nem era chorosa, voz sem altos, palavra atrás de palavra, todas iguais. Depois o tom do homem foi baixando e o de Joana seguiu, inalterado. Veio uma pancada, pontapé no soalho ou murro numa porta, e toda voz cessou. Até que a do homem novamente se ergueu, retumbante e ao mesmo tempo lamuriosa, gritando a condição. "É dizer não ou sim. E agora!" Joana ia responder. Eu talvez devesse ter ficado, entrado na ciência de tudo, arcado com o momento, No meio do cercado, o Touro à nossa frente, fiquei suspensa, sem chão nos pés, e desvendando em mim uma fraqueza cada vez maior, um desespero comendo-me. Senti o mesmo: dentro do silêncio, um qualquer monstro voltava para mim suas aspas de sombra. Não tive coragem de aguardar a resposta, corri para o alpendre, para junto do velho e de sua doidice, onde por um instante me senti segura. Joana apareceu, não lhe perguntei se o carro ia. O trajeto de volta sem trocar palavra, juntas só em corpo, as almas remotas; a casa cheia de povo e as irmãs em pranto, porém de bolsas fechadas; Joana sentada, olhos enxutos, fixos no chão, mãos entre os joelhos, eu à sua frente, duas horas, três, até um rumor penetrante, gemedor, vir, aproximar-se. Vi o toldo, a vara do carreiro, com o pano preto em cima. Joana disse: "Vamos levar nossa mãe. Ela vai descansar onde queria." "Por sua mãe, você fez o que pôde e o que não pôde. Deus lhe abençoe." Desaconselhei, quando mandou buscar remédios na cidade: "Não perca o dinheiro, esse mal é sem cura." "Como você sabe?" "É feito conhecer mulher da vida, ou homem que foi padre: um por baixo, que a gente mais ouve do que vê." "Também acho que ela não escapa. Mas é uma lei minha, agir sempre como se o impossível não fosse." No quarto, a bacia nos braços, curvando-me sobre Totônia para um escalda-pés, praguejo contra o bruto animal que a destruiu e acho que, no mundo, como todos nós, ela viveu feito alguém no centro de boiadas em tropel, cercada por chifres, rasgada por chifres. No carro, levando-a morta e escutando o ranger das rodas de madeira nos eixos, penso diferente, tenho a impressão de ir, com ela, a caminho de Deus, numa carruagem puxada por bois com grandes asas, metade anjos, metade bois, bois-anjos, e que no mundo, vida e gente, e talvez até Deus são bois-anjos, e que, de tudo, temos de comer, com os mesmos dentes fracos, a parte de chifre, a parte de asa.

NONO MISTÉRIO

P A L A V   Duas vezes foi criado o mundo: quando passou do nada
R A C A P   para o existente; e quando, alçado a um plano mais sutil,
I T U L A   fez-se palavra. O caos, portanto, não cessou com o apare-
R P A L I   cimento do universo; mas quando a consciência do ho-
M P S E S   mem, nomeando o criado, recriando-o portanto, separou,

```
T O C A L
I G R A F
I A H I E
R Ó G L I
F O P L U
M A C Ó D
I C E L I
V R O P E
R G A M I
N H O A L
F A B E T
O P A P E
L P E D R
A E S T I
L E T E I
L U M I N
U R A E S
C R I T A
```

ordenou, uniu. A palavra, porém, não é o símbolo ou réflexo do que significa, função servil, e sim o seu espírito, o sopro na argila. Uma coisa não existe realmente enquanto não nomeada; então, investe-se da palavra que a ilumina e, logrando identidade, adquire igualmente estabilidade. Porque nenhum gêmeo é igual a outro; só o nome *gêmeo* é realmente idêntico ao nome *gêmeo*. Assim, gêmea inumerável de si mesma, a palavra é o que permanece, é o centro, é a invariante, não se contagiando da flutuação que a circunda e salvando o expresso das transformações que acabariam por negá-lo. Evocadora a ponto de um lugar, um reino, jamais desaparecer de todo, enquanto subsistir o nome que os designou (Byblos, Carthago, Suméria), a palavra, sendo o espírito do que – ainda que só imaginariamente – existe, permanece ainda, por incorruptível, como o esplendor do que foi, podendo, mesmo transmigrada, mesmo esquecida, ser reintegrada em sua original clareza. Distingue, fixa, ordena e recria: ei-la.

⌂ Nós dois de braços dados, as caras entrançadas, parecemos olhar, ao mesmo tempo, um para o outro e os dois para a frente. Às nossas costas, de flanco, os pescoços cruzados, uma cauda para a esquerda e outra para a direita, brancas, largas, arrastando no chão feito vestidos de noiva, nossos dois cavalos. Brilhando sobre nós, duas estrelas, grandes e rubras. △ Uma sobre a cabeça de Miguel: parece uma rosa. ○ Outra sobre a cabeça de Cristina: parece uma romã. ⌂ Somos os amantes, os fugitivos, os perseguidos, os encontrados, os salvos. Não sabíamos para que rumo seguir, que fim seria o nosso. Queríamos partir ao deus-dará, ser felizes nem que fosse um dia, dormir em algum lugar, não pensar na hora que estava para vir, embora sabendo haver alguém nos perseguindo, ○ homens do pai de Cristina, quantos não sabíamos, seguindo nosso rastro, decerto com fuzis. △ Não era provável que meu pai desse ordem a seus cabras para me matar; mas Miguel não seria perdoado. Fugir comigo, filha de Antônio Dias! ○ Pois é fugir com ela, filha única do grande Antônio Dias, dono de três engenhos e que, tendo enviuvado, não casara outra vez para que toda a herança pertencesse a ela, sem divisão nem partilha! △ Não foi por isso, mas por sabedoria, mamãe era mulher de calibre; difícil encontrar, numa segunda esposa, suas qualidades. ○ Isso é você que diz, não o povo: Antônio Dias, com a terra daqueles três engenhos, quis enterrar sua vida, casar você com quem ele entendesse. △ Pois seja. ◎ Porque se chamava Antônio, no dia 12 de junho reunia amigos e parentes, matava porcos, novilhos e perus, acendia fogueiras da altura de um cavalo, punha dezenas de homens de bacamarte na mão, disparando tiros para o ar, △ mandava fazer tachos de canjica, pamonhas, milho cozinhado, pé de moleque, sequilhos, suspiros, bolos de goma, soltava girândolas de cento e vinte foguetes, ◎ fazia vir tonéis de vinho verde, trazia cantadores, soltava balões com os nomes do Santo e dos três engenhos banguês, contratava os melhores sanfoneiros, o baile começava antes das sete, entrava pela noite, furava a madrugada, acabava dia claro. No fim de tudo, arreava do mastro a bandeira do seu padroeiro, acendia a última girândola e dormia vinte e quatro horas. △ Nesse entretempo, foi que nós fugimos. Disse a uma das negras que ia dar um passeio e, com a roupa da festa, montei no meu cavalo, fui ter com Miguel. ○ Esperei sem acreditar que ela fosse; e até pode ser que desejasse isto, que alguma dificuldade a impedisse de vir. Tinha meu sítio, minhas pequenas coisas; e embora tudo que eu desejasse no mundo fosse me unir, desse no que desse, a Ana Cristina, eu tinha medo, como todo homem, da grandeza, assustava-me com aquele espaço que de repente se abria para mim e que podia tragar-me em sua luz. △ Senti esse pavor no rosto de Miguel, perguntei se queria desistir. Respondeu: "Mesmo se quisesse, agora já não podia. Sua beleza me arrasta." Não sei se minha beleza era capaz de arrastar alguém assim, porém aceitei suas palavras e senti em mim, em meu rosto, um resplendor, eu trazia em mim alguma coisa que movia um homem a desligar-se de sua segurança e lançar-se à aventura, erguer-se por cima de todas as horas mortas de sua vida e queimar, num minuto, a vã riqueza até então amealhada. Esporeei meu cavalo, segui à sua frente, ele gritou meu nome: "Você sabe o que faz?" "Não faça mais perguntas. De agora por diante, quero que tudo seja resposta." ⊘ Tocamos para adiante, um no encalço do outro. Voamos pelos campos, ganhando distância, confiados naquele sono do velho, mas sabendo que de um momento a outro poderiam acordá-lo, e que ele viria sem dificuldade atrás de nós com seus cabras, guiado pelos informes de todos que nos viam disparados, com o ar de fugidos da justiça. Não tardou muito que fossem à Casa-Grande, zelosos, situá-lo a par do sucedido. Não conseguiram fazer com que abrisse o olho antes das seis, quando, sendo o meio do ano e estando nublado, já era grande a sombra. Pensou que estava sonhando, era um pesadelo? Meteu a cara dentro d'água fria, pediu que lhe contassem a história de novo. "Toquem fogo no sítio e me selem seis cavalos." Deu o nome dos cabras que iriam com ele em nosso rastro, homens de ver uma pegada no vento, de seguir um bicho pela inhaca, virgens de perder a trilha de uma rês, por mais leve que fosse, e aos quais nem os ladrões de cavalos iludiam. Como poderíamos fugir-lhes? Já estava montado, quando resolveu: "Não vou. Não fica bem a um pai ir assim pelo mundo atrás de filha. Ela é que tem de vir." "E o homem?" "Com esse, vocês sabem o que fazem." Nessa hora, de Igaraçu a Afogados da Ingazeira, e de Coruripe a Flores, numa curva de rede que ia até Santana do Ipanema, caiu um temporal de fim de mundo, apagou os vestígios de nossa cavalgada. Íamos chegando a uma cidade morta, com árvores crescendo já no meio das ruas, ramos entrando nas portas e janelas. Era lugar ventoso e quase todos os tetos haviam desabado, dera caruncho nas vigas, as cumeeiras restantes cediam ao peso dos telhados. Havia sapos, lacraus e talvez cobras escondidas dentro das casas que apodreciam e que já começavam a tomar uma cor de terra e de folhagem. Gritamos e quando concluímos que éramos nós dois os únicos viventes em meio a tudo aquilo, seguindo (entre janelas tortas, paredes em ruínas e portas arrombadas) sobre os cavalos exaustos, subiu dos íntimos uma alegria maior que o sítio e os três engenhos juntos, maior que Pernambuco e Alagoas, maior do que a Bahia, e nós nos beijamos em cima das selas, tão abrasados de amor, que nossos corpos, como os dos cavalos, fumaçavam à chuva. Desapeamos, seguimos abraçados, puxando as montarias pelas rédeas, sem saber o que fazer de nós mesmos e de nossa ventura. Demos numa praça, onde havia a igreja. O portal cedeu, entramos com os cavalos, suas ferraduras tiniram no mosaico. Gritamos ainda, ninguém respondeu. Tiramos as roupas e logo nos conhecemos, sobre uma arca de pinho, enquanto os cavalos, famintos, parados ante a porta aberta, olhavam a noite cair. Se os havíamos trazido para dentro, não foi por desrespeito, por sacrilégio. Temíamos que os nossos seguidores, por eles, nos descobrissem. Mas não fizemos um gesto, nenhuma palavra dissemos para retê-los, quando – passada a chuva – saíram atrás de capim. Bem os vimos sair. Íamos, então, interromper os afagos, sair atrás deles e assim desdizer aquela pesada certeza, em nós nascida, de que nada no mundo poderia romper nosso aprazível abraço? E embora com fome, pois havíamos, na longa travessia, consumido nossos poucos víveres, ficamos no baú, entre dormindo e amando, os corpos machucados da viagem, doendo se nos virávamos, se nos separávamos. Quando, noite fechada, ouvimos as ferraduras na calçada da igreja, julgamos ser os rastejadores e acreditamos vinda nossa hora. A lua entrava pela porta aberta, alguns buracos e várias claraboias. Abrimos a arca para aí nos escondermos; estava cheia de ossos humanos. Nisto, apareceram os cavalos, eram os nossos, decidimos prosseguir viagem. Ainda beijando-nos, vestimos as roupas molhadas. Antes de partir, ajoelhamo-nos, mãos dadas, frente ao altar dos Santos Cosme e Damião, △ ergui o rosto, exclamei; "Tomo este homem por meu marido, perante vós e Deus, não para um pedaço do sempre, mas para todo o sempre. Ele se chama Miguel." ○ Também levantei minha voz no silêncio, tomando as montarias por nossas testemunhas e tremendo da cabeça aos pés, pois tinha a impressão de que centenas de almas velhas assistiam ao casamento; "Tomo esta mulher que se chama Ana Cristina, sem nenhuma de suas posses terrenas, para minha esposa, por todos os sempres da vida." ⬠ Cada um fez o gesto de pôr, no dedo do outro, um anel. Saímos pelas estradas, à doida, na mão esquerda nossas alianças, visíveis e reais como o amor que nos guiava, ou nos desnorteava. Atravessamos rios, caímos em covos, trocamos de cavalos com um bando de ciganos, compramos roupas novas numa feira, por três vezes reconhecemos lugares onde antes houvéramos passado, dormimos na sela, no mato, embaixo de uma ponte, choramos abraçados. Nenhum de nós sabia para onde se tocava. Nosso destino, àquela hora, não era um rumo, um lugar, uma cidade, uma casa, nosso destino era ir. Pelo menos, assim pensávamos, até chegar, mais mortos do que vivos, ao Engenho Queimadas e bater à casa de Dona Joana Carolina, àquele tempo entrando em seu inverno. Mal nos viu, devassou-nos, de modo que não precisamos contar-lhe nossa história. Austera, nos sorriu de dentro de seus olhos, nos acolheu, tomou as providências da hospitalidade. Quando nos fez perguntas, foi como se soubesse quase tudo: para quando esperávamos os seguidores, se viriam em bons termos ou de armas na mão. "Ignoramos." "A senhora do Engenho, aqui, tem o vezo de querer que todo mundo lhe visite, à noite, a pretexto de trocar conversas. A finalidade é debulhar seu milho e seu feijão. Tirante isto, é boa pessoa. Mas não contem com ela, nunca se mete em assuntos alheios." "E a senhora?" Perguntamos porque víamos, em sua pessoa, a marca da ajuda, ela era para nós alguém que nos aguardava, com as nossas efígies à mão, gravadas por quem nos conhecesse, para não haver engano. A resposta foi a que sonhávamos: "Vou fazer o que posso: também amei." Dormimos separados, em quartos contíguos, sorvendo inclusive com a boca um reconfortante odor de panos tersos. As fronhas tinham cheiro de laranjas. Despertamos rodeados de meninos, ansiosos por ver os fugitivos, os noivos, os arribados. O dia foi de nuvens, com chuvas finas. Pouco falávamos. Entregando-nos, sem resistência, ao sábio e vivido olhar de Joana, sem que essa entrada em nosso íntimo, em nossos muros, nos parecesse uma invasão, antes sendo como a disciplinada vinda de homens bem armados, amigos e sérios, para guarnecê-los. Ficávamos, com o passar das horas, mais cientes de nós, mais fortes. Às dez da noite, fechou-se em torno da casa o esperado tropel. Ficamos no próprio quarto de Joana, trancados com a menina e o rapaz, por sobre cujas cabeças nos fitávamos, acusando-nos intimamente de envolver aquela pobre família em nossa insensatez e ao mesmo tempo acreditando que, cegamente, fôramos guiados para a única pessoa no mundo com o merecimento de nos salvar. Joana fez o chefe desmontar, entrar, ponderou enérgica: "Essas duas crianças faz quase uma semana que andam pela terra, sustentados tão só pelo amor deles. Isso vale muito. Venho trabalhando há anos, sem ninguém por mim, para que meus filhos vinguem. Posso ver então essa moça obrigada a fugir, não levando, de tudo que possui, bens que caibam nem na concha da mão, atrás de um fervor, só porque o pai não quer ouvi-la? Isso é pai? Bem sei que o dinheiro tem valor. Porém maior é a misericórdia. De que serve a um homem ter gado e plantações, se não é capaz de tirar, do próprio coração, alguma grandeza?" Mais de duas horas esteve argumentando, até lograr, do chefe, a promessa de nos proteger e de só entregar-nos se fosse permitido nosso casamento. Na mesma hora, partimos. Os que haviam sido nossos perseguidores, eram agora amigos, nossos guardiões, e repetiam entre si, com um espanto que a madrugada engrandecia, as palavras de Joana. △ O brilho existente em certas obras humanas é duradouro, permanecendo como um halo, ainda quando já ninguém no mundo é capaz de reconstituí-las. O que Joana dissera, embora mal repetido, calou em meu pai. Ele encontrara, enfim, alguém que lhe falava do alto e com justiça, como sempre fizera minha mãe. Na mesma hora marcou o casamento e, três dias mais tarde, fez uma carta pedindo a mão de Joana. Enviou-a por quatro portadores, queria dar realce à intenção. A breve resposta: "Nem dispondo de uma vida inteira, poderia fazer o senhor ou alguém alcançar até que ponto me clareia os dias, por mais escuros que sejam, o tempo já distante do meu casamento. ◎ Na verdade, havendo-me consagrado a meu esposo pela vida inteira, a ele permaneço fiel. Assim, muito me honra a sua proposta, amável e generosa. Ela significa, se eu a aceitasse, amparo e estabilidade pelo resto dos meus dias. Mas, então, o que seria de minha alma?"

DÉCIMO MISTÉRIO

As calotas polares, as áreas temperadas e o aro equatorial, exalando ainda o bafo das bigornas. Continentes e ilhas, acerados picos, planícies, cordilheiras, vales, dunas, falésias, promontórios. O que repousa, invisível, sob nossos passos; colunas, deuses esquecidos, pórticos, tíbias ancestrais, minérios, fósseis, impérios em silêncio. Terremotos, vulcões. O lodo, a relva, as flores, os arbustos, as árvores segrais, madeiras e frutos, a sombra das ramagens. Os bichos do chão. O rolar das estações, dentro de uma estação mais ampla, civilizações inteiras florescendo e morrendo em um só outono gigantesco, em um só inverno de milênios.

(Joana, serrote na mão, corta as pernas do banco onde o menino dorme, tendo sobre o peito um barco de papel azul. Sentado, agradece, com o rosto na sombra, oferecendo o barco a Joana.)1. "Como se chamava esse menino?" 2. "Parece que Maximino. Ou Raimundo. Mas há quem fale em Glaura ou Glória, quem há de saber?" 3. "Para ter tantos nomes, devia roubar cavalos." ⊕ "Era uma criança e não andava, tinha um defeito nas pernas." 3. "Quando o sujeito nasce aleijado, é Deus que põe um embaraço na maldade. Nunca vi um cego que prestasse." 4. "Você diz essas coisas, porém não é mau. O quê transborda na boca, sobrou no coração." (Andava, se ajudado. Passava os dias numa cadeira, à janela, olhando quem passava. Fazia embarcações de papel e seu nome era Jonas. Tinha quatorze anos, com aspecto de onze.)1. "Joana ia sempre lá?" ⊕ "Vez por outra. Não ia sempre a lugar nenhum. Nesse dia, foi só para serrar o banco." 3. "Esse aleijado não podia ter nada de mais, para merecer que alguém tivesse uma visão e fosse lá salvá-lo. Não era um santo, nem pai de família. Um inútil." 4."Talvez não fosse ele que Deus fez Joana salvar, e sim o criminoso, impedindo-o de assassinar um inocente." 2. "O malfeitor vinha matar alguém, mandado por quem não se sabe. Tinha não sei quantas mortes," ⊕ "É capaz de ter sido mesmo a ele que Nosso Senhor quis salvar." (Foi no mês de Sant'Ana e chovia bastante naquela tarde. Assim, parece realmente estranho que Joana Carolina, embora não morasse longe, tenha ido à casa de Floripes. Ia visitá-la com frequência, desde que soubera de suas desventuras: o engenho da mãe vendido em hasta pública, o casamento infeliz, após quatorze anos de noivado, o filho defeituoso. Não, entretanto, com mau tempo: neste caso, desde que novamente morava na cidade, graças a Nô e Álvaro, comprazia-se em ficar sentada no sofá, ouvindo a chuva.

Ciente do que sucedera a Jonas, ficou alegre e não deu sinal de crer em iluminação, em aviso: "Cortei as pernas do banco porque tive medo. Jonas, caindo, podia ferir-se. O banco é estreito demais para servir de cama a um doente.") 2. "A madrasta, ou tia, a mulher que vivia com a criança, foi morar com um primo ou num asilo. Ou um sobrinho é que veio morar com ela." ⊕ "É inventada essa história de tia e de madrasta. O menino vivia com a mãe dele." 3. "Imaginem só que mãe! Botar o filho pra dormir num banco." 4. "Talvez ela dormisse no chão." ⊕ "Dormia numa esteira." 1. "Quem era?" 2. "Vinha de não sei que família e, não se sabe como, viu-se na miséria." 3. "Boa coisa não fez, pra terminar assim. Devia andar na gandaia, quando era moça. Vão ver que o menino era filho do irmão de Joana, o que levou sumiço. Certamente foi preso." 2. "Ouvi dizer que João tinha casado não sei onde, com uma viúva não sei de quem, chamada não me lembro como. Um nome estrangeiro. E que essa viúva tinha não sei quantos contos de herança. Não estou bem certa se o João era outro ou esse mesmo." 3. "Alguma polaca." ⊕ "Nem se casou, nem era dele o menino. A mulher chamava-se Floripes e era filha da antiga senhora do Engenho Queimadas. Nesse tempo, já estava com a voz e as costas de velha. Mas o rosto era bem moço ainda, e bonito." 4. "A velhice é feito um caranguejo, não envelhecemos por igual. Ela vai estendendo, dentro de nós, suas patas. Às vezes, começa pela espinha, outras pelas pernas, outras pela cabeça. Em mim, começou pelos sonhos: dei para sonhar, quase todas as noites, com as pessoas de antanho." (Em Joana, esse caranguejo estendeu de uma vez as suas patas. Atacou-lhe os rins e o rosto, as articulações, os dentes e a memória, a digestão, a audição, o sono, arrancou-lhe quase todas as poucas amizades, levou Nô e Álvaro, mortos antes da mãe, arrebatou Suzana, Filomena, Lucina, atingiu-a de quase todos os modos possíveis. Mas Laura e Teófanes, casados, moravam perto e amparavam-na. Não lhe faltavam o pão, a carne, o leite, um par de sapatos no fim do ano, tinha seus pertences, não precisava mais de trabalhar. Ao contrário dos que se fixam no mal que lhes sucede, permanecendo insensíveis a toda espécie de bem, Joana, com o que lhe restara, contentava-se. Admitia haver bastante sofrido, acrescentando, com resignação, que a muita vida corresponde sempre muita pena e ser um desrespeito chorar, sobre o que temos de bom, o que perdemos.) 3. "Há pessoas que morrem com ilusão de grandeza. Essa tal Floripes, só porque a mãe tinha sido o que foi, me disseram vivia de testa levantada para os que moravam com ela no cortiço." ⊕ "Era um casarão, não um cortiço. No quarto onde dormia com o menino, tinha uma porta fechada com pregos, dando para uma espécie de salão, onde se hospedava toda sorte de gente. Encostado a essa porta, é que dormia o menino. Sabem: criança mexe-se muito."3. "Só quando tem vermes." ⊕ "O menino batia a noite inteira na porta, com os cotovelos." 1. "E é certo que, quando a mãe morreu, essa Floripes, descobriu-se que ela conservava, guardados num caixote, diademas de ouro, broches de platina, voltas, brincos, pulseiras, caçoletas, coisas de valor?" 2. "Há quem diga que sim." (Guardara, a princípio, essas coisas consigo, por insegurança. Queria estar certa de, num caso de necessidade extrema, ter para onde apelar. Mas, ao mesmo tempo que falava sem cessar nos seus anos de fartura, achava que poderia suportar mais um pouco as muitas privações, até o dia em que, resolvendo vender uma das peças, não se animou a fazê-lo, temendo que imaginassem a existência das outras. Joana suspeitava de que havia essas joias. E todas as suas conversas com Floripes giravam em torno da ideia de que, se não utilizamos nossas riquezas presentes, elas se tornam ainda mais distantes que todos os bens e vantagens do passado.) 3. "Pobre menino. Vivia feito um réu, dormindo num banco, vão ver que sem travesseiro, por obra e graça da mãe. Essa criatura devia ter vendido esses ouros e tratado do filho. Avareza é uma peste." 4. "Cada qual sabe de si e Deus sabe de todos. Ninguém está sozinho. Veja o caso do banco. Foi mais importante, para o menino, do que ter saúde." 1. "Mas terá sido verdade? Como foi que Joana pôde saber? Como adivinhou?" (Quando chovia, Jonas sofria, com as juntas doendo. Por isto é que Joana Carolina foi lá naquela tarde de inverno, levando o serrote consigo. Queria, de uma vez por todas, esclarecer o assunto do caixote que Floripes não abria, serrá-lo se preciso. Na hora, porém, faltou-lhe ânimo de enfrentar a conversa, e foi por isto que reduziu as pernas do banco.) 3. "Só porque o menino batia na porta, um cristão meter bala. Que coisa! Atirar sem saber quem está do outro lado." 4. "O crime não era menor, se soubesse." (Foram quatro tiros, distando mais ou menos um palmo entre si, exatamente na altura em que estaria o menino, se não fosse a interferência de Joana.) 1."E esse desalmado, que fim levou?" 2. "Naquela altura, tinha não sei quantas mortes. Depois que soube do caso, do milagre, guardou as armas. Foi ser não sei o que, não me recordo onde."

DÉCIMO PRIMEIRO MISTÉRIO

O que é, o que é? Leão de invisíveis dentes, de dente é feito e morde pela juba, pela cauda, pelo corpo inteiro. Não faz sombra no chão; e as sombras fogem se ele está presente, embora sejam, de tudo que existe, a só coisa que poupam sua ira e sua fome. A pele, mais quente que a dos ursos e camelos, e mesmo que a dos outros leões, aquece-nos de longe. Ao contrário dos outros animais, pode nascer sem pai, sem mãe: é filho, às vezes, de dois pedernais. Ainda que devore tudo, nada recusando a seus molares, caninos e incisivos, simboliza a vida. Domesticável se aprisionado, é irresistível quando solto e em bandos. Nada o enfurece mais que o vento.

† Na velha cama de ferro, a chama de seus anos prestes a extinguir-se, à mão direita um punhado de penas e à esquerda um galho seco de árvore, confessa-me seus pecados. Dois anjos velam, um sério, outro sorrindo. Sobre o telhado, galopam cavalos. Os ventos de agosto. Cavalos galopavam sobre as telhas. Ao meu lado, o óleo, o crucifixo, um limão aberto, um prato com seis flocos de algodão em rama. Vendo-me, segurou-me o braço. "Estou lembrando quando o senhor veio aqui pela última vez. Foi quase na hora da ceia. Estava pondo água no fogo, ia fazer café." Cultivo o hábito de esquecer. A um padre compete proteger-se da impregnação das coisas. E que outro bem humano existe mais insidioso que as lembranças, com seu dúplice caráter, trazendo-nos, ao mesmo tempo, a alegria da posse e defraudação da perda, sendo esta um reflexo daquela? Vede a advertência de São João da Cruz, para quem a memória será posta em

Deus na medida em que a alma desembaraçá-la de coisas que, importantes embora, não são Deus. Como, porém, nesse sentido, chegar à perfeição? Às palavras de Joana, aquela tarde me subiu à garganta, espécie de golfada salitrosa, vômito salgado. A tarde de que me falava era uma paz vivida, inalcançável em qualquer de seus aspectos essenciais. Vi o passado como num espelho, Joana movendo-se além da lâmina de vidro, com seu fogo e sua melodia, mas não aquém: atrás de mim, ausência. Jamais haveria uma tarde semelhante, o Anjo da Morte estendia a mão a Joana. "Padre: tentei, minha vida inteira, viver na justiça. Terei conseguido?" "Sem dúvida." "Quem muito fala, muito erra. A gente pode se impedir de falar; mas não de viver. Vivi oitenta e seis anos. Devo ter cometido tantas faltas!" "Isso faz parte da nossa condição." "Sei." No prolongado silêncio, durante o qual sua mão continuava tensa no meu braço, repassava seus atos, todos de que se lembrava. Queria descobrir dentre os que esboçara ou houvera consumado em sua longa vida, uma nódoa, um engano essencial, para confessar-me e assim não parecer soberba. "Padre, muitas vezes desejei matar." Dava a impressão de engrandecer-se, como se dependesse disto, dessa mentira expressa com esforço e timidez, sua absolvição. "Também devo ter feito injustiças. Devo ter feito. Já não me lembro quase de nada. Nem do mal que fiz, nem do que sofri. Tudo agora é quase de uma cor. Não é assim que fica o mundo, no..." Soltou-me o braço, fez um gesto com a mão, um gesto de apagar, que significava sem dúvida: "... no entardecer?" "Tenho medo, padre." Sua voz, perdidas as últimas inflexões, era um velho instrumento corroído, clarineta com líquens e teias de aranha. Custava-lhe unir as poucas palavras, tal como se as escrevesse. Afastou de mim os olhos, imobilizou-se, fitando as telhas, distante. Os cabelos brancos, muitos, espalhavam-se de um lado e outro de seu rosto sobre o travesseiro. Pensei que Joana Carolina ia afinal adormecer em Deus e rezei alto, com mais fervor. Então, através das rugas, dentre a cabeleira desfeita, eu a vi em sua juventude. Terá nossa alma o ensejo de escolher, dentre os inumeráveis aspectos que perdemos, o menos contrário à sua natureza, ou o que testemunhou nossos dias mais ricos, aqueles em que mais próximos estivemos da harmonia sempre desejada entre nosso poder e nossas obras? Terá sido esse rosto privilegiado, ressurgido de alguma distante plenitude, que contemplei com religiosidade e um grave terror? Continuavam intactas suas feições de velha, com os olhos amortecidos, as incontáveis carquilhas. Mas dentro desse rosto, que adquiriu de súbito uma transparência inexplicável, como se na verdade não existisse, fosse uma crosta de engano sobre a realidade não franqueada à contemplação ordinária, brilhava a face de Joana aos vinte e poucos anos, com uma flama, um arrebatamento e uma nobreza que pareciam desafiar a vida e suas garras – e eu pude ver aquela beleza secreta, já esquecida por todos os que outrora a haviam contemplado, e que sobrenadou então nas vésperas da morte, por uma graça, ante meus olhos dos quais por um segundo tombaram as escamas com que cruzamos a terra. No dia anterior, ela dividira entre os descendentes mais próximos o que julgava ser, em sua escala modesta, os bens, a herança: um cobertor com desenhos brancos e castanhos, cinco talheres de cabo trabalhado, duas toalhas de banho ainda não usadas, uma estatueta de gesso. Tendo vivido sempre na penúria, estes eram seus luxos. Não lhe ocorrera doar a cômoda a ninguém, o guarda-louça, as mesas, as cadeiras, móveis com que sempre vivera e que, incorporados à sua existência diária, não lhe pareciam constituir um valor, pelo menos um valor destacável de si mesma, e sim pertences de seu próprio ser, a ele nivelados e do mesmo modo insignificantes; enquanto que os talheres de aparência incomum ou o cobertor com ramagens e leões, como não imaginara existir nos invernos em que seus filhos traziam os carneiros para a cama, deviam figurar-lhe suntuosos, desejados por todos na medida em que, dentro da sua pobreza, ela própria houvera, de esplendores tão sóbrios, carecido. Vendo-a (ou deveria dizer *vendo--as*, de tal modo eu tinha ante meus olhos dois seres diferentes, ambos reais e unificados só em meu espanto?), vendo-a embebida no clarão interior da imagem sobrevinda, mistério do espírito ou da carne, de um passado que ninguém ousaria imaginar tangível, pensei que ela guardara para mim, sem o saber, outra espécie de herança, o privilégio de ser a testemunha, em seu leito mortuário, daquela ressurreição fugaz, mais perturbadora que a dos mortos, volta de uma face à face em que se transformou, de uma juventude tragada pelo tempo e mesmo assim trespassando-o, livre, por um segundo, de suas entranhas soturnas. Quando a ungi com o santo óleo, já essa face pretérita esvaíra-se, subsistindo apenas seus resíduos, seu pó. Foi sobre os olhos, a boca, os ouvidos, o nariz arqueado de anciã, que invoquei a misericórdia de Deus. Mesmo assim, ao deixar aquela casa, não senti na alma o peso da velhice e da morte, que tantas vezes, até então – e mesmo depois – afetara meus silêncios de padre. Resplandecia, no âmago desses fenômenos, uma frase, uma palavra, um semblante, alguma coisa de completo e ao mesmo tempo de velado, como deve ser para um artista a forma anunciada, pressentida, ainda irrevelada, ainda inconquistada. Dentro de mim, enquanto me afastava de cabeça alta, Joana era uma chama. *Populus, qui ambulabat in tenebris, vidit lucem magnam.*

MISTÉRIO FINAL

∞ O casario, as cruzes, aves e árvores, vacas e cavalos, a estrada, os cata-ventos, nós levando Joana para o cemitério. Nós, Montes-Arcos, Agostinhos, Ambrósios, Lucas, Atanásios, Ciprianos, Mesateus, Jerônimos, Joões Crisóstomos, Joões Orestes, nós. Chapéus na mão, rostos duros, mãos ásperas, roupas de brim, alpercatas de couro, nós, hortelões, feireiros, marchantes, carpinteiros, intermediários do negócio de gado, seleiros, vendedores de frutas e de pássaros, homens de meio de vida incerto e sem futuro, vamos conduzindo Joana para o cemitério, nós, os ninguéns da cidade, que sempre a ignoraram os outros, gente do dinheiro e do poder. Joana, com seu melhor vestido (madressilvas brancas e folhagem sobre fundo cinza), os sapatos antigos mas ainda novos (andaram tão pouco), as meias frouxas nas pernas, o rosário com que rezou a vida inteira pelos que amou e pelos que a perseguiam. Ruas e telhados, muros, cruzes, árvores, cercas de avelós, barro vermelho. O mundo que foi seu e para o qual voltamos, de onde dentre nós alguns jamais saíram, terra onde comemos, fornicamos, praguejamos, suamos, somos destruídos, pensando em ir embora e sempre não indo, quem sabe lá por quê. Mulheres à janela, velhos nas calçadas, moças de braços dados, rapazes nas esquinas, crianças na praça (Áureos e Marias, Beneditos e Neusas, Chicos e Ofélias, Dalvas e Pedros, Elzas e Quintinos) veem o enterro passar entre as casas de frontões azuis, verdes, vermelhos e amarelos. A manhã é a dos começos de setembro, fim de inverno, as árvores no auge do enfolhamento, e o céu dividido em duas estações, nuvens brancas de um lado, nimbos do outro, um rio azul e manso entre essas margens. Para terminar seus dias onde quase tudo, como para nós, foi parco, tornou-se muito difícil a Joana Carolina beber fosse o que fosse. Sonhava com fontes e bicas, e toda sua ambição nestes últimos dias reduziu-se a poder tomar um jarro d'água, sorvendo cada gole. Conformava-se em molhar os beiços e as gengivas com pedaços de algodão embebidos em leite. Agora, posto o vestido branco, verde e cinza que usava nas tardes de domingo, e envolvida no silêncio com que ficava sozinha, vamos levando-a para o cemitério. Não é o primeiro caixão que vai conosco, nem será o último, na alça de muitos já seguramos, mortos importantes ou pobres como nós, de Lagos a Ribeiros, de Rochas a Pedreiras, de Montes a Serras, de Barros a Berilos, porém nunca tivemos a impressão tão viva e tão perturbadora de que esta é a arca do Próximo Dilúvio, que as novas águas vingativas tombarão sobre nós quarenta dias e quarenta noites, afogando até as cobras e as traíras, e que somente Joana sobreviverá, para depois gerar com um gesto os seres que lhe aprouver: plantas, bichos, Javas, Magogs, Togarmas, Asquenazes. Quantas vezes o mundo, para ela, foi estéril e cegante, uma cidade de sal, com casas de sal, fontes salgadas e avenidas de sal? Quantas vezes dar um passo à frente, viver mais um ano, um dia, um instante, foi como avançar sobre afiadas lâminas de faca? Quantas sua vida pareceu um rio nas primeiras chuvas, cheio de árvores arrancadas, de baronesas vindas de açudes e remansos, laçando pés e mãos, entrando pela boca? E sempre conseguiu entrever afinal por entre as malhas da cegueira, fincar os pés sobre o aço cortante, desenredar-se das águas, dos enleios. Vamos conduzindo-a para o cemitério, através dos grasnados e latidos, dos cantos de galo, roncos de porcos, mugidos, relinchos, vento nas mangueiras, aboio de meninos, gritos, cantar de lavadeiras. Perguntou à filha: "Em que mês estamos?" Desaparecera seu medo de morrer. Isto significava que a morte preparava o salto. "Em setembro? Então não está longe." Contou que duas moças muito semelhantes, vestidas de branco, descalças, suspensas no ar, ambas com o pé direito estendido, haviam-na chamado. Do pé, nascia longo caule vertical, com um lírio na ponta, enorme, boiando à altura de seus rostos. Entregaram-lhe um ramo de oliveira e um grande anzol de chumbo. "Vem, seremos três." Puseram um manto de arminho nos seus ombros. Rasgou o manto, plantou o ramo, ignorava o que fizera do anzol. Saíram as três correndo, através de túneis pedregosos. As moças eram leves, Joana mais pesada. Viram-se, de súbito, junto de um fogão. De pé, olhando-o em silêncio, os braços pendidos, Totônia parecia meditar. A dois palmos de sua velha cabeça, um pouco à esquerda e como que suspenso por fios, pendia um disco de ferro. De ferro, dizemos. Joana rezava, tomou-o entre os dedos. Mas tudo na terra perdera o peso. Tudo. Menos seu corpo. Assombrada, gritou pela mãe, não ouviu o grito, a mãe não se voltou, ela correu para fora e deu de cara com a lua, em pleno dia, cortada por uma faixa escura, atravessando o espaço rápida. Lua doida. As partes iluminadas, quando cruzavam com nuvens, ficavam mais brilhantes, um clarão aceso e ofuscador. A terra estava branca, chão e plantas, as sombras no chão, tudo era branco, terra imaculada. Desapareceu a lua no horizonte. E todos viram ser a brancura do mundo apenas uma crosta, pele que se rompia, que se rompeu, desfez-se, revelou o esplendor e o sujo do arvoredo, do chão, a cor do mundo. Jambos, mangas-rosas, cajus, goiabas, romãs, tudo pendia dos ramos, era uma fartura, um pomar generoso e pesado de cheiros. Joana e as duas moças puseram-se a correr, agora na campina, de mãos dadas. Um pasto verde, cheio de marrãs e árvores com sombras. De repente, seus mortos, invisíveis, começaram a chamar. Álvaro gritava por Nô, Nô por Maria do Carmo, esta pela irmã, a irmã por Totônia, Totônia por Jerônimo, Jerônimo por Nô, Nô por Filomena, Filomena por Lucina, Lucina por Floripes, Floripes por Jerônimo, Jerônimo por Suzana, Suzana por Totônia, Totônia chamava Ogano. "Não sei quem era Ogano. Mas senti orgulho de ser mãe dos mortos e viúva, de não morrer virgem, de ter parido vocês. Estamos em setembro?" "Sim." "A hora está próxima. Sinto um cheiro de cal, de cimento, de musgo. Setembro, você disse?" "Sim." Vamos carregando Joana para o cemitério, atravessando a cidade e seu odor de estábulos, de cera virgem, de leite derramado, de suor, de frutas, de árvores cortadas, de muros úmidos, entre Fioras e Ruis, Glórias e Sálvios, Hélios e Teresas, Isabéis e Ulisses, Josés e Veras, Luísas e Xerxes, Zebinas e Áureos. Viveu seus anos com mansidão e justiça, humildade e firmeza, amor e comiseração. Morreu com mínimos bens e reduzidos amigos. Nunca de nunca a rapinagem alheia liberou ambições em seu espírito. Nunca o mal sofrido gerou em sua alma outras maldades. Morreu no fim do inverno. Nascerá outra igual na próxima estação? O branco, o verde, o gris. Alvos muros, ciprestes, lousas sombrias. Sob a terra, sob o gesso, sob as lagartixas, sob o mato, perfilam-se os convivas sem palavras. Cedros e Carvalhos, Nogueiras e Oliveiras, Jacarandás e Loureiros. Puseram-lhes – por que inútil generosidade? – o terno festivo, o mais fino vestido, a melhor gravata, os sapatos mais novos. Reunião estranha: todos de lábios cerrados, mãos cruzadas, cabeças descobertas, todos rígidos, pálpebras descidas e voltados na mesma direção, como expectantes, todos sozinhos, frente a um grande pórtico através do qual alguém estivesse para vir. Um julgador, um almirante, um harpista, um garçom com bandejas. Trazendo o quê? Sal, cinza, absinto? Dentes, mofo, limo? Tarda o esperado, e os pedaços desses mudos, desses imóveis convivas sem palavras vão sendo devorados. Humildemente, em silêncio, Joana Carolina toma seu lugar, as mãos unidas, entre Prados, Pumas e Figueiras, entre Açucenas, Pereiras e Jacintos, entre Cordeiros, Gamboas e Amarílis, entre Rosas, Leões e Margaridas, entre Junqueiras, Gallos e Verônicas, entre Martas, Hortências, Artemísias, Valerianas, Veigas, Violetas, Cajazeiras, Gamas, Gencianas, entre Bezerras, e Peixes, e Narcisos, entre Salgueiros, e Falcões, e Campos, no vestido que era o das tardes de domingo e penetrada do silêncio com que ficava sozinha.

[*De Nove, Novena*. S. Paulo, Melhoramentos, 2ª ed., 1975.]

DALTON TREVISAN

Dalton Trevisan nasceu em Curitiba a 14 de junho de 1925. Diplomou-se pela Faculdade de Direito do Paraná. Fundou, na sua cidade, uma das revistas literárias mais importantes da década de 40, *Joaquim*. Começou a editar os seus contos em folhetos que lembram a literatura de cordel. A partir de 1959, com a publicação das *Novelas Nada Exemplares*, a sua obra passa a ter repercussão nacional.

OBRAS:

EM FOLHETO:

Os Domingos ou Ao Armazém de Lucas. Curitiba, 1954.
A Morte dum Gordo. Curitiba: Ed. Guaíra, 1954.
Minha Cidade. Curitiba, 1960.
Lamentações de Curitiba. Ed. Joaquim, 1961.
Cemitério de Elefantes. Curitiba: Ed. Joaquim, 1962.
A Velha Querida. Curitiba, 1964.
O Anel Mágico. Curitiba: Ed. Joaquim, 1964.
Ponto de Crochê. Curitiba, 1964.

EM LIVRO:

Novelas nada Exemplares. Rio de Janeiro: José Olympio, 1959.
  (novelas)

Cemitério de Elefantes. Rio de Janeiro: Civilização Brasileira, 1964. (contos)
Morte na Praça. Rio de Janeiro: Editora do Autor, 1964. (contos)
O Vampiro de Curitiba. Rio de Janeiro: Civilização Brasileira, 1965. (contos)
Desastres do Amor. Rio de Janeiro: Civilização Brasileira, 1968. (contos)
Mistérios de Curitiba. Rio de Janeiro: Civilização Brasileira, 1968. (contos)
Guerra Conjugal. Rio de Janeiro: Civilização Brasileira, 1969. (contos)
O Rei da Terra. Rio de Janeiro: Civilização Brasileira, 1972. (contos)
O Pássaro De Cinco Asas. Rio de Janeiro: Civilização Brasileira, 1974. (contos)
A Faca no Coração. Rio de Janeiro: Civilização Brasileira, 1975. (contos)
Abismo de Rosas. Rio de Janeiro: Civilização Brasileira, 1976. (contos)
A Trombeta do Anjo Vingador. Rio de Janeiro: Codecri, 1978. (contos)
Crimes de Paixão. Rio de Janeiro: Record, 1978. (contos)
Virgem Louca, Loucos Beijos. Rio de Janeiro: Record, 1979. (contos)
Lincha Tarado. Rio de Janeiro: Record, Rio de Janeiro, 1980. (contos)
Chorinho Brejeiro. Rio de Janeiro: Record, 1981. (contos)
Essas Malditas Mulheres. Rio de Janeiro: Record, 1982. (contos)
Meu Querido Assassino. Rio de Janeiro: Record, 1983. (contos)
A Polaquinha. Rio de Janeiro: Record, 1985. (romance)
Vozes do Retrato Quinze Histórias de Mentiras e Verdades. São Paulo: Ática, 1991. (contos escolhidos pelo autor)
Dinorá Novos Mistérios. Rio de Janeiro: Record, 1994. (contos)
Ah, é? Rio de Janeiro: Record, 1994. (micro-contos)
Pão e Sangue. Rio de Janeiro: Record, 1996. (contos)
234. Rio de Janeiro: Record, 1997. (micro-contos)
Quem tem medo de vampiro. São Paulo: Ática, 1998. (contos)
O grande deflorador. Porto Alegre: L&PM Pocket, 2000. (contos)

111 Ais. Porto Alegre: L&PM Pocket, 2000. (contos)
Pico na veia. Rio de Janeiro: Record, 2002. (contos)
99 Corruíras Nanicas. Porto Alegre: L&PM Pocket, 2002. (contos)
Capitu Sou Eu. Rio de Janeiro: Record, 2003. (contos)
Arara Bêbada. Rio de Janeiro: Record, 2004. (contos)
A gorda do Tiki-Bar. Porto Alegre: L&PM Pocket, 2005. (contos e crônicas)
Rita Ritinha Ritona. Rio de Janeiro: Record, 2005. (contos)
Macho não ganha flor. Rio de Janeiro: Record, 2006. (contos)
Duzentos Ladrões. Porto Alegre: L&PM Pocket, 2008. (contos)
O Maníaco do Olho Verde. Rio de Janeiro: Record, 2008. (contos)
Desgracida. Rio de Janeiro: Record, 2010. (contos)
O Anão e a Ninfeta. Rio de Janeiro: Record, 2011. (contos)
Nem te conto, João. Porto Alegre: L&PM Pocket, 2011. (contos)

Sobre o autor:

Livros:

Sanchez Neto, Miguel. *Biblioteca Trevisan.* Curitiba: Editora da UFPR, 1996.

Waldman, Berta. *Do vampiro ao cafajeste: uma leitura da obra de Dalton Trevisan* [1982]. São Paulo: Hucitec/ Editora da Unicamp, 1989. 2ª. edição.

Oliveira, Luiz Claudio Soares de. *Joaquim. Dalton Trevisan (en) contra o paranismo.* Paraná: Travessa Editores, 2009

Artigos e ensaios:

Martins, Wilson. "Primeiras considerações sobre o contista Dalton Trevisan. *In: Joaquim,* Curitiba, no 14, 1947.

Linhares, Temístocles. "Antecipações sobre um contista". *In: Joaquim,* no 18, 1948.

Vieira, José Geraldo. "Sete Anos de Pastor". *In: Joaquim,* no 20, 1948.

Carpeaux, Otto Maria. "Dalton Trevisan". *In: Correio da Manhã,* Rio de Janeiro, 30-5-1959.

Portela, Eduardo. *Dimensões* I. Rio de Janeiro: Agir, 1959.

Cunha, Fausto. *A Luta Literária.* Rio de Janeiro, 1964.

Martins, Wilson. "Literatura sem ilusões". *In*: Suplemento Literário de *O Estado de S. Paulo*, 27-11-1965.

Barbosa, João Alexandre. "A Narração Configurada". *In*: Suplemento Literário de *O Estado de S. Paulo*, 13-2-1965.

Proença, Cavalcanti. Introdução a *O Vampiro de Curitiba*. Rio de Janeiro: Civilização Brasileira, 1965.

Rabassa, Gregory. "Introduction". In: Dalton Trevisan, *The Vampire of Curitiba and other Stories*. Nova Iorque: Knopf, 1972.

Lask, Thomas. "The Soil and Some of Its Fruits". *In: The Times*, 12-1-1972.

Pólvora, Hélio. "O rito do sofrimento". Rio de Janeiro, J*ornal do Brasil,* 13-2-74.

Brasil, Assis. *A Nova Literatura, III – O Conto*. Rio de Janeiro: CEA-MEC, 1975.

Waldman, Berta. "Vampiros sem Asas". São Paulo, *Movimento*, 27-10-1975.

Paes, José Paulo. "Uma voz da Babilônia" [sobre *Meu querido assassino*]. *In: A aventura literária: ensaio sobre ficção e ficções*. São Paulo: Companhia das Letras, 1990.

Passos, Cleusa Rios. "Tragédias brasileiras: o diálogo de Dalton Trevisan com Manuel Bandeira e Nelson Rodrigues". *In: Revista da ANPOLL*, São Paulo, v. 6 /7, 1999.

Massi, Augusto. "Ai de ti, Trevisan". *In: Jornal de Resenhas*, n. 72, São Paulo, 10 mar. 2001.

Lafetá, João Luiz. "O pão é pouco, mas o sangue é muito" [sobre *Pão e sangue*]. *In: Dimensão da noite*. Organização de Antônio Arnoni Prado. São Paulo: Editora 34/Duas Cidades, 2004.

Massi, Augusto. "Dalton por inteiro". *In: O Estado de São Paulo*, 22 nov. 2009.

BONDE

Dalton Trevisan

Solteiro, comerciário, ele se desespera na fila das seis da tarde. Na meia hora de vida roubada por esse bonde, José podia ter feito grandes coisas: beber rum da Jamaica, beijar Mercedes, saquear uma ilha. Pula de um pé no outro, impaciente de assumir o seu posto no mundo, assim que o bonde chegue – o navio fantasma fundeia nos verdes olhos.

Não dói o calo no pé esquerdo, nem pesa o guarda-chuva no braço, a um flibusteiro que bebe rum em crânio humano daria o Capitão Kidd desconto de 3% para vendas à vista? Desafia os vagalhões na sua nau Catarineta, eis que um pirata lhe bateu no braço e o herói saltou em terra.

– Seu moço, para onde vai esse bonde?
– Por cem milhões de percevejos fedorentos!

Bom rapaz, não praguejou feito um excomungado lobo do mar, e deu a rota de sua fragata. Um moço – vinte anos, puxa! – com a idade do homem de negócios, o guarda-chuva é negra bandeira de tíbias cruzadas. Nesse bonde que ninguém não viu ele quer fugir para o longe, abandonando a donzela de cigarro na boca, triste no cais. A seu lado, o barbudo Zequinha Perna de Pau e a pálida filha do Vice-Rei da Ilha das Tartarugas boiam, náufragos como ele, atirados à praia pela maré. O velho de olhos azuis de contramestre, um pacote de bananas no braço, sorri para ele. Na testa lateja uma espinha, até isso!

Morte aos barões cornudos! Desfralda no crepúsculo o seu grito de guerra. Todo velhote é um canhão de museu, sente gana de afogar o Corsário Mão de Gancho que não o deixa se fazer ao mar. Corpo de cavalo-marinho, uma dama igual àquela, triste no cais, sopra inquietos ventos nas velas rotas de seu bergantim. Arrasta as correntes da âncora que enleia a partida: piedade filial, temor a Deus, devoção à pátria.

Em vão vogava em maré de barataria, o bonde que chega abriu a goela de baleia, onde Jonas esperava por ele com um barril de rum.

A consciência de sua idade lhe dói no calo do pé, na espinha da testa, nas vozes de sereias que cantam só para ele. A maruja iça a bujarrona e o velho tropeça no estribo, derrubando o pacote. Sem orgulho ou dignidade, o pirata recolheu as bananas amassadas e subiu, perdido o último banco da popa.

O bonde joga no mar grosso, dele não se pode ver o céu. O contramestre retira uma banana do pacote, é a segunda vez que oferece. De pé, no cesto da gávea, grita o Capitão – "Terra!", os telhados de Ítaca tremulando ao longe.

[De "II – Os Mistérios de Curitiba",
in Desastres do Amor. Rio, Civilização Brasileira, 1968.]

O CICLISTA

Dalton Trevisan

Curvado no guidão lá vai ele numa chispa. Na esquina dá com o sinal vermelho e não se perturba – levanta voo bem na cara do guarda crucificado. No labirinto urbano persegue a morte com o trim-trim da campainha: entrega sem derreter sorvete a domicílio.

É sua lâmpada de Aladino a bicicleta e, ao sentar-se no selim, liberta o gênio acorrentado ao pedal. Indefeso homem, frágil máquina, arremete impávido colosso, desvia de fininho o poste e o caminhão; o ciclista por muito favor derrubou o boné.

Atropela gentilmente e, vespa furiosa que morde, ei-lo defunto ao perder o ferrão. Guerreiros inimigos trituram com chio de pneus o seu diáfano esqueleto. Se não estrebucha ali mesmo, bate o pó da roupa e – uma perna mais curta – foge por entre as nuvens, a bicicleta no ombro.

Opõe o peito magro ao para-choque do ônibus. Salta a poça d'água no asfalto. Num só corpo, touro e toureiro, golpeia ferido o ar nos cornos do guidão.

Ao fim do dia, José guarda no canto da casa o pássaro de viagem. Enfrenta o sono trim-trim a pé e, na primeira esquina, avança pelo céu na contramão, trim-trim.

[De "II – Os Mistérios de Curitiba", *in Os Desastres do Amor*. Rio, Civilização Brasileira, 1968.]

APELO

Dalton Trevisan

Amanhã faz um mês que a Senhora está longe de casa. Primeiros dias, para dizer a verdade, não senti falta, bom chegar tarde, esquecido na conversa de esquina. Não foi ausência por uma semana: o batom ainda no lenço, o prato na mesa por engano, a imagem de relance no espelho.

Com os dias, Senhora, o leite primeira vez coalhou. A notícia de sua perda veio aos poucos: a pilha de jornais ali no chão, ninguém os guardou debaixo da escada. Toda a casa era um corredor deserto, e até o canário ficou mudo. Para não dar parte de fraco, ah, Senhora, fui beber com os amigos. Uma hora da noite eles se iam e eu ficava só, sem o perdão de sua presença a todas as aflições do dia, como a última luz na varanda.

E comecei a sentir falta das pequenas brigas por causa do tempero na salada – o meu jeito de querer bem. Acaso é saudade, Senhora? Às suas violetas, na janela, não lhes poupei água e elas murcham. Não tenho botão na camisa, calço a meia furada. Que fim levou o saca-rolhas? Nenhum de nós sabe, sem a Senhora, conversar com os outros: bocas raivosas mastigando. Venha para casa, Senhora, por favor.

[De "II – Os Mistérios de Curitiba", *in Os Desastres do Amor*. Rio, Civilização Brasileira, 1968.]

CEMITÉRIO DE ELEFANTES

Dalton Trevisan

Há um cemitério de bêbados na rainha cidade. Nos fundos do mercado de peixe e à margem do rio ergue-se o velho ingazeiro – ali os bêbados são felizes. A população considera-os animais sagrados, provê às suas necessidades de cachaça e peixe com pirão de farinha. No trivial contentam-se com as sobras do mercado.

Quando ronca a barriga, ao ponto de perturbar-lhes a sesta, saem do abrigo e, arrastando os pesados pés, atiram-se à luta pela vida. Enterram-se no mangue até os joelhos na caça ao caranguejo ou, tromba vermelha no ar, espiam a queda dos ingás maduros.

Elefantes mal feridos coçam as perebas, sem nenhuma queixa, escarrapachados sobre as raízes que servem de cama e cadeira, a beber e beliscar pedacinho de peixe. Cada um tem o seu lugar, gentilmente avisam:

– Não use a raiz do Pedro.

– Foi embora, sabia não?

– Aqui há pouco...

– Sentiu que ia se apagar e caiu fora. Eu gritei: Vai na frente, Pedro, deixa a porta aberta.

À flor do lodo borbulha o mangue – os passos de um gigante perdido? João dispõe no braseiro o peixe embrulhado em folha de bananeira.

— O Cai Nágua trouxe as minhocas?

— Sabia não?

— Agora mesmo ele . . .

— Entregou a lata e disse: Jonas, vai dar pescadinha da boa. Chega de outras margens um elefante moribundo.

— Amigo, venha com a gente.

Uma raiz no ingazeiro, o rabo de peixe, a caneca de pinga.

No silêncio o bzzz dos pernilongos assinala o posto de cada um, assombrados com o mistério da noite – o farol piscando no alto do morro.

Distrai-se um deles a enterrar o dedo no tornozelo inchado e, puxando os pés de paquiderme, afasta-se entre adeuses em voz baixa – ninguém perturbe os dorminhocos. Esses, quando acordam, não perguntam onde foi o ausente. E, se indagassem, com intenção de levar-lhe margaridas do banhado, quem saberia responder? A você o caminho se revela na hora da morte.

A viração da tarde assanha as varejeiras grudadas nos seus pés disformes, as folhas do ingazeiro reluzem como lambaris prateados ao eco da queda dos frutos os bêbados erguem-se com dificuldade e os disputam rolando no pó. O vencedor descasca o ingá e chupa de olho guloso a fava adocicada. Jamais correu sangue no cemitério – a faquinha na cinta é para descarnar peixe. E, aos brigões, incapazes de se moverem, basta-lhes xingarem-se a distância.

Eles que suportam o delírio, a peste, o fel na língua, o mormaço, as câimbras de sangue, berram de ódio obtuso contra os pardais, que se aninham entre as folhas e, antes de dormir, lhes cospem na cabeça – o seu pipiar irrequieto envenena a modorra.

Da margem contemplam os pescadores afundando os remos.

— Um peixinho aí, compadre?

O pescador atira o peixe desprezado no fundo da canoa.

— Por que você bebe, Papa-Isca?

— Maldição de mãe, uai.

– O Chico não quer peixe?

– Tadinho, a barriga d'água.

Com a pressa que permitem os pés tumefatos, aparta-se dos companheiros cochilando à margem, esquecidos de enfiar a minhoca no anzol.

Cuspindo na água o caroço preto do ingá, os outros não o interrogam: as presas de marfim que indicam o caminho são garrafas vazias. Chico perde-se no cemitério sagrado, as carcaças de pés grotescos surgindo ao luar.

[De *Cemitério de Elefantes*. Rio, Civilização Brasileira. 1964.]

EIS A PRIMAVERA

Dalton Trevisan

João saiu do hospital para morrer em casa – e gritou três meses antes de morrer. Para não gastar, a mulher nem uma vez chamou o médico. Não lhe deu injeção de morfina, a receita azul na gaveta. Ele sonhava com a primavera para sarar do reumatismo, nos dedos amarelos contava os dias.

– Não fosse a umidade do ar... – gemia para o irmão nas compridas horas da noite.

Já não tinha posição na cama: as costas uma ferida só. Paralisado da cintura para baixo, obrava-se sem querer. A filha tapava o nariz com dois dedos e fugia para o quintal:

– Ai, que fedor... Meu Deus, que nojo!

Com a desculpa que não podiam vê-lo sofrer, mulher e filha mal entravam no quarto. O irmão Pedro é que o assistia, aliviando as dores com analgésico, aplicando a sonda, trocando o pijama e os lençóis. Afofava o travesseiro, suspendia o corpinho tão leve, sentava-o na cama:

– Assim está melhor?

Chorando no sorriso, a voz trêmula como um ramo de onde o pássaro desferiu voo:

– Agora a dor se mudou...

Vigiava aflito a janela:

— Quantos dias faltam? Com o sol eu fico bom.

Pele e osso, pescocinho fino, olho queimando de febre lá no fundo. Na evocação do filho morto, havia trinta anos:

— Muito engraçado, o camaradinha — e batia fracamente na testa com a mão fechada. — Com um aninho fazia continência. Até hoje não me conformo.

A saudade do camaradinha acordava-lhe duas grandes lágrimas. No espelho da penteadeira surpreendia o vulto esquivo da filha.

— Essa menina nunca me deu um copo d'água.

Quando o irmão se levantava:

— Fique mais um pouco.

Ali da porta a sua querida Maria:

— Um egoísta. Não deixa os outros descansar.

Ao parente que sugeriu uma injeção para os gritos:

— Não sabe que tem aquela doença? Desenganado três vezes. Nada que fazer.

Na ausência do cunhado, esqueciam-no lá no quarto, mulher e filha muito distraídas. Horas depois, quando a dona abria a porta, com o dedo no nariz:

— É que eu me apurei — ele se desculpava, envergonhado. — Doente não merece viver.

A filha, essa, de longe sempre se abanando:

— Ai, como fede!

Terceiro mês o irmão passou a dormir no quarto. Ao lavar-lhe a dentadura, boquinha murcha, o retrato da mãe defunta? Nem podia sorver o café.

— Só de ruim é que não engole — resmungava a mulher.

Negou-lhe a morfina até o último dia: ele morre, a família fica. Tingiu de preto o vestido mais velho, o enterro seria de terceira.

Ao pé da janela, uma corruíra trinava alegrinha na boca do dia e, na doçura do canto, ele cochilava meia hora bem pequena. Batia a eterna continência, balbuciava no delírio:

— Com quem eu briguei?

— Me conte, meu velho.

— Com Deus – e agitou a mãozinha descarnada. – Tanto não devia judiar de mim.

Fechando os olhos, sentiu a folha que bulia na laranjeira, o pé furtivo do cachorro na calçada, o pingo da torneira no zinco da cozinha – e o alarido no peito de rua barulhenta às seis da tarde. Se a mulher costurava na sala, ele ouvia os furos da agulha no pano.

— Muito acabadinho, o pobre? – lá fora uma vizinha indagava da outra.

Na última noite cochichou ao irmão:

— Depois que eu... Não deixe que ela me beije!

Ainda uma vez a continência do camaradinha, olho branco em busca da luz perdida, e o irmão enxugava-lhe na testa o suor da agonia.

Mais tarde a mulher abriu a janela para arejar o quarto.

— Eis o sol, meu velho – e o irmão bateu as pálpebras, ofuscado. Era o primeiro dia de primavera.

[De *O Rei da Terra*, Rio, Civilização Brasileira, 1972.]

AUTRAN DOURADO

Valdomiro Freitas Autran Dourado nasceu a 18 de janeiro de 1926, na cidade de Patos, Minas Gerais. Filho de juiz, viveu seus primeiros anos em duas outras cidades do Estado, Monte Santo e São Sebastião do Paraíso. De 1940 a 1954 morou em Belo Horizonte, onde cursou a Faculdade de Direito e onde se iniciou no jornalismo (Estado de Minas). Participou do grupo de escritores mineiros que editou a revista literária *Edifício*, de curta duração. Em 1954 mudou-se para o Rio de Janeiro, tendo sido Secretário de Imprensa da Presidência da República no quinquênio 1955-60. Faleceu no dia 30 de setembro de 2012 no Rio de Janeiro.

OBRAS :

Teia. Belo Horizonte: Edições Edifício, 1947. (novela)*

Sombras e exílio. Belo Horizonte: Edições João Calazans, 1950. (novela)*

Tempo de amar. Rio de Janeiro: José Olympio, 1952. (romance)

Três histórias na praia. Rio de Janeiro: Ministério da Educação e Cultura, Serviço de Divulgação, 1955 (contos)**

Nove histórias em grupos de três. Rio de Janeiro: José Olympio, 1957. (contos)**

---

* integrada no volume *Novelas de aprendizado* de 1980.
** integrados no volume, *Solidão solitude* de 1972.

A barca dos homens. Rio de Janeiro: Editora do Autor, 1961. (romance)

Uma vida em segredo. Rio de Janeiro: Civilização Brasileira, 1964. (novela)

Ópera dos mortos. Rio de Janeiro: Civilização Brasileira, 1967. (romance)

O risco do bordado. Rio de Janeiro: Civilização Brasileira, 1970. (romance)

Solidão solitude. Rio de Janeiro: Civilização Brasileira, 1972. (relatos, novelas)

Os signos da agonia. Rio de Janeiro: Expressão e Cultura, 1974. (romance)

Novelário de Donga Novais. Rio de Janeiro: Nova Fronteira, 1980. (novela)

Armas e corações. Rio de Janeiro: Difel, 1978. (contos)

Novelas de aprendizado. Rio de Janeiro: Nova Fronteira, 1980. (novelas)

As imaginações pecaminosas. Rio de Janeiro: Record, 1981. (contos)

A serviço del-Rei. Rio de Janeiro: Record, 1984. (romance)

Lucas Procópio. Rio de Janeiro: Record, 1984. (romance)

Violetas e caracóis. Rio de Janeiro: Guanabara, 1987. (contos)

Monte de alegria. Rio de Janeiro: Francisco Alves, 1990. (romance)

Um cavalheiro de antigamente. São Paulo: Siciliano, 1992. (romance)

Ópera dos fantoches. Rio de Janeiro: Francisco Alves, 1994. (romance)

Confissões de Narciso. Rio de Janeiro: Rocco, 1997. (romance)

SOBRE O AUTOR:

LIVROS:

Lepecki, Maria Lúcia Torres. *Autran Dourado uma leitura mítica*. São Paulo: Quirón, 1976.

Senra, A. *Literatura comentada: Autran Dourado*. São Paulo: Abril, 1983.

Senra, A. *Paixão e Fé: os sinos da agonia de Autran Dourado*. Belo Horizonte: Editora UFMG, 1991.

ARTIGOS E ENSAIOS:

Aires da Mata Machado F. "Prisioneiro do Passado". *In: Diário de Notícias:* Rio de Janeiro, 20-7-1947.

Alvarenga, Octavio Mello. "Tempo de Amar". *In: Diário de Minas:* Belo Horizonte, 26-10 e 9-11-1952.

Brasil, Assis. "Nove Histórias em Grupos de Três". *In: Jornal do Brasil*, Rio de Janeiro, 27-7-1957.

Olinto, Antônio. "Histórias em Grupo de Três". *In: Cadernos de Crítica*. Rio de Janeiro: José Olympio, 1959.

Mucciolo, Genaro. "Uma Vida em Segredo". *In: Cadernos Brasileiros*. Rio de Janeiro, set./out. 1964.

Faria, Octavio de. "O Romancista Autran Dourado". *In: Jornal do Comércio*. Rio de Janeiro, 26-11-67.

Lucas, Fábio. "A Narrativa de Autran Dourado". I*n: Colóquio-Letras,* Lisboa (9), set. 1972.

Lucas, Fábio. *A Face Visível*. Rio de Janeiro: José Olympio, 1973.

Linhares, Temístocles. 22 *Diálogos Sobre o Conto Brasileiro Atual*. Rio de Janeiro: José Olympio, 1974.

Ghiappini, Lígia. "Uma Poética de Romance". *In: Argumento*. São Paulo, nov. 1973.

Pólvora, Hélio. "A Prima Biela". *In: Jornal do Brasil*. Rio de Janeiro. 3, 10, 15 e 23 de abril de 1974.

Lafetá, João Luiz. "Uma fotografia na parede". *In: Dourado*, Autran. *Melhores Contos*. São Paulo: Global, 2001.

AS VOLTAS DO FILHO PRÓDIGO

Autran Dourado

Alguma coisa no ar dizia que Zózimo estava para chegar. Desde longe, antes mesmo de qualquer anúncio, João pressentia: não demorava muito e tio Zózimo estaria de volta.

Sempre foi assim. Desde que se entendia por gente, aquele mistério; desde quando conseguia lembrar, desde as suas mais antigas lembranças.

Alguma coisa no ar – um som, um cheiro, uma carta – anunciava a chegada de tio Zózimo. O menino desconfiava farejando, tinha os ouvidos muito abertos, os olhos muito agudos, as narinas pegavam um cheirinho diferente no ar, a pele mesmo sentia os sinais de que ele estava para chegar. Deve ser assim que aparelhos de precisão apontam a proximidade de um ciclone, antes mesmo dele chegar já lhe dão um nome. Só que ninguém ousava dizer o nome de Zózimo; mesmo ele longe, nas cidades por onde andejo arrastava a sua angústia e solidão o seu deserto, as suas sandálias empoeiradas.

João sentia no ar, fuçava pelos quartos, nos guardados da avó, a ver se descobria alguma carta de tio Zózimo. Nunca encontrou nenhuma (vovó Naninha com certeza queimava todas, a simples existência daquelas cartas devia infernar a sua vida), mesmo aquelas definitivas e derradeiras, que não vinham de longe: quando ele em Duas Pontes deixava sobre o criado-mudo uma carta se despedindo para sempre. Ele era trágico e terrível nas suas últimas cartas.

Um sexto sentido lhe dizia, ninguém precisava contar: nem a mãe, nem o pai, nem vovô Tomé, nem vovó Naninha, que era quem mais sofria com as voltas do filho. Antes que se tomasse conhecimento declarado da chegada de Zózimo, antes que se começasse a murmurar detrás das portas e dos corredores, na cozinha, depois nas conversas em voz alta, quando se ficava sabendo em definitivo e se discutia a iminência da chegada de Zózimo, João tinha a certeza de que ele estava para chegar.

Um dos sinais mais evidentes era o lume de ansiedade nos olhos da avó. Ela ficava aflita pela chegada de Seu Zizinho dos Correios, o mensageiro daqueles desastres, toda hora ela indo à janela para ver se Seu Zizinho já vinha: fazia um tempão que Zózimo não voltava", não devia demorar muito. Ela não contava a ninguém as suas cismas, as suspeitas de que em breve receberiam carta de Zózimo.

Se João não notava os sinais aflitos nos olhos da avó, os silêncios de vovô Tomé se encarregavam de dizer – aquilo que todos temiam estava para acontecer. Mesmo sozinhos no quarto, os velhos não deviam dizer que não demorava muito e Zózimo estaria de volta, de medo que o simples fato de falar pudesse lhes devolver o filho: o próprio nome de Zózimo era um panema terrível.

João custou a descobrir que não devia pronunciar o nome de Zózimo. Mesmo na presença de tio Alfredo, com quem ele conversava mais, tinha mais liberdade. Uma vez, sentindo a aproximação no ar, perguntou: tio Alfredo, por onde é que será que tio Zózimo anda. Tio Alfredo ficou um momento calado, depois falou, ao contrário dos outros que se calavam sempre. Falou meu filho, não me pergunte, que eu não sei, Não quero nem pensar nele. Um espinho atravessado. É como uma dor funda no peito que a gente quer esquecer, com medo que seja um tumor maligno. É melhor falar de outro assunto.

Ele ficou sabendo que não devia nunca dizer o nome de tio Zózimo. Mesmo na rua, ele passou a não dizer. Aprendeu por mimetismos a copiar os de casa, quando alguém, mesmo Zito, que era mais do peito, lhe perguntava sobre o tio. João trancava a cara, os olhos no chão, mudo. Então ficaram sabendo na cidade que o menino também não gostava que tocassem no assunto. Deste mato não sai coelho, dizia João satisfeito da vida; era igualzinho os grandes de sua família.

Não que a cidade desgostasse de Zózimo, e perguntassem mais por xeretar, ele era muito estimado. Participavam da dor da família, sabiam que alguma coisa de estranho se passava no casarão de Seu Tomé quando Zózimo ia chegar, já tinha chegado.

De longe acompanhavam a aflição da família. Só conheciam o lado bom de tio Zózimo, quando depois de um mês de chegado ele saía, e então era alegre e brincalhão, parava em cada porta para dar um dedinho de prosa com um conhecido, se demorava em longas conversas com os mais chegados. Ia ao clube, jogava bisca, contava casos, era mesmo muito divertido. No Bar do Ponto era o bilhar, a algazarra, as risadas gostosas. E todos o abraçavam apertado, perguntavam como tinha ido de viagem, fingindo ignorar que ele estava na cidade há mais de um mês. Eram polidos e delicados, gostavam muito de tio Zózimo.

Além do lume agoniado nos olhos da avó, dos silêncios enclausurados do avô, do choro escondido que muitas vezes ele surpreendeu na mãe, da gagueira e histeria de tia Margarida, um dos sinais mais certos da chegada de tio Zózimo é que tio Alfredo mandava arrear o cavalo, arrumava as suas coisas, se despedia do pai e da mãe como se fosse ele o filho pródigo, e rumava para a Fazenda do Carapina, onde ficava até receber o aviso de que Zózimo tinha desanuviado, ele podia voltar.

Porque nos primeiros dias, quando tio Zózimo chegava, e o silêncio da casa pesava de maneira insuportável, e ele se afundava na rede, de onde só se erguia para gritar, e berrava o seu ódio contra os pais, contra o irmão, contra a cidade, contra o mundo, nem de longe Zózimo podia ver Alfredo. Era com quem ele tinha mais contas a ajustar, conforme dizia.

Uma vez até se deu o caso de que, por erro de cálculo, mandaram avisar tio Alfredo que ele podia voltar. Ele veio e os dois se encontraram. Tio Alfredo, esperando Zózimo claro e sorridente, se dirigiu logo para ele, não deu tempo de avisar que tinha sido um rebate falso, ele devia voltar ligeiro para a fazenda.

Então, Zózimo, tudo bem? foi ele dizendo de braços abertos, aparentava uma alegria desmesurada. Foi ele dizer e Zózimo aos gritos lhe saltar no pescoço. Tudo bem, seu cachorro! É você mesmo que eu quero pegar!

Vovó Naninha veio lá de dentro correndo, que era aquilo! Meu Deus, tem dó de mim, Sagrado Coração de Jesus, ela gritava. É a história outra vez de Abel e Caim! E todo mundo correu para apartar os dois que estavam se matando.

O avô, que sumia de casa só aparecendo na hora da boia, só sabia dizer meu Deus, por que ele volta? Por que tem de fazer tudo na minha presença? Por que tem de tentar sempre na minha casa pra me ferir mais fundo? Por que não se mata de vez longe da minha vista, para esse sofrimento, essa sina, essa agonia acabar de vez? Que culpa tenho eu, Jesus? A velha culpa.

As perguntas de vovô Tomé não encontravam resposta. Quem é que podia dizer os motivos por que Zózimo voltava, a não ser comparando com um bicho ferido de morte que busca a sua toca? Mesmo o dr. Alcebíades, que mais de uma vez teve de atender tio Zózimo na sangueira quando ele tentou, não sabia o que fazer.

Aqui a gente não tem recursos, remédio eu acho que não adianta muito, dizia o dr. Alcebíades. Quem sabe, por que não internam ele em São Paulo ou no Rio? É difícil, é quase impossível, dizia o avô. Quando ele melhora fica outro, nem parece o mesmo, a gente até se esquece das crises, tudo parece que foi um pesadelo, a gente estava era sonhando. Na verdade é duro um pai dizer isto de um filho, mas fico louco pra ele melhorar e de novo sumir no mundo. É, mas é bom, era só o que sabia dizer o dr. Alcebíades. Às vezes, me dá vontade de fazer isso, nos dias dele ruim (era a voz de vovô Tomé), mas quem é que se aproxima dele? E depois, o escarcéu, o escândalo... Não se pode fazer nada, dr. Alcebíades, é melhor a gente aceitar o destino, cada um com a sua parte, conforme a partilha de Deus. Deus não tem nada a ver com isso, tentava dizer o médico, mas vendo o sofrimento na cara de seu Tomé, calava, se limitava a deixar uma receita, apanhava o chapéu no cabide, ia embora sem dizer mais nada, mudamente dizendo até a próxima.

Mas João sabia, vovô Tomé sabia, todos sabiam que aqueles dias ruins de tio Zózimo não duravam muito. No fim de um mês ele estaria bom. Era o que todos esperavam aflitos. E então se esquecia.

Quando não era na rede da sala, era no quarto. O menino passava pela porta de Zózimo, via-o deitado de costas, imóvel, as mãos na nuca, os olhos grudados na esteira do teto. Eram terríveis os olhos de tio Zózimo. Como se guardassem o maior ódio, o maior medo do mundo.

João andava nas pontinhas dos pés se esgueirando pelo corredor, ia até a cozinha para junto de vovó Naninha e da preta Milurde. Vai embora, menino, fica aperreando os outros não, dizia a preta. É mesmo, dizia vovó Naninha, é bom você ir pra sua casa. Ou então vai brincar lá na horta. Não é bom você ficar me rabeando, presenciando essas coisas. Quando ele melhorar, você pode ficar o tempo que quiser, eu até falo pra sua mãe deixar você ficar uns dias com a gente.

João fingia ir embora, voltava. Não podia despregar os olhos da rede, daquele corpo pesado balangando na sala: os pés de fora da rede, dava galeios mansos. Era como se tivesse um bicho guardado lá dentro, feito bacorinho no fundo de um saco. Via o volume do corpo se mexendo na rede, embrulhado nas varandas.

Quando soprava o vento da janela do quintal, em vez do hálito das mangueiras o que vinha era um cheiro rançoso e enjoativo. Será que tio Zózimo fedia? João nunca chegava perto quando Zózimo ficava assim. Será que ele não tomava banho? O cheiro que parecia vir de tio Zózimo grudava no nariz ou era ilusão? por causa de que tinha mentalmente comparado aquele corpo na rede com um bacorinho. João não sabia, não esmiuçava muito essas coisas, tão forte aquela presença, tão grande o medo que sufocava o coração.

Via-o de repente erguer-se, ajeitar o roupão no corpo (ele nem mesmo se vestia), ir lá dentro na privada, gritar qualquer coisa para a mãe no quarto do oratório, onde ela agora passava as tardes debulhando os mistérios de um rosário sem fim. João tremia diante da figura enorme, magra e cabeluda: a cara barbada, os olhos fundos cheios de estrias vermelhas.

No mais das vezes tio Zózimo nem parecia dar pela presença de João. Nunca tinha gritado com ele, não era contra ele a sua fúria. Nos dias bons até que era muito seu camarada, contava casos dos lugares por onde tinha andado, se lembrava dos seus tempos de menino; nos dias ruins ignorava-o inteiramente, era como se ele não existisse.

Só uma ou outra vez é que ele pareceu dar pela presença de João. Parou de repente, como se o grito daquela presença tivesse interrompido o descampado de suas ruminações estúrdias sem fim, e um instante ele pareceu voltar das brumas. João viu nos olhos de Zózimo um brilho longínquo de alegria, como se o tivesse reconhecido e fosse falar qualquer coisa com ele. Não falou, tornou a fechar o cenho, apagou-o do mapa, João nunca tinha existido, foi gritar com a mãe lá dentro.

Porém os dias bons sempre voltavam. E era como se só então tio Zózimo tivesse chegado de viagem. O sinal mais evidente de que tio Zózimo ia voltar era que a rede começava a balançar mais ligeiro.

E então começava-se a ouvir, a princípio indistintamente, um assobio vindo de muito longe. João precisava esticar bem os ouvidos para pegar no ar aquele fiapo de assobio. Ou era do coração, a gente é que queria ouvir?

Era ele, era tio Zózimo que começava a tirar uma toada qualquer que aprendera ninguém sabia onde.

O assobio ia aumentando de tom, encorpando. E todos de casa começavam a alimentar uma pequena alegria, uma imensa esperança. O tom crescia mais, ganhava volume, agora ele assobiava uma música quase alegre.

E de repente acontecia. Tio Zózimo saltava da rede, chegava na janela, enchia o peito de ar, esticava os braços distendendo a musculatura feito um gato que se espreguiça, e em passadas ligeiras lá ia ele assobiando para o quarto de banho.

E tio Zózimo aparecia na sala, barbeado, limpo, bem vestido, até de gravata. Se João estava por perto, Zózimo corria para ele de braços abertos, apertava-o contra o peito, dizendo como é, então, você está me saindo um bom maroto, um rapagão! João sentia aquele corpo quente, o cheiro gostoso e fresco de alguém saído do banho ainda recendendo a sabonete.

Quando João conseguia se livrar do abraço, ele gritava vovó, vem cá, vem ver quem chegou, como se tivesse feito um trato com tio Zózimo.

Vovó Naninha vinha correndo, enxugava as mãos na saia. Os olhos brilhantes, ela se abraçava com o filho, chorando de alegria. Que é isso, mãe, dizia Zózimo, está chorando porque eu cheguei? Não, não é isso, era só o que ela conseguia dizer, a fala cortada pelos soluços, sungando as lágrimas. E ela beijava o filho na testa, nos olhos, nas bochechas, encostava a cabeça de Zózimo no ombro, os dedos trêmulos afagando-lhe os cabelos. E assim ficavam muito tempo, e ele era como um menino que tivesse passado por um grande perigo e agora se entregava ao colo da mãe.

Tio Zózimo ia lá dentro desfazer as malas, os embrulhos de presentes. Isto é pra mamãe, isto é pro pai, isto é pra Margarida, ia ele dizendo para a família apinhada na porta do quarto. E você pensa que me esqueci de você, Milurde? dizia ele para a preta que também tinha vindo ver Seu Zózimo chegado de viagem.

E eram os cortes de fazenda, os perfumes, os broches e anéis, ele parecia um cometa mostrando a sua mercadoria. Tudo do bom e do melhor, tio Zózimo não poupava, devia ganhar rios de dinheiro nas cidades por onde ele andava.

Ele era pródigo e bom, tinha um coração de boi de tanta bondade guardada que ele ia agora distribuindo entre brincadeiras e ditos alegres, na sua fala clara enchendo de luz o casarão de Seu Tomé Fonseca.

Até o secarrão do velho se emocionava, e a gente (João) suspeitava ver nos olhos de vovô Tomé uma lágrima de felicidade porque o filho que ele dizia morto voltara.

Como por encanto tudo mudava no casarão. Ninguém mais era triste e calado. A notícia se espalhava aos quatro ventos e todos os conhecidos velhos e os velhos amigos vinham em romaria visitar e a casa se enchia de gente conversadeira, alegre, amiga.

Vovó Naninha se esmerava na cozinha e no forno de tijolo do quintal. E eram os sequilhos, as brevidades, as broinhas de fubá, as quitandas todas que ela sabia fazer. A compoteira se enchia de doces de calda e toda hora se servia doce de cidra, de mamão, de goiaba, aquela variedade infinita da culinária de vovó Naninha. Mandavam vir da roça as frutas do mato, tio Zózimo se fartava. Estas sim é que eu gosto, dizia ele, não tem no mundo fruta igual. Isto, meu filho, come mais, dizia, vovó Naninha, você carece de se alimentar, está meio magrinho e abatido. E a casa se povoava do vozeirão de tio Zózimo, das suas risadas gostosas e quentes.

Toda hora tinha gente batendo na porta. João ia atender, era um menino com um prato coberto por uma toalhinha. Foi dona Fulana que mandou. Ele recebia os presentes, agradecia feliz da vida, era um dos que mais participavam daquela comilança.

Mas o melhor mesmo era quando tio Alfredo recebia a deixa e vinha da fazenda e os dois davam grandes passeios, amigões outra vez, como se nada os separasse, nada tivesse acontecido. Tio Alfredo devia sentir um pouco de inveja daquela festança toda (quando ele vinha de Viçosa o máximo que vovó Naninha fazia era arroz-doce) mas não mostrava, João é que de longe suspeitava.

E João saía com os dois, esquecido de que era amigo de Zito, nem mais passava pela loja de Seu Bernardino, vivia horas boas demais.

Tio Alfredo e tio Zózimo tinham conversas intermináveis. Tio Zózimo falava de São Paulo, do Rio de Janeiro, do Recife. Como ele viajou, até parecia cometa, de tanta cidade que ele falava. Só que com tio Zózimo era melhor, as cidades de que os cometas falavam eram perto, tinham nomes comuns, sem a sonoridade, o brilho, a luminosidade estridente dos lugares por onde andara o filho pródigo. Tio Zózimo parecia era gente de circo, um circo com todas as luzes acesas. Qualquer dia destes tomo o vapor, vou bater na Europa, vou conhecer o mundo, dizia tio Zózimo alargando as vistas.

Era de ver a boca cheia com que ele dizia os nomes das cidades da Europa. João depois ia olhar no atlas para ver onde é que ficavam aquelas cidades, e media a distância que as separava de Duas Pontes, que nem constava do mapa. Que vidão a de tio Zózimo, ele ia conhecer o mundo! Tio Zózimo devia ser era dono de um circo fantástico. E o menino, de dia de olhos arregalados em bruma ou em sonho, viajava com ele. Tio Zózimo devia ser rico, mais rico que o avô, um dia era capaz de ser um dos homens mais ricos do mundo, mais rico que o Matarazzo.

E quando ele falava do progresso, das transformações sociais? Que palavreado bonito usava, parecia até um orador ou um daqueles padres missionários que de vez em quando davam com os costados em Duas Pontes e todo mundo ia à igreja ouvir as pregações.

Sabe o que mais? dizia tio Zózimo. Um dia vocês ainda recebem carta minha de Moscou. Tio Alfredo baixava os olhos, alguma coisa bulia com ele, era a palavra carta ou o nome de Moscou? A gente espera tudo de tio Zózimo, pensava João. Um dia é capaz dele até virar comunista. Então a desgraça e a aventura seriam totais.

Para não ficar atrás, tio Alfredo falava de Viçosa, onde ele vinha fazendo o curso de agronomia, mas as histórias, de tio Alfredo empalideciam diante das histórias de tio Zózimo, eram casos batidos e sem graça que João já sabia de cor e salteado. Viçosa não tinha graça, ficava ali mesmo, feito Muzambinho, Guaxupé, Paraíso, Passos, lugares que todo mundo conhecia, não era vantagem nenhuma.

E os tios discorriam, como falavam e se lembravam de casos de quando eram meninos! Eu era feito você, João, dizia Zózimo batendo no ombro do menino. Você ainda vai conhecer o mundo e lá longe você vai se lembrar de mim. João se babava de estar na companhia de gente tão importante, de ser assim tão considerado.

Ele só não ia com os dois quando eles iam à Casa da Ponte visitar as mulheres. João era muito menino para ir a um lugar daqueles. Um dia chega o seu tempo, frango d'água, brincava Zózimo. O menino esperava, ainda ia chegar o tempo dele também ir à Casa da Ponte.

Os dias bons iam passando, passavam depressa. Num átimo dava a sapituca, chegava o dia de tio Zózimo partir.

Vovô Tomé, vovó Naninha, toda a família, mesmo sá Milurde, que só saía de casa para a reza, também ia à estação no bota-fora de tio Zózimo. E como todos estavam alegres e ruidosos, como se despediam e davam adeus quando o trem partia!

João achava aquilo tudo muito estranho, ninguém chorava quando tio Zózimo ia embora. O choro se guardava era para quando ele estava de volta; depois de muito tempo (primeiro vinham as cartas, a liturgia da catástrofe), tio Zózimo voltava para a casa do pai.

João não se lembrava desde quando, mas muito menino ainda sempre reparou que tio Zózimo tinha uma coisa esquisita no ouvido direito. O menino reparava demais, passava um tempão olhando de um lado e do outro, comparava as orelhas de tio Zózimo. Quando Zózimo estava de bem com a vida e o menino vivia rabeando-o.

Sabia de cor as orelhas de tio Zózimo. Mesmo de longe era capaz de copiar mentalmente cada uma das curvas e reentrâncias das orelhas do tio. Eram umas orelhas muito estranhas, mesmo que um lado não fosse diferente do outro.

Ele vivia preocupado com as orelhas dos outros, por causa do resenho que vinha fazendo para descobrir o que havia de especial com tio Zózimo. Tinha de descobrir sozinho, sabia que não podia perguntar a ninguém de casa sobre os defeitos do tio. Só uma vez teve a coragem de saber da mãe o que havia com o ouvido direito de tio Zózimo. Nada, disse ela desviando os olhos para a janela, aquilo é de nascença. Quis saber se ele escutava direito daquele lado, mas a mãe não lhe deu tempo de perguntar, disse você é-é muito xereta, não é da tua conta. João viu que o assunto estava encerrado, nunca que ele podia saber, era outra coisa proibida na sua família. Tio Zózimo era um poço de mistério, tudo nele interdito.

A coisa tinha virado mesmo obsessão. Ele chegava a parar na rua, no barbeiro sobretudo, para ver mais de perto uma orelha diferente que ao *menos* de longe parecesse com a orelha do tio. Em casa, vivia brincando com as orelhas da mãe, quando, fingindo-se carinhoso, chegava perto dela mais para ver bem juntinho cada dobra da concha, como era mesmo o buraquinho do ouvido, a parte que mais interessava.

A mãe tinha umas orelhas muito bem feitinhas, os lóbulos carnudos e soltos, furados com agulha em brasa quando era pequena para ela poder mais tarde usar brinco de gancho. Não era sempre que a mãe punha os brincos, só de vez em quando. Ela usava os brincos mesmo em casa de vez em quando não era por faceirice mas para que o furo da orelha não se fechasse e ela não pudesse mais usar os brincos tão bonitos de turmalina. Ele ficava mexendo com os brincos, com as cartilagens mais durinhas, chegava a enfiar a ponta do dedo no ouvido da mãe, de pura aflição, de tanto que fuçava.

Pare com isto, menino! dizia a mãe ralhando mas rindo. Me dá cócega. Também, que mania é essa que você agarrou, que sestro mais estúrdio de ficar bulindo com as orelhas dos outros! Mas João continuava, ela ria, gostava. Achava que era uma espécie de carinho, feito um cafuné que o filho lhe fizesse. Nem de longe sonhava que o menino estava era estudando para depois comparar com as orelhas do tio, principalmente o buraquinho do conduto.

Já as orelhas de vovô Tomé eram enormes de grandes, pilosas, duras e grossas, meio cabanadas. Vovô Tomé tinha o hábito de ficar brincando com a tira de palha que sobrava do cigarro. Enrolava a palha bem enroladinha, a modo de rabinho de porco, e, quando via que estava a seu gosto, se distraía enfiando a palha no ouvido: enroscava vagarosamente até encontrar uma resistência, dava um ligeiro repelão, é que tinha doído. Umas vezes era para tirar cera, outras só para fazer cosquinha. O certo é que era um vício, um divertimento muito bom aquele do velho. E ele procurava escondido remedar o avô, sentia muita cócega, às vezes doía muito, tinha receio de magoar o tímpano e ficar surdo. Será que tio Zózimo era surdo daquele ouvido? Largava de lado a brincadeira, não tinha jeito para aquilo. Pra que ficar remedando vovô, é uma mania dele, deixa pra lá. Cada um com a sua mania, ia brincar de outra coisa.

Vovó Naninha tinha umas orelhas muito feias, dava até gastura olhar, de tão moles, finas, transparentes. Não sabia por que ela usava coque, devia disfarçar um pouco aquelas orelhas feias. Mas vovó Naninha não era de vaidades e faceirices, deixava as orelhas à mostra, não ligava a mínima. As orelhas de tio Alfredo e do pai eram comuns demais, não tinham novidade nenhuma.

Mas João gostava mesmo de olhar era as orelhas de tio Zózimo, quando dava jeito. De quem será que ele tinha herdado aquele par de orelhas, tão diferente de vovô Tomé, de vovó Naninha? Arranjava as maneiras mais complicadas de ficar perto do tio para ver sobretudo a orelha direita, que mais o intrigava por causa do buraquinho. Será que ele escutava daquele lado? O tio não dava jeito, virava a cabeça, João não podia tirar a prova, tinha medo de que ele acabasse desconfiando.

Mesmo sem o buraquinho do lado direito, as orelhas de tio Zózimo eram diferentes de todas as orelhas que ele tinha resenhado minuciosamente na rua e em casa. Eram miúdas e duras, rentes à cabeça, refolhudas. Lóbulo quase não havia, a curva acabava diretamente na cara. O ouvido direito é que era diferente, diferente não só do esquerdo mas diferente de tudo quanto era ouvido que ele tinha colecionado. Era redondinho, como feito a compasso, sem pelo nenhum, ao contrário do outro, que tinha uns tufos saindo para fora.

Ah, meu Deus, se ele pudesse perguntar a alguém, se alguém pudesse lhe dizer por que é que o ouvido de tio Zózimo era tão desigual, tão esquisito! Em casa, por causa daquela resposta da mãe ficou sabendo que era proibido perguntar sobre o defeito, como era proibido indagar quando é que tio Zózimo ia chegar, ele estando longe. Na rua, João era um digno membro da família, não ia conversar com ninguém sobre os podres de casa. Porque a resposta da mãe não satisfazia, aquilo não era de nascença, via-se logo, a natureza não é assim tão caprichosa, ele achava.

Com o tempo, como não conseguisse saber a origem daquele ouvido tão bem redondinho feito a compasso, foi largando de mão a mania de ficar resenhando os ouvidos dos outros e tirando comparação. Eu acabo é ficando gira com essa história de reparar na orelha dos outros, disse para esquecer, e foi procurar ocupação em outra coisa, na horta, nas brincadeiras de rua, na companhia de Zito, que logo de chofre virou seu amigo do peito.

Foi Zito que lhe deu a chave do mistério. Quando João era bem maior, quando não mais se ocupava em ficar observando tio Zózimo, quando vivia reinando com Zito pela cidade na embrulhação do tempo, meninos que eram, desocupados. Isso aconteceu pouco antes dele ir para o internato em São Mateus e Zito começar a trabalhar na loja de Seu Bernardino.

Os dois estavam no pasto de seu Luquinha catando favas de ficheiro para o jogo que agora tinham inventado de jogar, muito em voga entre os meninos da cidade. Zito arranjara há mais tempo um cachorrinho, pensou em batizá-lo de Tom Mix, mas viu logo que o nome não assentava, o bicho era muito napeva e arreliadinho, para ser Tom Mix tinha de ser um cachorro grande de raça, por causa do mocinho da fita em série – descorçoado, Zito não se deu ao trabalho de tirar do bestunto um outro nome, o cachorro ficou se chamando mesmo Brinquinho.

Pois Brinquinho estava aquele dia muito espiritado, latindo muito, toda hora querendo abocanhar uma orelha. De vez em quando parava, rosnava, latia. Ficava sempre para trás, ao contrário do de costume, quando ia lampeiro na frente, saltando as moitas de capim, farejando o ar. Mesmo Zito assobiando agora ele não vinha.

Brinquinho está hoje danado de besta, disse João. É, ele não é assim, disse Zito, deve ter se machucado ou então um bicho mordeu ele, quem sabe uma cobra venenosa... Às vezes Zito se preocupava demais com Brinquinho, tinha muito agarramento por ele.

Pararam para examinar Brinquinho. Zito descobriu que ele tinha qualquer coisa no pé do ouvido, era um carrapato enorme, barrigudo, gordo de sangue, desses de cavalo. Zito tirou o carrapato, mesmo assim Brinquinho continuou ganindo. Fez um exame minucioso, bem junto da orelha já estava inflamando. Coitado do Brinquinho, ia dizendo Zito, quando chegar em casa vou pedir a minha mãe um remédio pra ele.

João olhava muito sério o ouvido melento do cachorro. Que ouvido mais esquisito, disse ele pensando no ouvido de tio Zózimo, só que o ouvido do tio vivia sempre limpinho. E se ele falasse, ao menos de passagem, sobre o ouvido de tio Zózimo? Que mal podia ter? Zito era tão seu amigo, não ia contar pra ninguém. E depois, ele não era mais um menininho, tinha um amigo mais velho do que ele, daí a pouco ia embora para São Mateus, sozinho no internato, não podia ficar a vida inteira debaixo da tutela das coisas proibidas na sua família.

Zito, disse ele, será que eu posso perguntar uma coisa? Zito fez que sim. Mas você jura que não vai contar pra ninguém que a gente conversou sobre isto? Zito não gostava que lhe pedissem segredo, se a coisa era séria ele não ia contar pra ninguém. Era de natural reservado e cumpridor. Ara, João, que mania! Será que você duvida de mim? Será que pensa que eu sou que nem o Tuim?

João já estava arrependido de ter aberto a boca, quê que custava guardar aquele segredo de família? Mas já que tinha começado, o jeito era acabar, senão era capaz de Zito trocar de mal com ele.

Será que você já reparou em tio Zózimo, viu que ele tem um ouvido diferente do outro? Já, disse Zito, e João ficou abismado de ver que Zito também já tinha vigiado tio Zózimo de perto, não era só ele que reparava. O que ele queria era pedir para Zito um dia prestar atenção no ouvido do tio e depois conversarem. Já mesmo? disse. Se estou dizendo é porque já, disse Zito.

Os dois ficaram um momento em silêncio. João pensou em mudar de assunto, agora era impossível voltar atrás, o jeito era continuar perguntando, por mais medo que tivesse dos olhos de Zito, do que ele ia dizer.

Que é aquilo, Zito, me conta, você sabe? E como Zito continuasse parado, indeciso, será que é de nascença, feito minha mãe disse? Ela disse isto? disse Zito. Foi o que ela me disse, quando uma vez faz tempo eu perguntei. Ela então não quer que você fique sabendo a verdade, disse Zito. Acho melhor eu não falar. E espantado da ignorância de João, será que você não sabe mesmo o que foi que aconteceu com seu tio?

João agora queria arrepiar carreira, queria não saber, queria pedir a Zito para não contar. Zito ficou olhando calado, não sabia se continuava ou não.

Me conta, afinal João se decidiu. É melhor você saber, disse Zito. De qualquer jeito você ia acabar sabendo, e quem sabe não ia saber por alguém que ia dizer a verdade de pura malvadeza? Olha, João, aquilo foi tiro. Um dia seu tio sapecou um tiro no ouvido!

O tiro explodiu no ouvido do menino, ficou zunindo no ar, sem fim. Ele tonto, aquele som redondo feito o chocar de dois mundos, o ribombar de um trovão quando uma tarde de chumbo de repente no pasto de Seu Luquinha ele sozinho, abandonado, perdido. Como se uma trompa fantástica tivesse soado, e os seus sonidos ecoavam pelo mundo a fora, por covas e corredores, labirintos e condutos invisíveis, grutas de estalactites (gotas incessantes pingavam no lajedo), por descampados e pisos ladrilhados, corredores de azulejos e campânulas de vidro que súbito se estilhaçavam, ele próprio uma caixa acústica ressoante, um pavilhão e uma concha: as trompas e trombetas do Juízo acordariam vivos e mortos na hora derradeira, todas as lembranças ressurrectas, e tudo se encadeando e se explicando, ele de repente lúcido, pálido e branco porque tomara conhecimento nas suas mais íntimas fibras; e o som golpeando, percutindo, vibrando, araponga que estourasse no seu canto de malho e bigorna. E aquele tiro, aquele estrondo, aquelas paredes ruindo, tetos desabando, vidros partindo, ainda haviam de vibrar durante muito tempo no ar, de vez em quando e sempre, nos sonhos e pesadelos, quando ele acordava empapado de suor no meio da noite, sempre e ainda agora.

Porque o menino levou muito tempo para voltar a si. Não que tivesse desmaiado (ele não se lembrava de mais nada, como voltara para casa, onde é que tinha ido parar Zito?), era mais aquela sensação opaca de um dente agudo e inflamado, ou quando ele na igreja ficava distraído brincando de tapar e destapar os ouvidos, como se assim pudesse apagar e acender o mundo: o canto na nave, as vozes e murmúrios, a música do harmonium.

E voltando a si, ficou sabendo de tudo. E tudo aquilo que durante tanto tempo esconderam e ele pegava apenas alguns fiapos no ar e com esses fiapos tentava construir a sua história, a sua verdade, de repente tudo lhe foi dado como ele menino imaginava o dia do Juízo Final, quando todos seriam chamados e todos os pecados, mesmo, os que a gente esquece, surgiriam, e todos, vivos e mortos, uns diante dos outros, despudoradamente, veriam a verdade terrível de cada um, e as coisas então fazendo sentido na claridade estridente da nova manhã.

Agora tudo se casava perfeitamente, tudo tinha explicação. As cartas de tio Zózimo amiudando à medida que se aproximava o dia de sua volta, no criado-mudo as cartas anunciando a decisão final, aquela cicatriz feia no pulso, porque escondiam certos vidros de remédio, porque quando Zózimo voltava das trevas não aparecia mais barbeado e tinham de humilhados chamar o barbeiro, porque sumiam todos os objetos cortantes e perfurantes, aquele corpo pegajento e rançoso na rede da sala balangando – um bacorinho, as sombras pesadas, os silêncios de vovô Tomé, as lágrimas sungadas e os soluços e as rezas de vovó Naninha no quarto do oratório, os gritos de tia Margarida, a sua gagueira, a sua aflição, os olhos tristonhos onde boiava um brilho de comecinho de lágrima da mãe, as idas e vindas apressadas de tio Alfredo...

Ele não precisava mais perguntar a ninguém as razões de todo o segredo que cercava as voltas de tio Zózimo, o mistério que vibrava tenso no casarão. Agora sabia, ele menino tinha percorrido sozinho os passos que levam ao conhecimento da dor. Sabia, era senhor do segredo. E como sabia, passou a participar dos acontecimentos, dos preparativos para a chegada de tio Zózimo. E todos viram que ele sabia e se interrogavam no espanto de saber que o menino sabia. De repente ficaram graves e mudos e unidos, como que de longe acarinhando a cabeça do menino porque ele tinha ficado sabendo sem que ninguém tivesse carecido de dizer.

Agora era João que ficava aflito, toda hora chegando na janela para ver se vinha Seu Zizinho dos Correios com carta de tio Zózimo. Já que sabia, precisava conferir com a presença do tio o seu conhecimento.

Quando veio carta de tio Zózimo foi uma novidade. João correu a entregar a vovó Naninha, era a primeira carta de tio Zózimo que ele pegava, antes vovó Naninha era muito esperta, chegava sempre primeiro. Deu-lhe a carta e ficou espiando a avó bem nos olhos. Mudamente se interrogavam e trocavam confidências e medos e angústias. Desta vez ela abriu o envelope na sua presença, começou a ler. Os olhos de vovó Naninha, a princípio carregados e apreensivos, súbito começaram a se abrir num brilho manso, meio que ela começava a sorrir, agora sorria declarado. A cara se abriu em alegria e agora ela ria picadinho, feito soluçasse. E era mesmo soluço, os olhos de vovó Naninha minaram lágrimas, lágrimas de alegria.

Que carta boa de Zózimo! disse vovó Naninha abraçando-o e acarinhando-o. Não demora ele deve chegar, é o que diz aqui na carta. Tio Zózimo está bem, João, tem palavras boas pra todo mundo, se lembrou mesmo de você. Que coisas bonitas ele diz pra mim, eu não aguento, meu Deus! Até que enfim, Jesus, Nossa Senhora das Dores se lembrou de atender as minhas rezas.

E ela foi dizer alto a vovô Tomé, a tia Margarida, a tio Alfredo, a sá Milurde. Chegou carta de Zózimo! Se aprontou, ia à igreja pagar promessa, mandou João contar à mãe.

Nunca uma carta provocou tanta alegria. Como visse que a carta era boa e só trazia boas notícias, João também não se conteve, saiu a dizer a todo mundo que tinham recebido carta de tio Zózimo, não demorava muito ele estaria de volta. Todos na rua se alegravam, participando da festa.

E vieram outras cartas, todas boas. Já falavam abertamente de tio Zózimo, não havia mais segredo, as proibições acabaram.

Quando um dia tio Zózimo chegou. Ao contrário do que João esperava, não foram à estação, ainda havia no chão da alma uma ligeira sombra, um medo que não conseguiam apagar: aquilo tudo podia não ser verdade.

Tio Zózimo chegou, foi o mesmo que um circo tivesse chegado na cidade. Tio Zózimo parecia um Santíssimo Sacramento, de tanta gente em volta dele. Mandou um menino levar a sua mala, não quis pegar carro, veio descendo a rua da estação, cumprimentando quem chegava na janela, ria e brincava, parecia um deputado, ele cumprimentava Deus e todo mundo.

A chegada de tio Zózimo em casa foi indescritível, escreveu João numa carta fictícia (foi aí que começou o vício de fingir que escrevia para alguém imaginário), nunca tinha escrito a ninguém, a primeira carta de verdade que escreveu foi quando depois ele foi para o Colégio São Mateus.

Tio Zózimo chegou. Chegou o corpo de tio Zózimo, chegou a alma de tio Zózimo na garupa, os dois vieram juntos pela primeira vez. Aquela separação, aquelas duas figuras, aquele fingimento de dizer tio Zózimo chegou quando ele já tinha chegado há muito tempo, os dias ruins e os dias bons, tudo isso passou. Ele não voltava para casa do pai porque doente, nevoento, desgastado, mas atendendo ao chamado do amor.

Tudo isso passou e os dias foram passando, se acostumaram com a novidade. Vovó Naninha, vovô Tomé, todos se permitiam dizer que talvez tio Zózimo ficasse para sempre, nunca mais ele partiria. No miúdo da existência, as coisas eram mansamente boas e sãs.

Mas tio Zózimo não era de ficar. Via-se nos gestos pouco a pouco inquietos, nos olhos de tardinha fascinados pelo azul, perdidos nos longes das grandes distâncias – os olhos do navegador e do andejo. De vez em quando, no meio dos rios e brincadeiras, começou a aparecer uma ponta de amargura, uma nuvenzinha triste boiando. No seu medo, João pressentia – alguma coisa estava para acontecer, era capaz de tio Zózimo novamente partir. Ai, meu Deus, será que ele ia buscar de novo o seu deserto? Será que ele ia ajustar outra vez as sandálias nos pés e ganhar o seu caminho, para depois de muito tempo tornar abatido, devastado, e tudo voltaria a ser como era antes?

Um dia, sem que ninguém esperasse, durante a janta, Zózimo disse mãe, pode arrumar as minhas coisas que daqui a uns dois dias vou-me embora. Pararam de comer, os olhos grudados nos olhos de Zózimo. Mas filho, disse a mãe, você não ia ficar? Você não disse que ia ficar para sempre? Não, eu nunca disse isso, disse Zózimo e afundou os olhos no prato. É, bem, disse o pai, depois de puxar um pigarro e pegar o garfo, recomeçou a comer. A mãe não disse mais nada, todos voltaram ao prato em silêncio, a janta estava custando a acabar.

E vovó Naninha começou a arrumar as coisas de Zózimo. Sabia que era melhor, não valia a pena insistir. O pior era ele ficar afundado na rede naqueles dias horríveis. De qualquer maneira ela estava triste, não era como das outras vezes. Desta vez não havia aquela felicidade pela partida do filho, ele agora era um filho pródigo comum cuja partida enche de tristeza o coração materno. Vovó Naninha, os olhos vermelhos das lágrimas escondidas, vivia rondando a porta do quarto de Zózimo, a ver se descobria algum sinal, alguma coisa que lhe desse a certeza de que na última hora ele voltaria atrás e diria mãe, se alegre, não vou mais embora.

Tudo pronto, ninguém falava da partida de tio Zózimo, era como se ele estivesse para chegar. Tudo com ele se dava ao contrário, tio Zózimo não era como o trivial dos mortais.

Na manhã do dia da partida de tio Zózimo, João veio bem cedinho para a casa do avô. Ainda não tinha visto tio Zózimo, queria conversar com ele, gozar ainda uma última vez a sua presença. Na cozinha perguntou à avó pelo tio, ela disse está lá no quarto.

Como tio Zózimo custasse a aparecer, João foi para junto de sua porta. Depois de algum tempo de espera, bateu, disse tio, sou eu, João. Sem resposta, bateu de novo, mais forte. João girou a maçaneta branca e vendo que a porta não estava trancada, foi empurrando devagarzinho. O quarto vazio, a janela aberta, o sol inundava de claridade o quarto.

Tio Zózimo não estava. Será que ele tinha fugido? É capaz dele ter ido embora, pra não ter de se despedir de ninguém, Quando os olhos de João pousaram no criado-mudo. Viu o envelope branco encostado na bilha, bem à mostra, para quem primeiro entrar ver.

O envelope na mão, João leu os dizeres que tio Zózimo tinha escrito – a quem interessar possa. Uma frase tão corriqueira, feito fosse anúncio posto em jornal, certificado, coisa assim. Já no envelope tio Zózimo começava de novo magoando a família.

O coração batia fundo, João sem coragem de ler a carta. A quem interessar possa, ele se interessava. Que coisa, tio Zózimo! Saiu correndo à procura da avó. Na sala de jantar deu de cara com vovô Tomé. Olha o que tio Zózimo deixou no criado-mudo, disse. O velho pegou a carta e em vez de ler, gritou vamos, vamos depressa ver onde está esse maluco.

Os dois saíram correndo pela casa toda. Como não achassem Zózimo em parte alguma, foram até a horta. Nem sombra de tio Zózimo.

Vovô, quem sabe ele foi-se embora, não aconteceu nada de ruim com ele? arriscou João. O avô olhou-o espantado. Não, meu filho, ele está por aqui mesmo, não fugiu não. E voltou para dentro de casa.

Agora era ele, vovó Naninha, tio Alfredo, todo mundo caçando tio Zózimo.

O quartinho da despensa trancado por dentro, tiveram de arrombar a porta. De repente viram: a banqueta caída no chão, tio Zózimo dependurado por uma corda amarrada na viga do teto.

Quando o enterro de tio Zózimo saiu, tinha-se a certeza de que aquela era a sua última partida, ele não voltaria nunca mais.

[De *O Risco do Bordado*. Rio, Expressão e Cultura, 1970.]

CLARICE LISPECTOR

Clarice Lispector nasceu em Tchetchelnik, Ucrânia, União Soviética, mas veio ainda muito pequena para o Brasil com os pais, que se estabeleceram no Recife. Em 1934, a família transferiu-se para o Rio de Janeiro onde Clarice fez o curso ginasial e os preparatórios. Em 1943, quando cursava a Faculdade de Direito, escreveu o seu primeiro romance, Perto do Coração Selvagem, que foi recusado pela editora José Olympio. Publica-o, no ano seguinte, pela editora A Noite e recebe o Prêmio Graça Aranha. Ainda em 1944, vai com o marido para Nápoles onde trabalha num hospital da Força Expedicionária Brasileira. Depois de longas estadas na Suíça e nos Estados Unidos, a escritora fixou-se no Rio onde viveu até sua morte em 9-12-1977.

OBRAS:

Perto do Coração Selvagem. Rio de Janeiro: A Noite, 1944. (romance)

O Lustre. Rio de Janeiro: Agir, 1946. (romance)

A Cidade Sitiada. Rio de Janeiro: A Noite, 1949. (romance)

Alguns Contos. Rio de Janeiro: Ministério da Educação e Saúde, 1952. (contos)

Laços de Família. Rio de Janeiro: Francisco Alves, 1960. (contos)

A Maçã no Escuro. Rio de Janeiro: Francisco Alves, 1961. (romance)

A Legião Estrangeira. Rio de Janeiro: Editora do Autor, 1964. (contos e crônicas)

A Paixão Segundo G. H. Rio de Janeiro: Editora do Autor, 1964. (romance)

O Mistério do Coelho Pensante. Rio de Janeiro: José Álvaro, 1967. (infantil)

A Mulher que Matou os Peixes. Rio de Janeiro: Sabiá, 1968. (infantil)

Uma Aprendizagem ou O Livro dos Prazeres. Rio de Janeiro: Sabiá, 1969. (romance)

Felicidade Clandestina. Rio de Janeiro: Sabiá, 1971. (contos)

Água Viva. Rio de Janeiro: Artenova, 1973. (contos)

A Imitação da Rosa. Rio de Janeiro: Artenova, 1973. (contos)

A Vida Íntima de Laura. Rio de Janeiro: José Olympio, 1974. (infantil)

A Via Crucis do Corpo. Rio de Janeiro: Artenova, 1974. (contos)

Onde Estivestes de Noite? Rio de Janeiro: Artenova, 1974. (contos e crônicas)

A Hora da Estrela. Rio de Janeiro: José Olympio, 1977. (romance)

Um Sopro de Vida (Pulsações). Rio de Janeiro: Nova Fronteira, 1978.

Quase de Verdade. Rio de Janeiro: Rocco, 1978. (infantil)

A Bela e a Fera. Rio de Janeiro: Nova Fronteira, 1979. (contos)

Como Nascem as Estrelas. Doze Lendas Brasileiras. Rio de Janeiro: Rocco, 1987. (infantil)

SOBRE A AUTORA:

LIVROS:

Borelli, Olga. *Clarice Lispector. Esboço para um possível retrato*. Rio de Janeiro: Nova Fronteira, 1981.

Pontieri, R. *Uma poética do olhar*. São Paulo: Ateliê, 1999.

Rosembaum, Yudith. *Metamorfoses do Mal: uma leitura de Clarice*

Lispector. São Paulo: Edusp / Fapesp, 1999 (coleção Ensaios de Cultura, 17)

VV.AA. Cadernos de Literatura Brasileira. *Clarice Lispector.* Num. 17-18. São Paulo: Instituto Moreira Salles, 2004.

Arêas, Vilma. *Clarice Lispector. Com a ponta dos dedos*. São Paulo: Companhia das Letras, 2005.

Gotlib, Nádia B. *Uma vida que se conta*. São Paulo: Edusp, 2010.

Souza, Carlos Mendes de. *Figuras da escrita*. São Paulo: Instituto Moreira Salles, 2012.

Artigos e ensaios:

Milliet, Sergio. "*Perto de coração selvagem*, Clarice Lispector". *O Estado de São Paulo,* 15 de janeiro de 1944.

Candido, Antonio. "Uma tentativa de renovação". *In: Brigada Ligeira*. São Paulo: Martins, 1945, pp. 98-109.

Milliet, Sergio. "*A cidade sitiada*, Clarice Lispector". *A Manhã*. Rio de Janeiro, 11 de setembro de 1949.

Lins, Álvaro. *Os Mortos de Sobrecasaca*. Rio de Janeiro: Civilização Brasileira, 1963.

Mello e Souza, Gilda de. "O vertiginoso relance". *In: Comentário*. Rio de Janeiro, março de 1963.

Schwarz, Roberto. "Perto do coração selvagem". *In: A sereia e o desconfiado: ensaios críticos*. Rio de Janeiro: Civilização Brasileira, 1965, pp. 37-41.

Costa Lima, Luís. *Por que Literatura*. Petrópolis: Vozes, 1966.

Nunes, Benedito. *O Dorso do Tigre*. São Paulo: Perspectiva, 1969.

Brasil, Assis. *Clarice Lispector*. Rio de Janeiro: Simões, 1969.

Costa Lima, Luís. "Clarice Lispector". *In: A Literatura no Brasil,* vol. V, Modernismo, 2a ed., Rio, Ed. Sul-Americana, 1970.

Candido, Antonio. "No Raiar de Clarice Lispector". *In: Vários Escritos*. São Paulo: Duas Cidades, 1970, p. 125-131.

Nunes, Benedito. *Leitura de Clarice Lispector*. São Paulo: Quíron, 1973.

Lins, Osman. "O tempo em Feliz Aniversário". *In: Colóquio-Letras,* Lisboa, maio de 1974.

Campos, Haroldo de. "Introdução à escrita de Clarice Lispector". *In: Metalinguagem e outras metas*. São Paulo: Perspectiva, 1992, pp. 183-188.

O BÚFALO

Clarice Lispector

Mas era primavera. Até o leão lambeu a testa glabra da leoa. Os dois animais louros. A mulher desviou os olhos da jaula, onde só o cheiro quente lembrava a carnificina que ela viera buscar no Jardim Zoológico. Depois o leão passeou enjubado e tranquilo, e a leoa lentamente reconstituiu sobre as patas estendidas a cabeça de uma esfinge. "Mas isso é amor, é amor de novo", revoltou-se a mulher tentando encontrar-se com o próprio ódio mas era primavera e dois leões se tinham amado, Com os punhos nos bolsos do casaco, olhou em torno de si, rodeada pelas jaulas, enjaulada pelas jaulas fechadas. Continuou a andar. Os olhos estavam tão concentrados na procura que sua vista às vezes se escurecia num sono, e então ela se refazia como na frescura de uma cova.

Mas a girafa era uma virgem de tranças recém-cortadas. Com a tola inocência do que é grande e leve e sem culpa. A mulher do casaco marrom desviou os olhos, doente, doente. Sem conseguir – diante da aérea girafa pousada, diante daquele silencioso pássaro sem asas – sem conseguir encontrar dentro de si o ponto pior de sua doença, o ponto mais doente, o ponto de ódio, ela que fora ao Jardim Zoológico para adoecer. Mas não diante da girafa que mais era paisagem que um ente. Não diante daquela carne que se distraíra em altura e distância, a girafa quase verde. Procurou outros animais, tentava aprender com eles a odiar. O hipopótamo, o hipopótamo úmido. O rolo roliço de carne, carne redonda e muda esperando outra carne roliça e muda. Não. Pois havia tal amor humilde em se manter apenas carne, tal doce martírio em não saber pensar.

Mas era primavera, e, apertando o punho no bolso do casaco, ela mataria aqueles macacos em levitação pela jaula, macacos felizes como ervas, macacos se entrepulando suaves, a macaca com olhar resignado de amor, e a outra macaca dando de mamar. Ela os mataria com quinze secas balas: os dentes da mulher se apertaram até o maxilar doer. A nudez dos macacos. O mundo que não via perigo em ser nu. Ela mataria a nudez dos macacos. Um macaco, também a olhou segurando as grades, os braços descarnados abertos em crucifixo, o peito pelado exposto sem orgulho. Mas não era no peito que ela mataria, era entre os olhos do macaco que ela mataria, era entre aqueles olhos que a olhavam sem pestanejar. De repente a mulher desviou o rosto: é que os olhos do macaco tinham um véu branco gelatinoso cobrindo a pupila, nos olhos a doçura da doença, era um macaco velho – a mulher desviou o rosto, trancando entre os dentes um sentimento que ela não viera buscar, apressou os passos, ainda voltou a cabeça espantada para o macaco de braços abertos: ele continuava a olhar para a frente. "Oh não, não isso", pensou. E enquanto fugia, disse: "Deus, me ensine somente a odiar".

"Eu te odeio", disse ela para um homem cujo crime único era o de não amá-la. "Eu te odeio", disse muito apressada. Mas não sabia sequer como se fazia. Como cavar na terra até encontrar a água negra, como abrir passagem na terra dura e chegar jamais a si mesma? Andou pelo Jardim Zoológico entre mães e crianças. Mas o elefante suportava o próprio peso. Aquele elefante inteiro a quem fora dado com uma simples pata esmagar. Mas que não esmagava. Aquela potência que no entanto se deixaria docilmente conduzir a um circo, elefante de crianças. E os olhos, numa bondade de velho, presos dentro da grande carne herdada. O elefante oriental. Também a primavera oriental, e tudo nascendo, tudo escorrendo pelo riacho.

A mulher então experimentou o camelo. O camelo em trapos, corcunda, mastigando a si próprio, entregue ao processo de conhecer a comida. Ela se sentiu fraca e cansada, há dois dias mal comia. Os grandes cílios empoeirados do camelo sobre olhos que se tinham dedicado à paciência de um artesanato interno. A paciência, a paciência, a paciência, só isso ela encontrava na primavera ao vento. Lágrimas encheram os olhos da mulher, lágrimas que não correram, presas dentro da paciência de sua carne herdada. Somente o cheiro de poeira do camelo vinha de encontro ao que ela viera: ao ódio seco, não a lágrimas. Aproximou-se das barras do cercado, aspirou o pó daquele tapete velho onde sangue cinzento circulava, procurou a tepidez impura, o prazer percorreu suas costas até o mal-estar, mas não ainda o mal-estar que ela viera buscar. No estômago contraiu-se em cólica de fome a vontade de matar. Mas não o camelo de estopa. "Oh Deus, quem será meu par neste mundo?"

Então foi sozinha ter a sua violência. No pequeno parque de diversões do Jardim Zoológico esperou meditativa na fila de namorados pela sua vez de se sentar no carro da montanha-russa.

E ali estava agora sentada, quieta no casaco marrom. O banco ainda parado, a maquinaria da montanha-russa ainda parada. Separada de todos no seu banco, parecia estar sentada numa igreja. Os olhos baixos viam o chão entre os trilhos. O chão onde simplesmente por amor – amor, amor, não o amor! – onde por puro amor nasciam entre os trilhos ervas de um verde leve tão tonto que a fez desviar os olhos em suplício de tentação. A brisa arrepiou-lhe os cabelos da nuca, ela estremeceu recusando, em tentação recusando, sempre tão mais fácil amar.

Mas de repente foi aquele voo de vísceras, aquela parada de um coração que se surpreende no ar, aquele espanto, a fúria vitoriosa com que o banco a precipitava no nada e imediatamente a soerguia como uma boneca de saia levantada, o profundo ressentimento com que ela se tornou mecânica, o corpo automaticamente alegre – o grito das namoradas! – seu olhar ferido pela grande surpresa, a ofensa, "faziam dela o que queriam", a grande ofensa – o grito das namoradas! a enorme perplexidade de estar espasmodicamente brincando faziam dela o que queriam, de repente sua candura exposta. Quantos minutos? os minutos de um grito prolongado de trem na curva, e a alegria de um novo mergulho no ar insultando-a com um pontapé, ela dançando descompassada ao vento, dançando apressada, quisesse ou não quisesse o corpo sacudia-se como o de quem ri, aquela sensação de morte às gargalhadas, morte sem aviso de quem não rasgou antes os papéis da gaveta, não a morte dos outros, a sua, sempre a sua. Ela que poderia ter aproveitado o grito dos outros para dar seu urro de lamento, ela se esqueceu, ela só teve espanto.

E agora este silêncio também súbito. Estavam de volta à terra, a maquinaria de novo inteiramente parada.

Pálida, jogada fora de uma igreja, olhou a terra imóvel de onde partira e aonde de novo fora entregue. Ajeitou as saias com recato. Não olhava para ninguém. Contrita como no dia em que no meio de todo o mundo tudo o que tinha na bolsa caíra no chão e tudo o que tivera valor enquanto secreto na bolsa, ao ser exposto na poeira da rua, revelara a mesquinharia de uma vida íntima de precauções: pó de arroz, recibo, caneta-tinteiro, ela recolhendo no meio-fio os andaimes de sua vida. Levantou-se do banco estonteada como se estivesse se sacudindo de um atropelamento. Embora ninguém prestasse atenção, alisou de novo a saia, fazia o possível para que não percebessem que estava fraca e difamada, protegia com altivez os ossos quebrados. Mas o céu lhe rodava no estômago vazio; a terra, que subia e descia a seus olhos, ficava por momentos distante, a terra que é sempre tão difícil. Por um momento a mulher quis, num cansaço de choro mudo, estender a mão para a terra difícil: sua mão se estendeu como a de um aleijado pedindo. Mas como se tivesse engolido o vácuo, o coração surpreendido.

Só isso? Só isto. Da violência, só isto.

Recomeçou a andar em direção aos bichos. O quebranto da montanha-russa deixara-a suave. Não conseguiu ir muito adiante: teve que apoiar a testa na grade de uma jaula, exausta, a respiração curta e leve. De dentro da jaula o quati olhou-a. Ela o olhou. Nenhuma palavra trocada. Nunca poderia odiar o quati que no silêncio de um corpo indagante a olhava. Perturbada, desviou os olhos da ingenuidade do quati. O quati curioso lhe fazendo uma pergunta como uma criança pergunta. E ela desviando os olhos, escondendo dele a sua missão mortal. A testa estava tão encostada às grades que por um instante lhe pareceu que ela estava enjaulada e que um quati livre a examinava.

A jaula era sempre do lado onde ela estava: deu um gemido que pareceu vir da sola dos pés. Depois outro gemido.

Então, nascida do ventre, de novo subiu, implorante, em onda vagarosa, a vontade de matar – seus olhos molharam-se gratos e negros numa quase felicidade, não era o ódio ainda, por enquanto apenas a vontade atormentada de ódio como um desejo, a promessa do desabrochamento cruel, um tormento como de amor, a vontade de ódio se prometendo sagrado sangue e triunfo, a fêmea rejeitada espiritualizara-se na grande esperança. Mas onde, onde encontrar o animal que lhe ensinasse a ter o seu próprio ódio? O ódio que lhe pertencia por direito mas que em dor ela não alcançava? Onde aprender a odiar para não morrer de amor? E com quem? O mundo de primavera, o mundo das bestas que na primavera se cristianizam em patas que arranham mas não doem... oh não mais esse mundo! Não mais esse perfume, não esse arfar cansado, não mais esse perdão em tudo o que um dia vai morrer como se fora para dar-se. Nunca o perdão, se aquela mulher perdoasse mais uma vez, uma só vez que fosse, sua vida estaria perdida – deu um gemido áspero e curto, o quati sobressaltou-se – enjaulada olhou em torno de si, e como não era pessoa em quem prestassem atenção, encolheu-se como uma velha assassina solitária, uma criança passou correndo sem vê-la.

Recomeçou então a andar, agora apequenada, dura, os punhos de novo fortificados nos bolsos, a assassina incógnita, e tudo estava preso no seu peito. No peito que só sabia resignar-se, que só sabia suportar, só sabia pedir perdão, só sabia perdoar, que só aprendera a ter a doçura da infelicidade, e só aprendera a amar, a amar, a amar. Imaginar que talvez nunca experimentasse o ódio de que sempre fora feito o seu perdão, fez seu coração gemer sem pudor, ela começou a andar tão depressa que parecia ter encontrado um súbito destino. Quase corria, os sapatos a desequilibravam, e davam-lhe uma fragilidade de corpo que de novo a reduzia a fêmea de presa, os passos tomaram mecanicamente o desespero implorante dos delicados, ela que não passava de uma delicada. Mas, pudesse tirar os sapatos, poderia evitar a alegria de andar descalça? Como não amar o chão em que se pisa? Gemeu de novo, parou diante das barras de um cercado, encostou o rosto quente no enferrujado frio do ferro. De olhos profundamente fechados procurava enterrar a cara entre a dureza das grades, a cara tentava uma passagem impossível entre barras estreitas, assim como antes vira o macaco recém-nascido buscar na cegueira da fome o peito da macaca. Um conforto passageiro veio-lhe do modo como as grades pareceram odiá-la opondo-lhe a resistência de um ferro gelado.

Abriu os olhos devagar. Os olhos vindos de sua própria escuridão nada viram na desmaiada luz da tarde. Ficou respirando. Aos poucos recomeçou a enxergar, aos poucos as formas foram se solidificando, ela cansada, esmagada pela doçura de um cansaço. Sua cabeça ergueu-se em indagação para as árvores de brotos nascendo, os olhos viram as pequenas nuvens brancas. Sem esperança, ouviu a leveza de um riacho. Abaixou de novo a cabeça e ficou olhando o búfalo ao longe. Dentro de um casaco marrom, respirando sem interesse, ninguém interessado nela, ela não interessada em ninguém.

Certa paz enfim. A brisa mexendo nos cabelos da testa como nos de pessoa recém-morta, de testa ainda suada. Olhando com isenção aquele grande terreno seco rodeado de grades altas, o terreno do búfalo. O búfalo negro estava imóvel no fundo do terreno. Depois passeou ao longe com os quadris estreitos, os quadris concentrados. O pescoço mais grosso que as ilhargas contraídas. Visto de frente, a grande cabeça mais larga que o corpo impedia a visão do resto do corpo, como uma cabeça decepada. E na cabeça os cornos. De longe ele passeava devagar com seu torso. Era um búfalo negro. Tão preto que à distância a cara não tinha traços. Sobre o negror a alvura erguida dos cornos.

A mulher talvez fosse embora mas o silêncio era bom no cair da tarde.

E no silêncio do cercado, os passos vagarosos, a poeira seca sob os cascos secos. De longe, no seu calmo passeio, o búfalo negro olhou-a um instante. No instante seguinte, a mulher de novo viu apenas o duro músculo do corpo. Talvez não a tivesse olhado. Não podia saber, porque das trevas da cabeça ela só distinguia os contornos. Mas de novo ele pareceu tê-la visto ou sentido.

A mulher aprumou um pouco a cabeça, recuou-a ligeiramente em desconfiança. Mantendo o corpo imóvel, a cabeça recuada, ela esperou.

E mais uma vez o búfalo pareceu notá-la.

Como se ela não tivesse suportado sentir o que sentira, desviou subitamente o rosto e olhou uma árvore. Seu coração não bateu no peito, o coração batia oco entre o estômago e os intestinos.

O búfalo deu outra volta lenta. A poeira. A mulher apertou os dentes, o rosto todo doeu um pouco.

O búfalo com o torso preso. No entardecer luminoso era um corpo enegrecido de tranquila raiva, a mulher suspirou devagar. Uma coisa branca espalhara-se dentro dela, branca como papel, fraca como papel, intensa como uma brancura. A morte zumbia nos seus ouvidos. Novos passos do búfalo trouxeram-na a si mesma e, em novo longo suspiro, ela voltou à tona. Nao sabia onde estivera. Estava de pé, muito débil, emergida daquela coisa branca e remota onde estivera.

E de onde olhou de novo o búfalo.

O búfalo agora maior. O búfalo negro. Ah, disse de repente com uma dor. O búfalo de costas para ela, imóvel. O rosto esbranquiçado da mulher não sabia como chamá-lo. Ah! disse provocando-o. Ah! disse ela. Seu rosto estava coberto de mortal brancura, o rosto subitamente emagrecido era de pureza e veneração. Ah! instigou-o com os dentes apertados. Mas de costas para ela, o búfalo inteiramente imóvel.

Apanhou uma pedra no chão e jogou para dentro do cercado. A imobilidade do torso, mais negra ainda se aquietou: a pedra rolou inútil.

Ah! disse sacudindo as barras. Aquela coisa branca se espalhava dentro dela, viscosa como uma saliva. O búfalo de costas.

Ah, disse. Mas dessa vez porque dentro dela escorria enfim um primeiro fio de sangue negro.

O primeiro instante foi de dor. Como se para que escorresse este sangue se tivesse contraído o mundo. Ficou parada, ouvindo pingar como numa grota aquele primeiro óleo amargo, a fêmea desprazada. Sua força ainda estava presa entre barras, mas uma coisa incompreensível e quente, enfim incompreensível, acontecia, uma coisa como uma alegria sentida na boca. Então o búfalo voltou-se para ela.

O búfalo voltou-se, imobilizou-se, e à distância encarou-a.

Eu te amo, disse ela então com ódio para o homem cujo grande crime impunível era o de não querê-la. Eu te odeio, disse implorando amor ao búfalo.

Enfim provocado, o grande búfalo aproximou-se sem pressa.

Ele se aproximava, a poeira erguia-se. A mulher esperou de braços pendidos ao longo do casaco. Devagar ele se aproximava. Ela não recuou um só passo. Até que ele chegou às grades e ali parou. Lá estavam o búfalo e a mulher, frente a frente. Ela não olhou a cara, nem a boca, nem os cornos. Olhou seus olhos.

E os olhos do búfalo, os olhos olharam seus olhos. E uma palidez tão funda foi trocada que a mulher se entorpeceu dormente. De pé, em sono profundo. Olhos pequenos e vermelhos a olhavam. Os olhos do búfalo. A mulher tonteou surpreendida, lentamente meneava a cabeça. O búfalo calmo. Lentamente a mulher meneava a cabeça, espantada com o ódio com que o búfalo, tranquilo de ódio, a olhava. Quase inocentada, meneando uma cabeça incrédula, a boca entreaberta. Inocente, curiosa, entrando cada vez mais fundo dentro daqueles olhos que sem pressa a fitavam, ingênua, num suspiro de sono, sem querer nem poder fugir, presa ao mútuo assassinato. Presa como se sua mão se tivesse grudado para sempre ao punhal que ela mesma cravara. Presa, enquanto escorregava enfeitiçada ao longo das grades. Em tão lenta vertigem que antes do corpo baquear macio, a mulher viu o céu inteiro e um búfalo.

[De *Laços de Família*, Rio, Francisco Alves, 1960.]

FELIZ ANIVERSÁRIO

Clarice Lispector

A família foi pouco a pouco chegando. Os que vieram de Olaria estavam muito bem vestidos porque a visita significava ao mesmo tempo um passeio a Copacabana. A nora de Olaria apareceu de azul-marinho, com enfeite de "pailletés" e um drapeado disfarçando a barriga sem cinta. O marido não veio por razões óbvias: não queria ver os irmãos. Mas mandara sua mulher para que nem todos os laços fossem cortados – e esta vinha com o seu melhor vestido para mostrar que não precisava de nenhum deles, acompanhada dos três filhos: duas meninas já de peito nascendo, infantilizadas em babados cor-de-rosa e anáguas engomadas, e o menino acovardado pelo terno novo e pela gravata.

Tendo Zilda – a filha com quem a aniversariante morava – disposto cadeiras unidas ao longo das paredes, como numa festa em que se vai dançar, a nora de Olaria, depois de cumprimentar com cara fechada aos de casa, aboletou-se numa das cadeiras e emudeceu, a boca em bico, mantendo sua posição de ultrajada. "Vim para não deixar de vir", dissera ela a Zilda, e em seguida sentara-se ofendida. As duas mocinhas de cor-de-rosa e o menino, amarelos e de cabelo penteado, não sabiam bem que atitude tomar e ficaram de pé ao lado da mãe, impressionados com seu vestido azul-marinho e com os "pailletés".

Depois veio a nora de Ipanema com dois netos e a babá. O marido viria depois. E como Zilda – a única mulher entre os seis irmãos homens e a única que, estava decidido já havia anos, tinha espaço e tempo para alojar a aniversariante – e como Zilda estava na cozinha a ultimar com a empregada os croquetes e sanduíches, ficaram: a nora de Olaria empertigada com seus filhos de coração inquieto ao lado; a nora de Ipanema na fila oposta das cadeiras fingindo ocupar-se com o bebê para não encarar a concunhada de Olaria; a babá ociosa e uniformizada, com a boca aberta.anos.

E à cabeceira da mesa grande, a aniversariante que fazia hoje oitenta e nove

Zilda, a dona da casa, arrumara a mesa cedo, enchera-a de guardanapos de papel colorido e copos de papelão alusivos à data, espalhara balões sungados pelo teto em alguns dos quais estava escrito "Happy Birthday!", em outros "Feliz Aniversário!". No centro havia disposto o enorme bolo açucarado. Para adiantar o expediente, enfeitara a mesa logo depois do almoço, encostara as cadeiras à parede, mandara os meninos brincar no vizinho para não desarrumarem a mesa.

E, para adiantar o expediente, vestira a aniversariante logo depois do almoço. Pusera-lhe desde então a presilha em torno do pescoço e o broche, borrifara-lhe um pouco de água de colônia para disfarçar aquele seu cheiro de guardado – sentara-a à mesa. E desde as duas horas a aniversariante estava sentada à cabeceira da longa mesa vazia, tesa na sala silenciosa.

De vez em quando consciente dos guardanapos coloridos. Olhando curiosa um ou outro balão estremecer aos carros que passavam. E de vez em quando aquela angústia muda: quando acompanhava, fascinada e impotente, o voo da mosca em torno do bolo.

Até que às quatro horas entrara a nora de Olaria e depois a de Ipanema.

Quando a nora de Ipanema pensou que não suportaria nem um segundo mais a situação de estar sentada defronte da concunhada de Olaria – que cheia das ofensas passadas não via um motivo para desfitar desafiadora a nora de Ipanema – entraram enfim José e a família. E mal eles se beijavam, a sala começou a ficar cheia de gente que ruidosa se cumprimentava como se todos tivessem esperado embaixo o momento de, em afobação de atraso, subir os três lances de escada, falando, arrastando crianças surpreendidas, enchendo a sala – e inaugurando a festa.

Os músculos do rosto da aniversariante não a interpretavam mais, de modo que ninguém podia saber se ela estava alegre. Estava era posta à cabeceira. Tratava-se de uma velha grande, magra, imponente e morena. Parecia oca.

– Oitenta e nove anos, sim senhor! disse José, filho mais velho agora que Jonga tinha morrido. Oitenta e nove anos, sim senhora! disse esfregando as mãos em admiração pública e como sinal imperceptível para todos.

Todos se interromperam atentos e olharam a aniversariante de um modo mais oficial. Alguns abanaram a cabeça em admiração como a um recorde. Cada ano vencido pela aniversariante era uma vaga etapa da família toda. Sim senhor! disseram alguns sorrindo timidamente.

– Oitenta e nove!, ecoou Manoel que era sócio de José. É um brotinho disse espirituoso e nervoso, e todos riram menos sua esposa.

A velha não se manifestava.

Alguns não lhe haviam trazido presente nenhum. Outros trouxeram saboneteira, uma combinação de jérsei, um broche de fantasia, um vasinho de cactus

– Nada, nada que a dona da casa pudesse aproveitar para si mesma ou para seus filhos, nada que a própria aniversariante pudesse realmente aproveitar constituindo assim uma economia: a dona da casa guardava os presentes, amarga, irônica.

– Oitenta e nove anos! repetiu Manoel aflito, olhando para a esposa.

A velha não se manifestava.

Então, como se todos tivessem tido a prova final de que não adiantava se esforçarem, com um levantar de ombros de quem estivesse junto de uma surda, continuaram a fazer a festa sozinhos, comendo os primeiros sanduíches de presunto mais como prova de animação que por apetite, brincando de que todos estavam morrendo de fome. O ponche foi servido, Zilda suava, nenhuma cunhada ajudou propriamente, a gordura quente dos croquetes dava um cheiro de piquenique; e de costas para a aniversariante, que não podia comer frituras, eles riam inquietos. E Cordélia? Cordélia, a nora mais moça, sentada, sorrindo.

— Não senhor! respondeu José com falsa severidade, hoje não se fala em negócios!

— Está certo, está certo! recuou Manoel depressa, olhando rapidamente para sua mulher que de longe estendia um ouvido atento.

— Nada de negócios, gritou José, hoje é o dia da mãe!

Na cabeceira da mesa já suja, os copos maculados, só o bolo inteiro — ela era a mãe. A aniversariante piscou os olhos.

E quando a mesa estava imunda, as mães enervadas com o barulho que os filhos faziam, enquanto as avós se recostavam complacentes nas cadeiras, então fecharam a inútil luz do corredor para acender a vela do bolo, uma vela grande com um papelzinho colado onde estava escrito "89". Mas ninguém elogiou a ideia de Zilda, e ela se perguntou angustiada se eles não estariam pensando que fora por economia de velas — ninguém se lembrando de que ninguém havia contribuído com uma caixa de fósforos sequer para a comida da festa que ela, Zilda, servia como uma escrava, os pés exaustos e o coração revoltado. Então acenderam a vela. E então José, o líder, cantou com muita força, entusiasmando com um olhar autoritário os mais hesitantes ou surpreendidos, "vamos! todos de uma vez!" — e todos de repente começaram a cantar alto como soldados. Despertada pelas vozes, Cordélia olhou esbaforida. Como não haviam combinado, uns cantaram em português e outros em inglês. Tentaram então corrigir: e os que haviam cantado em inglês passaram a português, e os que haviam cantado em português passaram a cantar bem baixo em inglês.

Enquanto cantavam, a aniversariante, à luz da vela acesa, meditava como junto de uma lareira.

Escolheram o bisneto menor que, debruçado no colo da mãe encorajadora, apagou a chama com um único sopro cheio de saliva! Por um instante bateram palmas à potência inesperada do menino que, espantado e exultante, olhava para todos encantado. A dona da casa esperava com o dedo pronto no comutador do corredor – e acendeu a lâmpada.

– Viva mamãe!

– Viva vovó!

– Viva d. Anita, disse a vizinha que tinha aparecido.

– Happy Birthday! gritaram os netos do Colégio Bennett.

Bateram ainda algumas palmas ralas.

A aniversariante olhava o bolo apagado, grande e seco.

– Parta o bolo, vovó! disse a mãe dos quatro filhos, é ela quem deve partir! assegurou incerta a todos, com ar íntimo e intrigante. E, como todos aprovassem satisfeitos e curiosos, ela se tornou de repente impetuosa: parta o bolo, vovó!

E de súbito a velha pegou na faca. E sem hesitação, como se hesitando um momento ela toda caísse para a frente, deu a primeira talhada com punho de assassina.

– Que força, segredou a nora de Ipanema, e não se sabia se estava escandalizada ou agradavelmente surpreendida. Estava um pouco horrorizada.

– Há um ano atrás ela era capaz de subir essas escadas com mais fôlego do que eu, disse Zilda amarga.

Dada a primeira talhada, como se a primeira pá de terra tivesse sido lançada, todos se aproximaram de prato na mão, insinuando-se em fingidas acotoveladas de animação, cada um para a sua pazinha.

Em breve as fatias eram distribuídas pelos pratinhos, num silêncio cheio de reboliço. As crianças pequenas, com a boca escondida pela mesa e os olhos ao nível desta, acompanhavam a distribuição com muda intensidade. As passas rolavam do bolo entre farelos secos. As crianças angustiadas viam se desperdiçarem as passas, acompanhavam atentas a queda.

E quando foram ver, não é que a aniversariante já estava devorando o seu último bocado?

E por assim dizer a festa estava terminada. Cordélia olhava ausente para todos, sorria.

— Já lhe disse: hoje não se fala em negócios! respondeu José radiante.

— Está certo, está certo! recolheu-se Manoel conciliador sem olhar a esposa que não o desfitava. Está certo, tentou Manoel sorrir e uma contração passou-lhe rápida pelos músculos da cara.

— Hoje é dia da mãe! disse José.

Na cabeceira da mesa, a toalha manchada de Coca-Cola, o bolo desabado, ela era a mãe. A aniversariante piscou.

Eles se mexiam agitados, rindo, a sua família. E ela era a mãe de todos. E se de repente não se ergueu, como um morto se levanta devagar e obriga mudez e terror aos vivos, a aniversariante ficou mais dura na cadeira, e mais alta. Ela era a mãe de todos. E como a presilha a sufocasse, ela era a mãe de todos e, impotente à cadeira, desprezava-os. E olhava-os piscando. Todos aqueles seus filhos e netos e bisnetos que não passavam de carne de seu joelho, pensou de repente como se cuspisse. Rodrigo, o neto de sete anos, era o único a ser a carne de seu coração, Rodrigo, com aquela carinha dura, viril e despenteada. Cadê Rodrigo? Rodrigo com olhar sonolento e entumescido naquela cabecinha ardente, confusa. Aquele seria um homem. Mas, piscando, ela olhava os outros, a aniversariante. Oh o desprezo pela vida que falhava. Como?! como tendo sido tão forte pudera dar à luz aqueles seres opacos, com braços moles e rostos ansiosos? Ela, a forte, que casara em hora e tempo devidos com um bom homem a quem obediente e independente, ela respeitara; a quem respeitara e que lhe fizera filhos e lhe pagara os partos e lhe honrara os resguardos. O tronco fora bom. Mas dera aqueles azedos e infelizes frutos, sem capacidade sequer para uma boa alegria. Como pudera ela dar à luz aqueles seres risonhos, fracos, sem austeridade? O rancor roncava no seu peito vazio. Uns comunistas, era o que eram; uns comunistas. Olhou-os com sua cólera de velha. Pareciam ratos se acotovelando, a sua família. Incoercível, virou a cabeça e com força insuspeita cuspiu no chão.

– Mamãe! gritou mortificada a dona da casa. Que é isso, mamãe! gritou ela passada de vergonha, e não queria sequer olhar os outros, sabia que os desgraçados se entreolhavam vitoriosos como se coubesse a ela dar educação à velha, e não faltaria muito para dizerem que ela já não dava mais banho na mãe, jamais compreenderiam o sacrifício que ela fazia. – Mamãe, que é isso! disse baixo, angustiada. A senhora nunca fez isso! acrescentou alto para que todos ouvissem, queria se agregar ao espanto dos outros, quando o galo cantar pela terceira vez renegarás tua mãe. Mas seu enorme vexame suavizou-se quando ela percebeu que eles abanavam a cabeça como se estivessem de acordo que a velha não passava agora de uma criança.

– Ultimamente ela deu pra cuspir, terminou então confessando contrita para todos.

Todos olharam a aniversariante, compungidos, respeitosos, em silêncio. Pareciam ratos se acotovelando, a sua família. Os meninos, embora crescidos – provavelmente já além dos cinquenta anos, que sei eu! – os meninos ainda conservavam os traços bonitinhos. Mas que mulheres haviam escolhido! E que mulheres os netos – ainda mais fracos e mais azedos – haviam escolhido. Todas vaidosas e de pernas finas, com aqueles colares falsificados de mulher que na hora não aguenta a mão, aquelas mulherezinhas que casavam mal os filhos, que não sabiam pôr uma criada em seu lugar, e todas elas com as orelhas cheias de brincos – nenhum, nenhum de ouro! A raiva a sufocava.

– Me dá um copo de vinho! disse.

O silêncio se fez de súbito, cada um com o copo imobilizado na mão.

– Vovozinha, não vai lhe fazer mal? insinuou cautelosamente a neta roliça e baixinha.

– Que vovozinha que nada! explodiu amarga a aniversariante. Que o diabo vos carregue, corja de maricas, cornos e vagabundas! Me dá um copo de vinho, Dorothy!, ordenou.

Dorothy não sabia o que fazer, olhou para todos em pedido cômico de socorro. Mas, como máscaras isentas e inapeláveis, de súbito nenhum rosto se manifestava. A festa interrompida, os sanduíches mordidos na mão, algum pedaço que estava na boca a sobrar seco, inchando tão fora de hora a bochecha. Todos tinham ficado cegos, surdos e mudos, com croquetes na mão. E olhavam impassíveis.

Desamparada, divertida, Dorothy deu o vinho: astuciosamente apenas dois dedos no copo. Inexpressivos, preparados, todos esperaram pela tempestade.

Mas não só a aniversariante não explodiu com a miséria de vinho que Dorothy lhe dera como não mexeu no copo.

Seu olhar estava fixo, silencioso. Como se nada tivesse acontecido.

Todos se entreolharam polidos, sorrindo cegamente, abstratos como se um cachorro tivesse feito pipi na sala. Com estoicismo, recomeçaram as vozes e risadas. A nora de Olaria, que tivera o seu primeiro momento uníssono com os outros quando a tragédia vitoriosamente parecia prestes a se desencadear, teve que retornar sozinha à sua severidade, sem ao menos o apoio dos três filhos que agora se misturavam traidoramente com os outros. De sua cadeira reclusa, ela analisava crítica aqueles vestidos sem nenhum modelo, sem um drapeado, a mania que tinham de usar vestido preto com colar de pérolas, o que não era moda coisa nenhuma, não passava era de economia. Examinando distante os sanduíches que quase não tinham levado manteiga. Ela não se, servira de nada, de nada! Só comera uma coisa de cada, para experimentar.

E por assim dizer, de novo a festa estava terminada.

As pessoas ficaram sentadas benevolentes. Algumas com a atenção voltada para dentro de si, à espera de alguma coisa a dizer. Outras vazias e expectantes, com um sorriso amável, o estômago cheio daquelas porcarias que não alimentavam mas tiravam a fome. As crianças, já incontroláveis, gritavam cheias de vigor. Umas já estavam de cara imunda; as outras, menores, já molhadas; a tarde caía rapidamente. E Cordélia? Cordélia olhava ausente, com um sorriso estonteado, suportando sozinha o seu segredo. Que é que ela tem? alguém perguntou com uma curiosidade negligente, indicando-a de longe com a cabeça, mas também não responderam. Acenderam o resto das luzes para precipitar a tranquilidade da noite, as crianças começavam a brigar. Mas as luzes eram mais pálidas que a tensão pálida da tarde. E o crepúsculo de Copacabana, sem ceder, no entanto se alargava cada vez mais e penetrava pelas janelas como um peso.

— Tenho que ir, disse perturbada uma das noras levantando-se e sacudindo os farelos da saia. Vários se ergueram sorrindo.

A aniversariante recebeu um beijo cauteloso de cada um como se sua pele tão infamiliar fosse uma armadilha. E, impassível, piscando, recebeu aquelas palavras propositadamente atropeladas que lhe diziam tentando dar um final arranco de efusão ao que não era mais senão passado: a noite já viera quase totalmente. A luz da sala parecia então mais amarela e mais rica, as pessoas envelhecidas. As crianças já estavam histéricas.

— Será que ela pensa que o bolo substitui o jantar, indagava-se a velha nas suas profundezas.

Mas ninguém poderia adivinhar o que ela pensava. E para aqueles que junto da porta ainda a olharam uma vez, a aniversariante era apenas o que parecia ser; sentada à cabeceira da mesa imunda, com a mão fechada sobre a toalha, como encerrando um cetro, e com aquela mudez que era a sua última palavra. Com um punho fechado sobre a mesa, nunca mais ela seria apenas o que ela pensasse. Sua aparência afinal a ultrapassara e, superando-a, se agigantava serena. Cordélia olhou-a espantada. O punho mudo e severo sobre a mesa dizia para a infeliz nora que sem remédio amava talvez pela última vez: É preciso que se saiba. É preciso que se saiba. Que a vida é curta. Que a vida é curta.

Porém nenhuma vez mais repetiu. Porque a verdade era um relance. Cordélia olhou-a estarrecida. E, para nunca mais, nenhuma vez repetiu — enquanto Rodrigo, o neto da aniversariante, puxava a mão daquela mãe culpada, perplexa e desesperada que mais uma vez olhou para trás implorando à velhice ainda um sinal de que uma mulher deve, num ímpeto dilacerante, enfim agarrar a sua derradeira chance e viver. Mais uma vez Cordélia quis olhar.

Mas a esse novo olhar – a aniversariante era uma velha à cabeceira da mesa.

Passara o relance. E arrastada pela mão paciente e insistente de Rodrigo a nora seguiu-o espantada.

— Nem todos têm o privilégio e o orgulho de se reunirem em torno da mãe, pigarreou José lembrando--se de que Jonga é quem fazia os discursos.

— Da mãe, vírgula! riu baixo a sobrinha, e a prima mais lenta riu sem achar graça.

— Nós temos, disse Manoel acabrunhado sem mais olhar para a esposa. Nós temos esse grande privilégio, disse distraído enxugando a palma úmida das mãos.

Mas não era nada disso, apenas o mal-estar da despedida, nunca se sabendo ao certo o que dizer, José esperando de si mesmo com perseverança e confiança a próxima frase do discurso. Que não vinha. Que não vinha. Que não vinha. Os outros aguardavam. Como Jonga fazia falta nessas horas – José enxugou a testa com o lenço – como Jonga fazia falta nessas horas! Também fora o único a quem a velha sempre aprovara e respeitara, e isso dera a Jonga tanta segurança. E quando ele morrera, a velha nunca mais falara nele, pondo um muro entre sua morte e os outros. Esquecera-o talvez. Mas não esquecera aquele mesmo olhar firme e direto com que desde sempre olhara os outros filhos, fazendo-os sempre desviar os olhos. Amor de mãe era duro de suportar: José enxugou a testa, heroico, risonho.

E de repente veio a frase:

— Até o ano que vem! disse José subitamente com malícia, encontrando, assim, sem mais nem menos, a frase certa: uma indireta feliz! Até o ano que vem, hein?, repetiu com receio de não ser compreendido.

Olhou-a, orgulhoso da artimanha da velha que espertamente sempre vivia mais um ano.

— No ano que vem nos veremos diante do bolo aceso! esclareceu melhor o filho Manoel, aperfeiçoando o espírito do sócio. Até o ano que vem, mamãe! e diante do bolo aceso! disse ele bem explicado, perto de seu ouvido, enquanto olhava obsequiador para José. E a velha de súbito cacarejou um riso frouxo, compreendendo a alusão.

Então ela abriu a boca e disse:

— Pois é.

Estimulado pela coisa ter dado tão inesperadamente certo, José gritou-lhe emocionado, grato, com os olhos úmidos:

— No ano que vem nos veremos, mamãe!

— Não sou surda! disse a aniversariante rude, acarinhada.

Os filhos se olharam rindo, vexados, felizes. A coisa tinha dado certo.

As crianças foram saindo alegres, com o apetite estragado. A nora de Olaria deu um cascudo de vingança no filho alegre demais e já sem gravata. As escadas eram difíceis, escuras, incrível insistir em morar num prediozinho que seria fatalmente demolido mais dia menos dia, e na ação de despejo Zilda ainda ia dar trabalho e querer empurrar a velha para as noras — pisado o último degrau, com alívio os convidados se encontraram na tranquilidade fresca da rua. Era noite, sim. Com o seu primeiro arrepio.

Adeus, até outro dia, precisamos nos ver. Apareçam, disseram rapidamente. Alguns conseguiram olhar nos olhos dos outros com uma cordialidade sem receio. Alguns abotoavam os casacos das crianças, olhando o céu à procura de um sinal do tempo. Todos sentindo obscuramente que na despedida se poderia talvez, agora sem perigo de compromisso, ser bom e dizer aquela palavra a mais — que palavra? Eles não sabiam propriamente, e olhavam-se sorrindo, mudos. Era um instante que pedia para ser vivo. Mas que era morto. Começaram a se separar, andando meio de costas, sem saber como se desligar dos parentes sem brusquidão.

— Até o ano que vem! repetiu José a indireta feliz, acenando a mão com vigor efusivo, os cabelos ralos e brancos esvoaçavam. Ele estava era gordo, pensaram, precisava tomar cuidado com o coração. Até o ano que vem! gritou José eloquente e grande, e sua altura parecia desmoronável. Mas as pessoas já afastadas não sabiam se deviam rir alto para ele ouvir ou se bastaria sorrir mesmo no escuro. Além de alguns pensarem que felizmente havia mais do que uma brincadeira na indireta e que só no próximo ano seriam obrigados a se encontrar diante do bolo aceso; enquanto que outros, já mais no escuro da rua, pensavam se a velha resistiria mais um ano ao nervoso e à impaciência de Zilda, mas eles sinceramente nada podiam fazer a respeito. "Pelo menos noventa anos", pensou melancólica a nora de Ipanema. "Para completar uma data bonita", pensou sonhadora.

Enquanto isso, lá em cima, sobre escadas e contingências, estava a aniversariante sentada à cabeceira da mesa, erecta, definitiva, maior do que ela mesma. Será que hoje não vai ter jantar, meditava ela. A morte era o seu mistério.

[De *Laços de Família*. Rio, Francisco Alves, 1960.]

MENINO A BICO DE PENA

Clarice Lispector

Como conhecer jamais o menino? Para conhecê-lo tenho que esperar que ele se deteriore, e só então ele estará ao meu alcance. Lá está ele, um ponto no infinito. Ninguém conhecerá o hoje dele. Nem ele próprio. Quanto a mim, olho, e é inútil: não consigo entender coisa apenas atual, totalmente atual. O que conheço dele é a sua situação: o menino é aquele em quem acabaram de nascer os primeiros dentes e é o mesmo que será médico ou carpinteiro. Enquanto isso – lá está ele sentado no chão, de um real que tenho de chamar de vegetativo para poder entender. Trinta mil desses meninos sentados no chão, teriam eles a chance de construir um mundo outro, um que levasse em conta a memória da atualidade absoluta a que um dia já pertencemos? A união faria a força. Lá está ele sentado, iniciando tudo de novo mas para a própria proteção futura dele, sem nenhuma chance verdadeira de realmente iniciar.

Não sei como desenhar o menino. Sei que é impossível desenhá-lo a carvão, pois até o bico de pena mancha o papel para além da finíssima linha de extrema atualidade em que ele vive. Um dia o domesticaremos em humano, e poderemos desenhá-lo. Pois assim fizemos conosco e com Deus. O próprio menino ajudará sua domesticação: ele é esforçado e coopera. Coopera sem saber que essa ajuda que lhe pedimos é para o seu autossacrifício. Ultimamente ele até tem treinado muito. E assim continuará progredindo até que, pouco a pouco pela bondade necessária com que nos salvamos – ele passará do tempo atual ao tempo cotidiano, da meditação à expressão, da existência à vida. Fazendo o grande sacrifício de não ser louco. Eu não sou louco por solidariedade com os milhares de nós que, para construir o possível, também sacrificaram a verdade que seria uma loucura.

Mas por enquanto ei-lo sentado no chão, imerso num vazio profundo.

Da cozinha a mãe se certifica: você está quietinho aí? Chamado ao trabalho, o menino ergue-se com dificuldade. Cambaleia sobre as pernas, cora a atenção inteira para dentro: todo o seu equilíbrio é interno. Conseguido isso, agora a inteira atenção para fora: ele observa o que o ato de se erguer provocou. Pois levantar-se teve consequências e consequências: o chão move-se incerto, uma cadeira o supera a parede o delimita. E na parede tem o retrato de *O Menino*. É difícil olhar para o retrato alto sem apoiar-se num móvel, isso ele ainda não treinou. Mas eis que sua própria dificuldade lhe serve de apoio: o que o mantém de pé é exatamente prender a atenção ao retrato alto, olhar para cima lhe serve de guindaste. Mas ele comete um erro: pestaneja. Ter pestanejado desliga-o por uma fração de segundo do retrato que o sustentava. O equilíbrio se desfaz – num único gesto total, ele cai sentado. Da boca entreaberta pelo esforço de vida a baba clara escorre e pinga no chão. Olha o pingo bem de perto, como a uma formiga. O braço ergue-se, avança em árduo mecanismo de etapas. E de súbito, como para prender um inefável, com inesperada violência ele achata a baba com a palma da mão. Pestaneja, espera. Finalmente, passado o tempo necessário que se tem de esperar pelas coisas, ele destampa cuidadosamente a mão e olha no assoalho o fruto da experiência. O chão está vazio. Em nova brusca etapa, olha a mão: o pingo de baba está, pois, colado na palma. Agora ele sabe disso também. Então, de olhos bem abertos, lambe a baba que pertence ao menino. Ele pensa bem alto: menino.

– Quem é que você está chamando? pergunta a mãe lá da cozinha.

Com esforço e gentileza ele olha pela sala, procura quem a mãe diz que ele está chamando, vira-se e cai para trás. Enquanto chora, vê a sala entortada e refratada pelas lágrimas, o volume branco cresce até ele – mãe! absorve-o com braços fortes, e eis que o menino está bem no alto do ar, bem no quente e no bom. O teto está mais perto, agora; a mesa, embaixo. E, como ele não pode mais de cansaço, começa a revirar as pupilas até que estas vão mergulhando na linha de horizonte dos olhos. Fecha-os sobre a última imagem, as grades da cama. Adormece esgotado e sereno.

A água secou na boca. A mosca bate no vidro. O sono do menino é raiado de claridade e calor, o sono vibra no ar. Até que, em pesadelo súbito, uma das palavras que ele aprendeu lhe ocorre: ele estremece violentamente, abre os olhos. E para o seu terror vê apenas isto: o vazio quente e claro do ar, sem mãe. O que ele pensa estoura em choro pela casa toda. Enquanto chora, vai se reconhecendo, transformando-se naquele que a mãe reconhecerá. Quase desfalece em soluços, com urgência ele tem que se transformar numa coisa que pode ser vista e ouvida senão ele ficará só, tem que se transformar em compreensível senão ninguém o compreenderá, senão ninguém irá para o seu silêncio ninguém o conhece se ele não disser e contar, farei tudo o que for necessário para que eu seja dos outros e os outros sejam meus, pularei por cima de minha felicidade real que só me traria abandono, e serei popular, faço a barganha de ser amado, é inteiramente mágico chorar para ter em troca: mãe.

Até que o ruído familiar entra pela porta e o menino, mudo de interesse pelo que o poder de um menino provoca, para de chorar: mãe. Mãe é: não morrer. E sua segurança é saber que tem um mundo para trair e vender, e que o venderá.

É mãe, sim é mãe com fralda na mão. A partir de ver a fralda, ele recomeça a chorar.

– Pois se você está todo molhado!

A notícia o espanta, sua curiosidade recomeça, mas agora uma curiosidade confortável e garantida. Olha com cegueira o próprio molhado, em nova etapa olha a mãe. Mas de repente se retesa e escuta com o corpo todo, o coração batendo pesado na barriga: fonfom!, reconhece ele de repente num grito de vitória e terror – menino acaba de reconhecer!

— Isso mesmo! diz a mãe com orgulho, isso mesmo, meu amor, é fonfom que passou agora pela rua, vou contar para o papai que você já aprendeu, é assim mesmo que se diz: fonfom, meu amor! diz a mãe puxando-o de baixo para cima e depois de cima para baixo, levantando-o pelas pernas, inclinando-o para trás, puxando-o de novo de baixo para cima. Em todas as posições o menino conserva os olhos bem abertos. Secos como a fralda nova.

[De *Felicidade Clandestina*. Rio, Sabiá, 1971.]

RUBEM FONSECA

José Rubem Fonseca nasceu em Juiz de Fora, Minas Gerais, em 1925, e mora no Rio de Janeiro desde os sete anos de idade. Fez o curso de Direito no Brasil e Mestrado em Administração nos Estados Unidos. Estreou quase aos quarenta anos com os contos de *Os Prisioneiros*. Tem colaborado em argumentos e roteiros de filmes: *Lúcia McCartney*, produzido em 1972, *Relatório de um Homem Casado*, em 1973, e *A Extorsão*, em fase de montagem (1975). Em 2003, recebeu o Prêmio Luis de Camões, concedido pelos governos do Brasil e Portugal pelo conjunto da obra, e o Prêmio de Literatura Latinoamericana e Caribe Juan Rulfo, concedido durante a Feira Internacional do Livro de Guadalajara, no México.

Obras:

Os prisioneiros. Rio de Janeiro: GRD, 1963 .(contos)
A coleira do cão. Rio de Janeiro: GRD, 1965. (contos)
Lúcia McCartney. Rio de Janeiro: Olivé, 1969. (contos)
O Homem de Fevereiro ou Março. Rio de Janeiro: Artenova, 1973. (antologia de contos selecionados pelo autor)
O Caso Morel. Rio de Janeiro: Artenova, 1973. (romance)
Feliz Ano Novo. Rio de Janeiro: Artenova, 1975. (contos)
O cobrador. Rio de Janeiro: Nova Fronteira, 1979. (contos)
A Grande Arte. Rio de Janeiro, Francisco Alves, 1983. (romance)

Bufo e Spallanzani. Rio de Janeiro: Francisco Alves, 1985. (romance)

Vastas emoções e pensamentos imperfeitos. São Paulo: Companhia das Letras, 1988. (romance)

Agosto. São Paulo: Companhia das Letras, 1990. (romance)

Romance negro e outras histórias. São Paulo: Companhia das Letras, 1992. (contos)

O selvagem da ópera. São Paulo: Companhia das Letras, 1994. (romance)

Contos reunidos. São Paulo: Companhia das Letras, 1994. (antologia de contos)

O buraco na parede. São Paulo: Companhia das Letras, 1995. (contos)

Histórias de amor. São Paulo: Companhia das Letras, 1997. (contos)

Do meio do mundo prostituto só amores guardei ao meu charuto. São Paulo: Companhia das Letras, 1997. (romance)

A Confraria dos Espadas. São Paulo: Companhia das Letras, 1998. (contos)

O doente Molière. São Paulo: Companhia das Letras, 2000. (romance)

Secreções, excreções e desatinos. São Paulo: Companhia das Letras, 2001. (contos)

Pequenas criaturas. São Paulo: Companhia das Letras, 2002. (contos)

Diário de um fescenino. São Paulo: Companhia das Letras, 2003. (contos)

Mandrake, a Bíblia e a bengala. São Paulo: Companhia das Letras, 2005. (romance)

64 Contos de Rubem Fonseca. São Paulo: Companhia das Letras, 2005. (antologia de contos)

Ela e outras mulheres. São Paulo: Companhia das Letras, 2006. (contos)

O seminarista. Rio de Janeiro: Agir, 2009. (romance)

Axilas e Outras Histórias Indecorosas. Rio de Janeiro: Nova Fronteira, 2011. (contos)

Sobre o autor:

Livros:

Vidal, Ariovaldo José. *Roteiro para um narrador: uma leitura dos contos de Rubem Fonseca.* Cotia, SP: Ateliê Editorial, 2000.

Artigos e ensaios:

Martins, Wilson. "A Escada da Glória". *In:* Suplemento Literário de O *Estado de Paulo,* 19-3-1966.

Lucas, Fábio. "Os Anti-Heróis de Rubem Fonseca". *In:* Suplemento do Livro, *Jornal do Brasil,* no 41, Rio de Janeiro, 1969.

Gomes, José Edson. "Rubem Fonseca, conto subterrâneo". *In: O Globo,* Rio de Janeiro, 13-12-1969.

Sant'Anna, Sérgio. "A propósito de Lúcia McCartney". *In:* Suplemento Literário do *Minas Gerais,* Belo Horizonte, dezembro de 1969.

Pólvora, Hélio. *A Força da Ficção.* Petrópolis: Vozes, 1971.

Barbosa, João A. "Onze contos insólitos". *Opus 60. Ensaios de Crítica.* São Paulo: Duas Cidades, 1980, pp. 121-124.

Jozef, Bella. "Rubem Fonseca e seu universo". *In: O Jogo Mágico.* Rio de Janeiro: José Olympio, 1980.

Lima, Luiz Costa. "O Cão Pop e a Alegoria Cobradora". *In: Dispersa Demanda. Ensaios sobre Literatura e Teoria.* Rio de Janeiro: Francisco Alves, 1981, pp. 144-158.

Santiago, Silviano. "Errata". *In: Vale quanto pesa.* São Paulo: Paz e Terra, 1982.

Schnaiderman, Boris. "Vozes de barbárie, vozes de cultura: uma leitura dos contos de Rubem Fonseca". *In:* Fonseca, R. *Contos Reunidos.* São Paulo: Companhia das Letras, 1994.

O EXTERMINADOR

Rubem Fonseca

1 – O Exterminador colocou a automática num coldre especial nas costas, logo acima da região glútea. A arma ficava deitada, o cabo para a direita ou para a esquerda, indiferentemente: o Exterminador atirava com as duas mãos. Com incrível rapidez, o Exterminador sacou a sua 54 Superchata, apontando-a para o peito do Cacique. O Cacique nem piscou. Ele mesmo tinha ensinado aquele ardil ao Exterminador.

"Aprendi isso numa antiga novela americana sobre terroristas negros", disse o Cacique. "É um truque velho, mas surpreendente. Hoje ninguém mais lê. Porém, tudo que eu sei aprendi nos livros." Um leve sorriso na sua boca de lábios finos.

O Exterminador tinha vindo de fora. Era identificado pela letra R. "E o Exterminador RJ? Por que ele não fez o serviço?", perguntou R.

Havia cinco exterminadores infiltrados em São Paulo, Rio de Janeiro, Recife, Belo Horizonte e Porto Alegre. Sua função era matar as autoridades, técnicos e burocratas de alto nível que nunca apareciam em público e assim estavam longe do alcance dos Esquadrões. (*Esquadrões: grupos de especialistas em atentados pessoais com explosivos.*)

"O trânsito dele está difícil", respondeu o Cacique.

"Qual é o alvo?", perguntou o Exterminador com sotaque carioca, os ll soando como uu.

"O G.G.". (*G.G.: Governador Geral.*)

"Não vai ser fácil", disse o Exterminador com sotaque gaúcho, e l vibrando no céu da boca. Uma pequena demonstração de habilidade para impressionar, ou divertir, o Cacique. R. podia ser infiltrado em qualquer parte do país ou do exterior. Ele assumia qualquer papel. Nem o IVE percebia sua impostura. (*IVE: Identificador Vocal Eletrônico.*) R. controlava os mínimos gestos – comer, andar, sentar, correr, fumar, até a maneira de pensar ele condicionava ao personagem assumido. O treinamento dos Exterminadores para enganar e matar era tão elaborado e difícil quanto o dos antigos astronautas.

"Você vai receber um aviso. Este é o nosso último contato até você fazer o serviço. Use a primeira oportunidade que aparecer", disse o Cacique.

"O.K.", disse o Exterminador.

"Outra coisa", disse o Cacique, "dentro de um mês os BBB vão iniciar uma nova programação. Isto talvez ajude você. É só." (BBB: especialistas em incêndios e saques, sigla derivada do grito dos terroristas negro-americanos do século 20, burn, baby, burn.)

O Exterminador olhou a impassível cara enrugada do Cacique. Depois, retirou-se em silêncio.

2 – Pelo vidro inquebrável, o G.G. verificou que quem estava na antessala era a sua secretária, D. Nova. O G.G. apertou um botão que acionou um mecanismo trancando uma das portas blindadas da antessala e abrindo ao mesmo tempo a outra porta que dava acesso à sua sala.

A secretária entrou com as duas mãos para o alto, o bloco de ditado enfiado no cinto.

"Como está a minha agenda?", perguntou o G.G.

A secretária baixou as mãos lentamente, sempre com as palmas para a frente; quando chegou na altura do cinto, com as pontas dos dedos da mão direita retirou o bloco, enquanto mantinha a mão esquerda espalmada horizontalmente. Depois segurou o bloco com as duas mãos, mantendo-as afastadas quarenta e cinco centímetros do corpo. Exigências do RDE. (*RDE: Regulamento de Defesa Especial.*)

"Quarta-feira está livre", disse a secretária.

"Pan Cavalcanti desembarca hoje no Galeão. Avisar DEPOSE para alguém esperá-lo. Quero me entrevistar com ele na quarta-feira. 16 horas." (DEPOSE: Departamento de Polícia Secreta.)

"Intercom, circuito fechado, ou vis-à-vis?" "Circuito fechado", disse G.G.

3 – Na portaria do hotel, em grandes letras de vapor de mercúrio, estava escrito: SE VOCÊ NÃO CONHECE HÁ MUITO TEMPO ESSE(A) HOMEM(MULHER) QUE ESTÁ COM VOCÊ, NÃO VÁ PARA A CAMA COM ELE(A). PROTEJA SUA VIDA.

"Se o povo fosse atrás disso, ninguém ia mais para a cama com ninguém", disse a mulher.

A mulher riu. O Exterminador continuou sério.

"IS?", perguntou o porteiro. (IS: Identificação Social.)

O Exterminador balançou a cabeça negativamente.

"Sobretaxa de vinte por cento", disse o porteiro.

"O.K.", disse o Exterminador.

"Quantas horas?", perguntou o porteiro.

"Não sei", disse o Exterminador.

"Mais dez por cento", disse o porteiro.

"O.K.", disse o Exterminador.

O Exterminador e a mulher foram para o quarto.

O Exterminador trancou a porta.

O Exterminador e a mulher tiraram a roupa.

A mulher deitou-se na cama.

O Exterminador abriu a bolsa da mulher e retirou um IAAP de couro e alumínio. (*IAAP: Instrumento de algolagnia ativo-passiva.*)

Da cama, excitadamente, a mulher perguntou: "Você não é um SS, é?" O corpo dela estava todo arrepiado. (*SS: Supersádico, pessoas que somente sentem prazer matando o parceiro ou parceiros no ato sexual.*)

"O que você acha?", perguntou o Exterminador friamente.

"Não sei", disse a mulher.

"Vira as costas", disse o Exterminador.

"Você vai me matar? Se você vai me matar, deixa eu tomar antes um EEE", disse a mulher. (*EEE ou 3-E: Estupefaciente de Efeito Estuporante.*)

"Vira as costas", disse o Exterminador, golpeando o IAAP com força sobre os seios da mulher.

A mulher cobriu os seios com as mãos.

O Exterminador golpeou a barriga da mulher.

Finos riscos de sangue brotaram na pele da mulher.

A mulher virou as costas. Suas nádegas estavam contraídas. Gemidos abafados saíam da sua boca. O Exterminador golpeou as costas e as nádegas da mulher.

O Exterminador deitou-se ao lado da mulher, sobre as marcas de sangue que o seu corpo deixara no lençol. O Exterminador abraçou a mulher com força, mordendo-a na boca até sentir o sangue doce molhar sua língua.

"Amor, me ama, amor", disse a mulher, pronunciando passionalmente A Grande Palavra do CO.

"Amor, amor", disse o Exterminador. (*CO: Código de Obscenidades, coleção de palavras de uso rigorosamente interdito.*)

4 – Pan Cavalcanti sentou-se no CTCF, olhando para o quadrado de plástico preto à sua frente. (*CTCF: Compartimento de Transmissão de Circuito Fechado.*)

O quadrado preto se iluminou e apareceu o rosto de G.G.

"Pan, como vai? Há quanto tempo não nos vemos?"

"Um ano", disse Pan.

"Você está bem. Estou gostando da sua cor."

"Isso é a TV. Na verdade não estou cor-de-rosa, não. Estou verde", disse Pan.

"Eu também", disse G.G.

Os dois homens ficaram se examinando, cada um em seu quadrado.

"Eu estou precisando de você", disse o G.G.

"Como?", perguntou Pan.

"Quero que você assuma o DEUS", disse o G.G. (*DEUS: Departamento Especial Unificado de Segurança.*)

"O.K. Mas alguém tem que me substituir em Pernambuco", disse Pan.

"Já foi indicado", disse o G.G.

"O.K.", disse Pan.

"O IPTMM tem observado uma crescente inquietação nas Fuvags. É quase certo que o BBB se aproveitará disso", disse o G.G. (*IPTMM: Instituto Pesquisador de Tendências Motivacionais da Massa. FUVAG: Favela Urbana Vertical de Alto Gabarito.*)

"Talvez sim, talvez não. Muito óbvio."

"Não podemos correr o risco. São vinte milhões de pessoas nas fuvags. Lembre-se que da última vez morreram quinze mil, só na Zona Sul", disse o G.G.

"Eu me lembro", disse Pan.

"O Ministro do Planejamento foi morto na semana passada. Foi morto na cama, ele e suas duas mulheres. Estamos ainda no escuro, investigando. Era absolutamente impossível o vis-à-vis com ele. Esta notícia é secreta."

"O.K."

"Informações, com fator de exatidão oitenta, dizem que o Cacique entrou no país, vindo dos Estados Unidos."

"O Cacique?", disse Pan excitadamente, "aqui?"

"Oitenta por cento de exatidão", disse o G.G.

"Então precisamos mesmo ficar preocupados com o ambiente nas fuvags. Qual o estoque de GASPAR?" (*GASPAR: Gás paralisante.*)

"Suficiente. Pan, ouça, não quero que você se preocupe com as explosões urbanas. Isso é rotina. Quero que você se concentre no Cacique. Nós queremos apanhar o Cacique. Será uma grande vitória psicossocial."

5 – Segunda-feira, 18. O movimento na estação do Metrô, na rua Uruguaiana com Presidente Vargas, era intenso. Às 17 horas explodiu a primeira bomba, próximo de um dos guichês. Em seguida, mais cinco

explosões, a última destruindo vários vagões de uma composição. Muitos gritos e gemidos. Cheiro de roupas e carnes queimadas.

Às 17h30min, cerca de duzentas mil pessoas começaram a destruir os botequins, armazéns, farmácias e lojas dos cortiços da Avenida Nossa Senhora de Copacabana. Os duzentos mil, em seguida, se deslocaram em direção ao centro da cidade, ao encontro da massa que destruía as estações do Metrô.

Grupos de BBB, comandados pelo rádio, armados de metralhadoras, espalharam-se pela cidade atirando bombas EXPLA nos edifícios e veículos. (*EXPLA: Explosivo Plástico.*)

6 – Terça-feira, dia 26. Pelos cálculos eletrônicos, apenas 8 mil pessoas morreram nas agitações da semana. Sociólogos se surpreenderam com o pequeno número de perdas. As Forças de Repressão Antissocial, usando GASPAR e IE-IE-IE, dominaram a situação. Trezentas mil pessoas ficaram desabrigadas. (*IE-IE-IE: Irritante Epidérmico Triplo Concentrado.*)

7 – Num carro com vidros à prova de bala, Pan percorreu os dois grandes guetos da Zona Sul, as fuvags de Copacabana e Ipanema. Os caminhões da Limpeza Pública recolhiam os cadáveres para levá-los aos fornos crematórios subterrâneos da Praça XV de Novembro e do Largo da Carioca. Os cadáveres não eram identificados. Seriam cremados com as roupas que usavam. Do terraço de um velho prédio em ruínas alguém atirou num dos guardas da Limpeza Pública. Dois guardas examinaram o colega caído no chão. Depois colocaram-no junto com os outros cadáveres num dos caminhões.

Pelo rádio, em código, Pan transmitiu a seguinte mensagem:

– ATENÇÃODEUSATENÇÃODEUSCHEFESDEDIVISÃOREUNIÃOHOJE 18 H LEVOPRISIONEIROIMPORTANTEPAN.

Dirigindo em alta velocidade, Pan chegou a Santa Cruz. Parou o carro na garagem de um edifício novo, subiu ao 74º andar.

Na porta do apartamento 7404 estava embutido um microfone tendo em cima escrito IVE.

"Encomenda para o Chefe", disse Pan encostando a boca no microfone.

A porta abriu. Dentro da sala estava um jovem de óculos. O disparo de Pan furou a lente dos óculos, entrou pelo olho e varou a cabeça do rapaz, que caiu no chão. Os óculos continuaram no seu rosto. O barulho da arma foi pouco maior do que um sopro. Supersilenciador.

O Chefe, que estava deitado na cama, levantou-se quando viu Pan entrar no seu quarto. Pelo movimento do corpo, Pan viu que o chefe era canhoto. Com grande precisão Pan atirou no cotovelo esquerdo do Chefe, partindo o seu braço. "Eu quero você vivo", disse Pan.

8 – Nos subterrâneos do DEPOSE, um velho guarda ensinava um guarda mais jovem a montar o PERSAB. (*PERSAB: sigla abreviatura de Persuasão Absoluta, instrumento de tortura física. Não confundir com PERCOM, abreviatura de Persuasão Compulsiva, também um instrumento de tortura, mas apenas psíquica.*)

"O PERSAB é fácil de montar", disse o velho, "basta apenas conhecer um pouco de mecânica e um pouco de eletrônica."

O velho ligou o fio dos dois audiofones no painel eletrônico.

"Se a luz vermelha acender quando você aperta este botão, é sinal que a ligação está correta. Vê como é simples."

O guarda jovem seguia atentamente tudo o que o velho fazia.

"As ligações do eletrochoque são enfiadas aqui nesta tomada. É preciso não confundir a parte de choque com a parte de som. Uma é letra S, está vendo? A outra é C. A verificação é feita com uma luz vermelha também. Viu?" Click.

Constritor testicular, sonda uretral escamada, clister gasoso e líquido, agulhas especiais – o guarda foi colocando todos os instrumentos sobre uma mesa coberta com uma toalha branca ao lado da cama de ferro.

"Este trabalho é muito fácil de fazer. Vou lhe dar um conselho: agarre esta oportunidade com unhas e dentes. Aqui você tem um bom emprego para o resto da vida. Enquanto a índole do nosso povo for a mesma, você está garantido. E mudar a índole do nosso povo é impossível, você não acha?"

9 – O Chefe estava deitado na cama de ferro.

A câmara e o microfone de TV, operados na sala do Q.G., aproximaram-se do rosto do Chefe.

"Nós só queremos saber em que lugar está o indivíduo denominado Cacique", disse o G.G., através do alto-falante.

"Não adianta falar", disse Pan, "nós arrebentamos os tímpanos dele. As perguntas têm que ser feitas por escrito. Ele ainda enxerga alguma coisa."

Num dos cantos da sala o guarda velho balançou a cabeça.

Pan escreveu numa cartolina branca, em letras de forma grandes: O GOVERNADOR GERAL ESTÁ VENDO VOCÊ PELA TELEVISÃO. ELE QUER SABER ONDE PODEMOS ENCONTRAR O CACIQUE. SE VOCÊ DISSER SERÁ POUPADO.

"Limpem os olhos dele", disse Pan.

Os dois guardas enxugaram com esponjas e lenços os olhos do Chefe.

Ao ver a cartolina, o Chefe fechou os olhos.

"Ele é duro", disse Pan, "nem sequer conseguimos saber há quanto tempo ele chefia os BBB."

"O seu trabalho, Pan, tem sido altamente comendável, brilhante mesmo", disse o G.G.

Pan deu uma volta na roda do aparelho constritor testicular.

O guarda velho disse baixinho para o jovem: "Nunca vi serviço tão mal feito. Assim ele vai matar o homem. Mas quem está dirigindo o serviço é ele, que parece não ter experiência, mas está com as ordens, entendeu?"

Pan escreveu numa outra cartolina a palavra EUNUCO e colocou-a na frente dos olhos do Chefe. (EUNUCO: Eunuco.)

O Chefe fechou os olhos.

"Você me põe a par do que for acontecendo", disse o G.G. desligando a televisão. A câmara e o microfone recuaram para o nicho da parede.

O Chefe estava imóvel na cama.

"Acho que ele foi apertado demais", disse o guarda velho.

"Como assim?", perguntou Pan.

"O dr. Baltar, que era sociopsicólogo, às vezes deixava o sujeito preso um mês, sem encostar a mão dele, sem botar no aparelho, pra deixar o medo crescer."

"Persab ou Percom?", perguntou Pan secamente.

"No Persab."

"Esse doutor não tinha pressa e eu tenho. O que aconteceu com ele?"

"Foi apanhado", disse o guarda velho, constrangido. "Um Exterminador". Pan virou as costas para os guardas, curvando-se sobre o corpo do Chefe. Pan colocou o ouvido sobre a boca do Chefe.

"Silêncio", disse Pan, para os guardas.

Pan levantou a cabeça do Chefe, uma das mãos no seu queixo, a outra na sua nuca. A boca de um e o ouvido de outro ficaram algum tempo colados.

"Ele acabou de confessar tudo. Preciso falar com o G.G.", disse Pan.

Pan saiu apressadamente.

"A rotina é esta; ao terminar o serviço, o CONTROLE é consultado e decide, de acordo com o computador eletrônico, para onde vai o preso, se é liquidado ou recuperado", explicou o guarda velho. (CONTROLE: Controle.)

O guarda ligou o INTERCOM e pediu CONTROLE. (INTERCOM: Intercomunicação direta.)

"Preso C-TBS-1.487.018. Destino."

"Um momento", respondeu Controle.

Pouco depois, Controle decidia, para surpresa do guarda, que o preso devia ir para Recuperação.

10 – Pelo INTERCOM Pan ligou para o G.G.

"Scramble", disse Pan.

"Pronto. Ninguém pode entrar na linha. Adiante", disse o G.G.

"O Chefe falou. Preciso entrevista urgente. Supersecreta. Vis-à-vis", disse Pan. "Vis-à-vis? Você sabe que vis-à-vis só em casos excepcionais", disse o G.G. "O caso é excepcional. Sua vida corre perigo. Não confie em ninguém", disse Pan.

"Está bem. Pode vir", disse G.G.

11 – Pelo vidro o G.G. observou Pan. Pan parecia calmo. O G.G. apertou o botão.

Pan entrou com as mãos para o alto.

"Não temos tempo a perder. D. Nova é um Exterminador. Temos que pegá-la imediatamente", disse Pan.

"D. Nova? Impossível", disse o G.G.

"O Chefe confessou tudo. Ele não podia ter inventado, o trabalho de D. Nova é secreto."

"Eu digo que é impossível", disse o G.G.

"Não vamos perder tempo", disse Pan, com impaciência.

"Vou chamá-la", disse o G.G.

"Não. Ela pode ter um miniexplosivo de alta potência escondido no corpo. Há outra saída daqui? Eu gostaria de surpreendê-la."

"Há uma saída de emergência atrás da estante", disse o G.G.

"Então abre que eu vou sair por ela", disse Pan.

Uma luz vermelha acendeu no INTERCOM.

"Um momento", disse G.G. tirando o receptor do gancho.

G.G. escutou algum tempo.

"Era Controle", disse G.G. desligando o INTERCOM. "Disseram que o Chefe foi morto no DEPOSE, Quebraram o pescoço dele."

Por um segundo G.G. olhou o rosto de Pan. Subitamente G.G. enfiou a mão dentro do paletó. Mas o Exterminador foi mais rápido. Sua 54 Superchata detonou abrindo um buraco em cima do olho direito do G.G. que caiu de bruços sobre o braço que segurava a própria arma ainda dentro do paletó.

O Exterminador curvou-se sobre o corpo caído. Apoiou o cano da arma na base do crânio do G.G. e detonou uma segunda vez.

"É preciso tomar cuidado, a medicina de hoje está muito adiantada", pensou o Exterminador enquanto pisava nos miolos do G.G. espalhados pelo chão.

OS MÚSICOS

Rubem Fonseca

Faz calor. Os grandes espelhos da parede vieram da Europa no fundo do porão; cristal puro. "Tua avó fez risinhos e boquinhas, namorou dentro desse espelho". Respondo: "Minha avó nunca viu esse espelho, ela veio noutro porão". Nesse instante chegam os músicos, três: piano, violino, bateria; o mais moço, o pianista tem quarenta anos, mas é também o mais triste, um rosto de quem vai perder as últimas esperanças, ainda tem um restinho mas sabe que vai perdê-las num dia de calor tocando os Contos dos Bosques de Viena, enquanto lá embaixo as pessoas comem, bebem, suam, sem ao menos por um instante levantar os olhos para o balcão onde ele trabalha com os outros dois: Stein, no violino – cinquenta e seis anos, meio século atrás: espancado com uma vara fina, trancado no banheiro, privado de comida "nem que eu morra você vai ser um grande concertista" e quando Sara, sua mãe, morreu, ele tocou Strauss no restaurante com o coração cheio de alegria – Elpídio na bateria, cinquenta anos, mulato, coloca um lenço no pescoço para proteger o colarinho, o gerente não gosta mas ele não pode mudar de camisa todos os dias, tem oito filhos, se fosse rico – "fazia filho na mulher dos outros, mas sou pobre e faço na minha mesmo" – e todos começam, não exatamente ao mesmo tempo, a tocar a valsa da Viúva Alegre. Na mesa ao lado está o sujeito que é casado com a Miss Brasil. Todas as mesas estão ocupadas. Os garçons passam apressados carregando pratos e travessas. No ar, um grande borborinho.

[De *Lúcia McCartney*. Rio, Olivé, s.d.]

SAMUEL RAWET

Samuel Rawet nasceu na Polônia em 1929 e mudou-se para o Brasil em 1936. Naturalizou-se brasileiro. Foi diplomado em Engenharia: trabalhou desde o início da construção de Brasília na NOVAGAP. Antes de publicar sua ficção dedicou-se à crítica teatral. Faleceu em Brasília em 1984.

OBRAS:

Contos do Imigrante. Rio de Janeiro: José Olympio, 1956. (contos)

Diálogo. Rio de Janeiro: GRD, 1963. (contos)

Abama. Rio de Janeiro: RGD, 1964. (novela)

Os Sete Sonhos. Rio de Janeiro: 1967. (contos)

O Terreno de Uma Polegada Quadrada. Rio de Janeiro: Orfeu, 1969. (contos)

Viagem de Ahasverus à Terra Alheia em Busca de um Passado Que Não Existe Porque é Futuro e de um Futuro Que Já Passou Porque Sonhado. Rio de Janeiro: Olivé, 1970. (novela)

Que os Mortos Enterrem Seus Mortos. São Paulo: Vertente Editora, 1981. (contos)

Dez contos escolhidos. Brasília: Horizonte/INL, 1982. (seleção de contos do autor)

Sobre o autor:

Livros

Waldman, Berta. *Entre passos e rastros.* São Paulo: Perspectiva, 2003.

Kirschbaum, Saul (org.), *Dez ensaios sobre Samuel Rawet.* Brasília: LGE, 2007.

Santos, Francisco V. dos. *Fortuna Crítica de Samuel Rawet* em jornais e revistas. Rio de Janeiro: Caetés, 2008.

Kirschbaum, Saul. *Viagens de um caminhante solitário.* São Paulo: Humanitas, 2011.

Reis, Luís. *Samuel Rawet: dos tormentos à existência.* Brasília: Thesaurus, 2012.

Artigos e ensaios:

Silveira de Queiroz, Dinah. *In: Diário de Notícias,* 25-3-1956.

Guinsburg, J. *In: Para Todos,* agosto de 1957.

Marques, Oswaldino. *A Seta e o Alvo.* Rio de Janeiro, 1957.

Perez, Penard. Prefácio a Diálogo. Rio de Janeiro: GRD, 1963.

Rosenfeld, Anatol et al. "S. Rawet", nota introdutória aos contos "O Profeta" e "A Prece". *In: Entre Dois Mundos.* São Paulo: Perspectiva, 1967.

Pólvora, Hélio. *In: Jornal do Brasil,* caderno B, 31-12-1970.

Brasil, Assis. Prefácio a *Viagem de Ahasverus à Terra Alheia em Busca de um Passado Que Não Existe Porque é Futuro e de um Futuro* Que Já Passou Porque Sonhado. Rio de Janeiro: Olivé, 1970.

Pólvora, Hélio. *A Força da Ficção.* Petrópolis: Vozes, 1972.

GRINGUINHO

Samuel Rawet

Chorava. Não propriamente o medo da surra em perspectiva, apesar de roto o uniforme. Nem para isso teria tempo a mãe. Quando muito uns berros em meio à rotina. Tiraria a roupa; a outra, suja, encontraria no fundo do armário, para a vadiagem. Ao dobrar a esquina tinha a certeza de que nada faria hoje. Os pés, como facas alternadas, cortavam o barro de pós-chuva. A mangueira do terreno baldio onde caçavam gafanhotos, ou jogavam bola, tinha pendente a corda do balanço improvisado. Reconheceu-a. Fora sua e restara da forte embalagem que os seus trouxeram. Ninguém na rua. Os outros decerto não voltaram da escola ou já almoçavam. Ninguém percebeu-lhe o choro. A vizinha sorriu ao espantar o gato enlameado da poltrona da varanda. Conteve o soluço ao empurrar o portão. Com a manga esfregava o rosto marcando faixas de lama na face. Brilhavam ainda da chuva as folhas do ficus. Olhou a trepadeira. Novinha, mas já quase passando a janela. Na sala hesitou entre a cozinha e o quarto. A mãe de lenço à cabeça estaria descascando batatas ou moendo carne. Despertara-lhe a atenção ao lançar os livros sobre a cômoda. Que trocasse a roupa e fosse buscar cebolas no armazém. Nada mais. Nem o rosto enfiara para ver-lhe o ar de pranto e a roupa em desalinho. À entrada do quarto surpreendeu o blá-blá do caçula que, olhos no teto, tocava uma harpa invisível. Era-lhe estranha a sala, quase estranhos, apesar dos meses, os companheiros. Os olhos no quadro-negro espremiam-se como se auxiliassem a audição perturbada pela língua. Autômato, copiava nomes e algarismos (a estes, compreendia), procurando intuir as frases da professora. Às vezes perdia-se em fitá-la. Dentes incisivos salientes, os cabelos lembrando chapéus de velhas múmias, os lábios grossos. Outras, rodeava os olhos pelas paredes carregadas de mapas e figurões. A janela lembrava-lhe a rua onde se sentia melhor. Podia falar pouco. Ouvir.

Nem provas nem arguições. O apelido. Amolava-o a insistência dos moleques. Esfregou ante o espelho os olhos empapuçados. Ontem rolara na vala com Caetano, após discussão. Atrapalhou o jogo. O negrinho cresceu em sua frente no ímpeto de derrubá-lo.

Gringuinho burro!

Ajeitou sobre a cama o uniforme. A lição não a faria. Voltar à mesma escola, sabia impossível também. Por vontade, a nenhuma. Antigamente, antes do navio, tinha seu grupo. Verão, encontravam-se na praça e atravessando o campo alcançavam o riacho, onde nus podiam mergulhar sem medo. À chatura das lições do velho barbudo (de mão farta e pesada nos tapas e beliscões) havia o bosque como recompensa. Castanheiros de frutos espinhentos e larga sombra, colinas onde o corpo podia rolar até a beira do caminho. Framboesas que se colhiam à farta. Cenoura roubada da plantação vizinha. A voz da mãe repetia o pedido de cebolas. Coçar de cabeça sem vontade. No inverno havia o trenó que se carregava para montante, o rio gelado onde a botina ferrada deslizava qual patim. Em casa a sopa quente de beterrabas, ou o fumegar de repolhos. Sentava-se no colo do avô recém-chegado das orações e repetia com entusiasmo o que aprendera. Onde o avô? Gostava do roçar da barba na nuca que lhe fazia cócegas, e dos contos que lhe contava ao dormir. Sempre milagres de homens santos. Sonhava satisfeito com a eternidade. A voz do avô era rouca, mas boa de se ouvir. Mais quando cantava. Os olhos no teto de tábuas ou acompanhando a chaminé do fogão, a melodia atravessava-lhe o sono. Hoje entrara tarde na sala. Não gostava de chamar a atenção sobre si, mas teve que ir à mesa explicar o atraso. Cinquenta pares de olhos fixos em seus pés que tremiam. O pedido de cebolas veio mais forte. Gargalhada maciça em contraponto aos titubeios da boca, olhos e mãos. A custo conteve as lágrimas quando tomou o lugar. Chorara assim quando no primeiro sábado saiu de boné com o pai em direção à sinagoga. Caetano, Raul, Zé Paulo, Betinho, fizeram coro ao fim da rua repetindo em estribilho, o *gringuinho*. Suspenso o chocalho deparou com os olhos do irmão nos seus. Blá-blá. Sorriso mole. Sentara-se. Abrira o livro na página indicada, tenteando, como cego para entrar no compasso da leitura. Nem às figuras se acostumara, nem às histórias estranhas para ele, que lia aos saltos. *Fala gringuinho*. Viera de trás a voz, grossa, de alguém mais velho. *Fala gringuinho*. Insistia. Ao girar o pescoço na descoberta da fonte fora surpreendido pela ordem de leitura. Olhou os dentes aguçados insinuando-se no lábio inferior como para escapar. Explicar-lhe? Como? Mudo curvou a cabeça como gato envergonhado por diabrura. Era-lhe fácil a lágrima. Lembrou um domingo. Enfiou-se pelo pátio com Raul que o chamara à sua casa. No fundo do quintal cimentado, sob coberta, dispusera os dois times de botões. Da copa o barulho, ainda, de talheres, fim do ajantarado. Chamaram. A mãe cortou o melão e separou duas fatias. Raul agradeceu pelos dois. "Ah! É o gringuinho!" Expelida pelo nariz a fumaça do cigarro, o pai soltara a exclamação. Quase o sufoca a fruta na boca. Os tios concentraram nele a atenção. Parecia um bicho encolhido, jururu, paralisado, as duas mãos prendendo nos lábios a fatia. "*Fala gringuinho!*" Coro. *Fala gringuinho*. Solo. *Fala gringuinho*. Coro. *Fala gringuinho*. Novamente as vozes atrás da carteira. Da outra vez correra como acuado em meio a risos. Recolhido no quarto desabafou no regaço da mãe. Blá-blá. Agitar do chocalho. Um cheiro de urina despertara-o da modorra. Um fio escorria da fralda no lençol de borracha. *Fala gringuinho*. Sentiu-se crescer e tombar para trás a cadeira. Em meio à gritaria a garra da velha suspendeu-o amarrotando a camisa. Cercado, alguns de pé sobre as mesas, recolheu-se à mudez expressiva. Da vingança intentada restara a frustração que se não explica por sabê-la impossível. Blá-blá! A poça de urina principiava a irritá-lo e após esperneios o irmão arrematou em choro arrastado. Agitou o chocalho novamente, com indiferença, olho na rua. O matraqueado aumentara o choro.

Não percebeu a entrada da mãe. Sem olhá-lo recolheu o irmão no embalo. Tirou da gaveta a fralda seca, e entre o ninar e o gesto de troca passou-lhe a descompostura. Insistiu no pedido do armazém. Ele tentou surpreender-lhe o olhar, conquistar a inocência a que tinha direito. Depois gostaria de cair-lhe ao colo, beijá-la e contar tudo, na certeza de que lhe seria dada a razão. Mas nada disso. Recolhendo os níqueis procurou a porta. Traria as cebolas. E não contaria que ao ser repreendido na escola, na impotência de dar razões, quando a velha principiou a amassar-lhe a palma da mão com a régua negra e elástica, não se conteve e esmurrou-lhe o peito rasgando o vestido. Quando atravessou o portão acelerou a marcha impelido pelo desejo de ser homem já. Julgava que correndo apressaria o tempo. Seus pés saltitavam no cimento molhado, como outrora deslizavam, com as botinhas ferradas, pelo rio gelado no inverno.

[De *Contos do Imigrante*. Rio, José Olympio, 1956.]

RICARDO RAMOS

Ricardo de Medeiros Ramos nasceu em 1929, em Palmeira dos Índios, Alagoas. Filho do escritor Graciliano Ramos. Fez os estudos elementares em Maceió. Bacharelou-se em Direito no Rio de Janeiro. Colaborou ativamente na imprensa. Trabalhou em publicidade em São Paulo. Foi membro da Academia Paulista de Letras. Faleceu em São Paulo em 1992.

OBRAS:

Tempo de espera. Rio de Janeiro: José Olympio, 1954. (contos)
Terno de Reis. Rio de Janeiro: José Olympio, 1957. (contos)
Os caminhantes de Santa Luzia. São Paulo: Difusão Europeia do Livro, 1959. (novela)
Os desertos. São Paulo: Melhoramentos, 1961. (contos)
Rua desfeita. Rio de Janeiro: José Álvaro, 1963. (contos)
Memória de setembro. Rio de Janeiro: José Olympio, 1968. (romance)
Matar um homem. São Paulo: Martins, 1970. (contos)
Circuito fechado. São Paulo: Martins, 1972. (contos)
As fúrias invisíveis. São Paulo: Martins, 1974. (romance)
Toada para surdos. Rio de Janeiro: Record, 1978. (contos)
Os inventores estão vivos. Rio de Janeiro: Nova Fronteira, 1980. (contos)

O sobrevivente. São Paulo: Global, 1984. (contos)

Os amantes iluminados. Rio de Janeiro: Rocco, 1988. (contos)

ANTOLOGIAS:

10 Contos escolhidos. Brasília: Horizonte/INL, 1983. (Antologia de contos)

Os Melhores Contos: Ricardo Ramos. (Seleção de Bella Josef) São Paulo: Global, 1998. (coletânea de contos)

LITERATURA INFANTIL:

Desculpe a nossa falha. São Paulo: Scipione, 1987. (novela-infantil)
Pelo amor de Adriana. São Paulo: Scipione, 1989. (novela-infantil)
O rapto de Sabino. São Paulo: Scipione, 1992. (novela-infantil)
Estação primeira. São Paulo: Scipione, 1996. (contos-infantil)
Entre a seca e a garoa. São Paulo: Ática, 1997. (contos-infantil)

SOBRE O AUTOR:

Tati, Miécio. *Estudos e Notas Críticas*. Rio de Janeiro: Instituto Nacional do Livro, 1958.

Adonias Filho. *Modernos Ficcionistas Brasileiros*. Rio de Janeiro: O Cruzeiro, 1958.

Schnaiderman, Boris. "Os contos de Ricardo Ramos". *In: Revista Brasiliense*, janeiro-fevereiro de 1959, e "Caminhos da rua desfeita". *In:* Suplemento Literário de *O Estado de S. Paulo*, São Paulo, 21-3-1964.

Athayde, Tristão de. "Um Mestre do Silêncio". *In: Jornal do Brasil*, Rio de Janeiro, 1968.

Pólvora, Hélio. *A Força da Ficção*. Petrópolis: Vozes, 1971.

Guinsburg, J. "A caminho de si". *In: Motivos*. São Paulo: Conselho Estadual de Cultura, 1964. pp. 77-83.

Paes, José Paulo. "Literatura descalça". *In: A Aventura Literária: ensaios sobre ficção e ficções*. São Paulo: Companhia das Letras, 1990. pp. 125-9.

CIRCUITO FECHADO (4)

Ricardo Ramos

Ter, haver. Uma sombra no chão, um seguro que se desvalorizou, uma gaiola de passarinho. Uma cicatriz de operação na barriga e mais cinco invisíveis, que doem quando chove. Uma lâmpada de cabeceira, um cachorro vermelho, uma colcha e os seus retalhos. Um envelope com fotografias, não aquele álbum. Um canto de sala e o livro marcado. Um talento para as coisas avulsas, que não duram nem rendem. Uma janela sobre o quintal, depois a rua e os telhados, tudo sem horizonte. Um silêncio por dentro, que olha e lembra, quando se engarrafam o trânsito, os dias, as pessoas. Uma curva de estrada e uma árvore, um filho, uma filha, um choro no ouvido, um recorte que permanece, e todavia muda. Um armário com roupa e sapatos, que somente veste, e calçam, e nada mais. Uma dor de dente, uma gargalhada, felizmente breves. Um copo de ágate, sem dúvida amassado. Uma cidade encantada, mas seca. Um papel de embrulho e cordão, para todos os pacotes, a cada instante. Uma procuração, um recuo, uma certeza, que se diluem e confundem, se gastam, e continuam. Um gosto de fruta com travo, um tostão guardado, azinhavrado, foi sempre a menor moeda. Uma régua de cálculo, nunca aprendida. Um quiosque onde se vendia garapa, os copos e as garrafas com o seu brilho de noite. Uma gaveta, uma gravura, os guardados de chave e de parede. Um caminhar de cabeça baixa, atento aos buracos da calçada. Um diabo solto, uma prisão que o segura, um garfo e uma porta. Um rol de gente, de sonho com figuras, que passa, que volta, ou se some sem anotação. Uma folhinha, um relógio, muito adiantados. Uma hipermetropia que não deixa ver de perto, é necessário recuar as imagens até o foco. Um realejo que não soube aos sete anos, uma primeira alegria aos quatorze, uma unha encravada e um arrepio depois. Uma fábrica de vista, um descaroçador de algodão, uma usina com a tropa de burros, são os trechos de paisagem com e sem raiz. Um morto, uma dívida, um conto com história. Um cartão de identidade cinzento e uma assinatura floreada, só ela. Um lugar à mesa. Uma tristeza, um espanto, as cartas do baralho, passado, presente e futuro, onde estão? Uma resposta adiada. Uma vida em rascunho, sem tempo de passar a limpo.

[De *Circuito Fechado*, S. Paulo, Martins, 1972.]

CIRCUITO FECHADO (5)

Ricardo Ramos

Não. Não foi o belo, quase nunca, nem ao menos o bonito, porque tudo se veio esgarçando em rotina, sombra com vazio. Não foi o plano, o projeto, a lucidez, conduzindo, já que o mistério se fez magia e baralhou os búzios da vontade. Não foi o imaginado, o sonhado, mas a verdade miúda e comovida sem ter de quê. Não foi o tempo que abarca vastamente, não, deve ser o que se conta aos pedaços, reconta, em mesquinha soma, e medrosa. Não foi o prometido, o esperado, antes foram os enganos, os engodos, os adiamentos sempre roubos, pequenos e de importância. Não foi nada útil, ou de se repartir, apenas o de guardar para comer sozinho. Não foi o brilhante, de anel e de relâmpago, simplesmente a luz no vidro. Não foi o bom, foi o barato, não foi o alegre, foi o pouco a pouco, não foi o claro, foi o difuso, pois os encargos chegam logo, e se aprendem, e ficam. Não foi o momento certo, a maior parte aconteceu de repente, ou cedo, ou tarde, afinal não se repetiu. Não foi a viagem, a longa, larga viagem, de recordar, rever, que as paradas e os horários dividiram muito o roteiro, partiram, nublaram, não devolveram. Não foi o encontro nem a sua memória, não foi a paisagem nem o esquecimento, foi esse passar de pessoas e o seu reverso de imóvel, que se isola e não fala, porque não adianta. Não foi a cidade mas a rua, não foi a figura mas a boca, não foi a chuva mas a calha. Não foi o campo, nem a mata, o morro, nem o rio, a relva, nem árvore nem verde, foi a janela de trem, de carro, de longe. Não foi o livro aberto, a oração disfarçada, a primeira lição. Não foi a lâmpada, o linho, a lenda. Não foi a casa, o quintal, o corredor com portas e pé direito. Não foi o que vem de dentro, e sim o que bate, não se anuncia, e força, abre, e entra. Não foi o pacífico, o sem tumulto, foi até mesmo a guerra ou melhor o combate, a escaramuça, perdidos de mãos nuas, limpas, as armas brancas. Não foi o amor, a certeza, o amanhã, foram as palavras que representam, a ideia de, o conceito, enfim a sua redução. Não foi pouco nem muito, foi igual. Não foi sempre, nem faltou, foi mais às vezes. Não foi o que, foi como, e onde, e quando. Não, não foi.

[De *Circuito Fechado*, S. Paulo, Martins, 1972.]

JOÃO ANTÔNIO

João Antônio Ferreira Filho nasceu na cidade de São Paulo a 27 de janeiro de 1937. Filho de operários, depois estabelecidos em um negócio de secos e molhados. Trabalhou desde menino no comércio e em fábrica: foi caixeiro, office boy, auxiliar de escritório, almoxarife. Conhecedor de uma coisa rara: a boêmia popular paulistana. Lecionou na Escola de Polícia e é redator de jornal e de publicidade. Faleceu em outubro de 1976 no Rio de Janeiro.

OBRAS:

Malagueta, Perus e Bacanaço. Rio de Janeiro: Civilização Brasileira, 1963. (contos)

Leão-de-chácara. Rio de Janeiro: Civilização Brasileira, 1975. (contos)

Malhação do Judas carioca. Rio de Janeiro: Civilização brasileira, 1975. (reportagem)

Casa de loucos. Rio de Janeiro: Civilização brasileira, 1976. (reportagem)

Lambões de caçarola. Porto Alegre: L&PM editores, 1977. (contos)

Calvário e porres do pingente Afonso Henriques de Lima Barreto. Rio de Janeiro: Civilização brasileira, 1977. (reportagem ou biografia)

Ô Copacabana! Rio de Janeiro: Civilização brasileira, 1978. (conto-reportagem)

Dedo-duro. Rio de Janeiro: Record, 1982. (contos)

Meninão do caixote. Rio de Janeiro: Record, 1983. (contos)

Abraçado ao meu rancor. Rio de Janeiro: Guanabara, 1986. (contos)

10 contos escolhidos. Brasília: Horizonte; INL, 1983. (antologia de contos)

Os melhores contos. São Paulo: Global, 1986. (antologia de contos)

Zicartola e que tudo mais, vá para o inferno. São Paulo: Scipione, 1991. (conto-reportagem)

Guardador. Rio de Janeiro: Civilização brasileira, 1992. (contos)

Paulinho Perna Torta. Porto Alegre: Mercado Aberto, 1993. (novela)

Afinação da arte de chutar tampinhas. Belo Horizonte: Formato, 1993. (conto)

Um herói sem paradeiro: vidão e agitos de Jacarandá, poeta do momento. São Paulo: Atual, 1993. (conto-reportagem)

Patuleia: Gentes da rua. São Paulo: Ática, 1996. (conto-reportagem)

Sete vezes rua. São Paulo: Scipione, 1996 (conto-reportagem)

Dama do encantado. São Paulo: Nova Alexandria, 1996. (conto-reportagem)

Contos reunidos. São Paulo: Cosac&Naify, 2012. (reúne todos os livros de contos publicado pelo autor)

Sobre o autor:

Livros:

Ribeiro Neto, João da Silva. *João Antônio*. São Paulo: Abril Educação, 1981.

Severiano, Mylton. *Paixão de João Antônio*. São Paulo: Casa Amarela, 2005.

Artigos e ensaios:

Milliet, Sérgio. "Alguns Malandros". *In: O Estado de S. Paulo,* São Paulo, 23-7-1963.

Barbosa, João Alexandre. "Malagueta, Perus e Bacanaço". *In: Jornal do Comércio,* Recife, 17-11-1963.

Cunha, Fausto. "Um Estreante". *In: Correio da Manhã,* Rio de Janeiro, 14-10-1963.

Barbosa, Rolmes. "A Semana e os Livros". *In*: Suplemento Literário de *O Estado,* 29-6-1963.

Pedroso, Bráulio. "São Paulo tem o seu romancista". 13-8-1964.

Gomes Bedate, Pilar. "João Antonio y la picaresca paulista". *In: Cuadernos Hispanoamericanos,* jan. de 1965, número 181.

Nunes, Cassiano. "Nota sobre João Antônio". *In: Breves Estudos de Literatura Brasileira.* São Paulo: Saraiva, 1969.

Bosi, Alfredo. "Um boêmio entre duas cidades". Prefácio a Abraçado ao meu rancor. Rio de Janeiro: Guanabara, 1986.

Castello, José. "A arte de ser João". *In: Inventário das sombras.* Rio de Janeiro: Record, 1999.

Revista *Remate de Males,* n° 19. (Vários autores sobre João Antônio). Campinas: IEL/Unicamp, 1999.

Candido, Antonio. "Na noite enxovalhada". Prefácio a *Malagueta, perus e bacanaço.* 4ª. ed. rev. São Paulo: Cosac&Naify, 2004.

FRIO

João Antônio

O menino tinha só dez anos.

Quase meia hora andando. No começo pensou num bonde. Mas lembrou-se do embrulhinho branco e bem feito que trazia, afastou a ideia como se estivesse fazendo uma coisa errada. (Nos bondes, àquela hora da noite, poderiam roubá-lo, sem que percebesse; e depois?... Que é que diria a Paraná?)

Andando. Paraná mandara-lhe não ficar observando as vitrinas, os prédios, as coisas. Como fazia nos dias comuns. Ia firme e esforçando-se para não pensar em nada, nem olhar muito para nada.

– Olho vivo – como dizia Paraná.

Devagar, muita atenção nos autos, na travessia das ruas. Ele ia pelas beiradas. Quando em quando, assomava um guarda nas esquinas. O seu coraçãozinho se apertava.

Na estação da Sorocabana perguntou as horas a uma mulher. Sempre ficam mulheres vagabundeando por ali, à noite. Pelo jardim, pelos escuros da Alameda Cleveland. Ela lhe deu, ele seguiu. Ignorava a exatidão de seus cálculos, mas provavelmente faltava mais ou menos uma hora para chegar. Os bondes passavam.

Paraná havia chegado com afobação. Nem tirou o chapéu, nem nada. O menino dormia. Chegou-se:

– Nego... nego!

O menino não queria. Paraná puxou a manta.

– Paraná! Que foi? – acordou chateado.

O homem suado na testa. Barbado. Só explicou que precisava dele. Levar um embrulho às Perdizes. Muito importante. O menino se arrumou fora do colchão furado, meteu o tênis.

– Embrulho? Pra quem?

Paraná fez uma coisa que nunca fizera e que ele não entendeu bem. Fê-lo ficar de pé, pousou-lhe as mãos nos ombrinhos. Sentado na beira da cama. Disse bem devagar.

Ele tinha que ir às Perdizes, encontrar-se lá com Paraná. E não podia perder o embrulhinho. Perguntou-lhe se conhecia uma avenida grande que desce a igreja das Perdizes. Sim. Ele deveria descê-la, três quarteirões. Sim. Tomar cuidado com os guardas. Sim. Lá encontraria um ferro-velho. Sim. Pularia o muro.

– Lembra? Aquela viração do Diogo? Pois. Mudou de dono.

Pulasse o muro e esperasse Paraná aparecer. Havia cama, escondida no barracãozinho de zinco. Se não viesse, ele que dormisse. E acordasse cedo para os donos do ferro-velho não perceberem que a gente dormira lá. Se Paraná não aparecesse deveria ir para o Largo da Barra Funda, lá na casa de Nora. Logo pela manhã.

– O embrulho é sagrado, tá ouvindo?

Paraná apalpou-o, examinou-lhe a roupinha imunda de graxa de sapato. Tirou-lhe o tênis, cortou dois pedaços de jornal e enfiou-os dentro. Embrulhou uma manta verde. Meteu a mão no bolso, deu-lhe duas notas de dez. Os olhos brilharam:

– Se vira com elas. Olha, se eu não baixar lá...

– Ué, por quê? – o menino interrompeu.

– Nada. O embrulho é nosso, se guenta. Se manca.

Que o abrisse, mas escondesse. Nem Nora poderia mexer. E que se virasse lá na Pompeia, engraxando. O menino teve um estremecimento. Será que os guardas iriam agarrar Paraná? Ouvira contar que a cana é lugar ruim, escuro, onde se apanha muito. Contudo, Paraná era muito vivo, saía-se bem de qualquer galho. Sossegou. Depois, resolveu perguntar se ele apareceria mesmo.

Paraná fez não ouvir. Falou do muro do ferro-velho. Era alto e difícil. Tomasse cuidado. Abriu a porta imunda:

— Se arranca. Se vira de acordo, tá? Olho vivo no embrulho. E depois, lembrando-se:

— Mora, tá frio.

Passou-lhe o embrulho da manta. O menino sentiu as notas no bolso do casacão. Coçou o pixaim:

— Puxa, como é de noite. Tchau.

Paraná respondeu com a mão no ar. O menino meteu o embrulhinho branco entre o suspensório e a camisa. Só ficou o embrulho da manta na mão.

Andou.

Pequeno, feio, preto, magrelo. Mas Paraná havia-lhe mostrado todas as virações de um moleque. Por isso ele o adorava. Pena que não saísse da sinuca e da casa daquela Nora, lá na Barra Funda. Tirante o que, Paraná era branco, ensinara-lhe engraxar, tomar conta de carro, lavar carro, se virar vendendo canudo e coisas dentro da cesta de taquara. E até ver horas. O que ele não entendia eram aqueles relógios que ficam nas estações e nas igrejas — têm números diferentes, atrapalhados. Como os outros, homens e mulheres, podem ver as horas naquelas porcarias?

Paraná era cobra lá no fim da Rua João Teodoro, no porão onde os dois moravam. Dono da briga. Quando ganhava muito dinheiro se embriagava. Não era bebedeira chata, não. Como a do Seu Rubião ou a do Aníbal alfaiate.

— Nego, hoje você não engraxa.

Compravam "pizza" e ficavam os dois. Paraná bebia muita cerveja e falava, falava. No quarto. Falava. O menino se ajeitava no caixãozinho de sabão e gostava de ouvir. Coisas saíam da boca do homem: perdi tanto, ganhei, eu saí de casa moleque, briguei, perdi tanto, meu pai era assim, eu tinha um irmão, bote fé, hoje na sinuca eu sou um cobra. Horas, horas. O menino ouvia, depois tirava a roupa de Paraná. Cada um na sua cama. Luz acesa. Um falava, outro ouvia. Já tarde, com muita cerveja na cabeça, é que Paraná se alterava:

– Se algum te põe a mão... se abre! Qu'eu ajusto ele.

Paraná às vezes mostrava mesmo a tipos bestas o que era a vida.

O menino sabia que Paraná topava o jeito dele. E nunca lhe havia tirado dinheiro.

Só por último é que ele passava os dias fora, girando. Era aquela tal Nora e era a sinuca. A sinuca, então... Paraná entrava pelas noites, varava madrugada, em volta da mesa. Voltava quebrado, voltava que voltava verde, se estirava na cama, dormia quase um dia, e não queria que o menino o acordasse.

Só por último é que andava com fulanos bem vestidos, pastas bonitas debaixo do braço. Mãos finas, anéis, sapatos brilhando. Provavelmente seriam sujeitos importantes, cobras de outros cantos. O menino nunca se metera a perguntar quem fossem, porque davam-lhe grojas muito grandes, à toa, à toa. Era só levar um recado, buscar um maço de cigarros... Os homens escorregavam uma de cinco, uma de dez. Uma sopa. Ademais, Paraná não gostava de curioso. Mas eram diferentes de Paraná, e o menino não os topava muito.

Ele sempre sentia um pouco de medo quando Paraná estava girando longe. Fechava-se, metia um troço pesado atrás da porta. Ficava até tarde, olhando os cavalos da revista de turfe de Paraná. Muito altos, espigados, as canelas brancas, tão superiores ao burro Moreno de Seu Aluísio padeiro. Só com os soldados, à noite, é que via coisa igual. Fortes e limpos. Fazendo um barulhão nos paralelepípedos.

– Que panca!

Muita vez, sonhava com eles.

◆

Havia Lúcia, a menina branca e havia Seu Aluísio padeiro. Gostavam dele. O resto eram pessoas que passavam na Rua João Teodoro com muita pressa. Também um meganha que vinha engraxar os coturnos. Dava sempre gorjeta. Esse, entretanto, não falava muito.

Lúcia era menor que ele e brincava o dia todo de velocípede pela calçada. Quando alguma coisa engraçada acontecia, eles riam juntos. Depois, conversavam. Ela se chegava à caixa de engraxate. O menino gostava de conversar com ela, porque Lúcia lhe fazia imaginar uma porção de coisas suas desconhecidas: a casa dos bichos, o navio e a moça que fazia ginástica em cima duma balança – que o pai dela chamava de trapézio. Na sua cabeça, o menino atribuía à moça um montão de qualidades magníficas.

Seu Aluísio vivia brincando com todas as crianças que encontrava. Era só ver criança. Uma conversa gozada, mexendo na cara o bigode poento. Piadas sem graça, chochas. O menino gostava era do jeito que Seu Aluísio tinha para contá-las. Terminava e ria primeiro que os ouvintes. Paraná deixava que o menino se entretivesse com ele.

Para o menino, todas as outras pessoas eram tristes, atarefadas na pressa da Rua João Teodoro. Afobadas e sem graça.

Frio. Quando terminou a Duque de Caxias na Avenida São João. O pedaço de jornal com que Paraná fizera a palmilha, não impedia a friagem do asfalto. Compreendeu que os prédios, agora, não iriam tapar o vento batendo-lhe na cara e nas pernas. Andou um pouco mais depressa. Olhava para as luzes do centro da avenida, bem em cima dos trilhos dos bondes, e pareceu-lhe que elas não iriam acabar-se mais. Gostoso olhá-las.

Que bom se tomasse um copo de leite quente! Leite quente, como era bom! Lá na Rua João Teodoro podia tomar leite todas as tardes. E quente. Mas precisava agora era andar, não perder a atenção.

– Paraná já deve tá na boca de espera.

O menino preto tinha um costume: quando sozinho, falar. Comparava os cavalos taludos e a moça da ginástica e as coisas da Rua João Teodoro. Desnecessário conhecer coisas para comparar. Cuidava que os outros não o surpreendessem nos solilóquios. Desagradável ser pilhado. Impressão de todos saberem o que se passava com ele – pensamento e fala. Paraná também achava que aquilo era mania de gente boba. É. Não devia. Mas era muito bom. O menino se achava muito bem, quando podia estar daquele jeito.

Eta frio! Tinha medo. Alguém poderia vê-lo sacar uma de dez. Que vontade! Arriscou. Num bar da Marechal Deodoro. Entrou sorrateiro, encostou-se ao balcão. Só um casal numa mesa, falando baixinho e bebendo cerveja. Tremelicou, bebeu, pegou o troco, duas horas no relógio do bar. Cansado, com sono. Por que diabo todos os relógios não eram como aquele, grande e fácil? Entretanto, não se deteve nesses e noutros pensamentos. Mais meia hora de chão, e se Paraná não viesse?... Teria que acordar muito cedo. Escapulir bem escapulido para os caras que compraram o ferro-velho do Diogo não perceberem. Apalpou o embrulhinho branco. Repetiu o exercício muitas vezes. Não haveria de perdê-lo. Levava a manta embrulhada como se carregasse um livro. As perninhas pretas começavam a doer.

– Mas que frio!

Lúcia contava que navios apitavam mais sonoros que chaminés. Enormes. Gente e mais gente dentro deles. Iam e vinham no mar. O mar... Ele não sabia. Seria, sem dúvida, também uma coisa bonita. Quando Seu Aluísio ria, o bigode se abria, parecia que ia sair da cara. É. Mas o burro Moreno não chegava nem aos pés dos cavalos da revista.

– Cavalo não tem pé.

Quem é que lhe falara assim uma vez? Esforçou-se, não lembrava. Somente se lembrou de que Paraná talvez estivesse esperando e apertou o passo. Vento. O pezinho direito subia e descia na calçada e o menino sentia muito frio. Meteu também o embrulho da manta entre a camisa e o suspensório. Mãos nos bolsos.

Evitava os olhares dos guardas. A avenida teria muitos, era preciso, quem sabe, desguiar. Enfiar-se, talvez, pelas ruas transversais. Mas temeu se perder nas tantas travessas e não encontrar a igreja das Perdizes. Ia tremelicando, mas ia.

– Cavalo não tem pé.

Quem é que falara assim uma vez?

Largo Padre Péricles. Igreja das Perdizes. Suspirou. Estava perto. Por ali ninguém. Tudo dormindo. Só motoristas de praça que ouviam rádio baixinho, cabeça deitada no volante. Deveria ser bom ficar como eles... Ou tocando pra baixo e pra cima num carrão daqueles. Vida boa. Nenhum vagabundo dormindo nas portas da igreja.

– E Paraná?

Parou, pensou um pouco. Perplexo, pareceu-lhe a princípio estar fazendo coisa errada, não indo procurar Paraná noutro canto. Vasculhar outros lados. E se não estivesse no ferro-velho? Um pressentimento desusado passou-lhe pela cabecinha preta. Guarda-noturno surgindo no largo. O menino andou.

Logo que começou a descer a Água Branca veio-lhe um pouco de fome e uma vontade maluca de urinar. Ali não dava. Se viesse alguém...

Já seriam duas e pouco.

Frio. Canseira. As casas enormes esguelhavam a avenida muito larga. Pela Avenida Água Branca o menino preto ia encolhido. Só dez anos. No tênis furado entrando umidade. Os autos eram poucos, mas corriam, corriam aproveitando a descida longa. Tão firmes que pareciam homens. O menino ia só.

Na segunda travessa, topou um cachorro morto. Longe, já o divisara. Assustou-se com as deformações daquele corpo na beirada do asfalto. Analisou-o de largo, depois marchou.

– O coitado engraxou alguma roda.

Ficou com pena do cachorro. Deveria estar duro, a dor no desastre teria sido muito forte. Não o olhou muito, que talvez Paraná estivesse no ferro-velho. Seguiu. A vontade forte ia com ele.

O muro pareceu-lhe menos alto e menos difícil de pular do que advertira Paraná. O menino procurou o homem por todos os lados. Depois, chamou-o. Abafava os sons com a mão, medroso de que alguém, fora, passasse. Chamou-o. Nada de Paraná. E se os guardas tivessem... Uma dor fina apertou seu coração pequeno. Ele talvez não veria mais Paraná. Nem Rua João Teodoro. Nem Lúcia.

— Para-naaá...

Repulou o muro. Ainda olhou para a avenida. Frio. Queria ver um vulto. Ninguém. Não havia nada. Só um ônibus lá em cima, que dobrava o largo, como quem vai para os lados da Vila Pompeia. Então, desistiu. Agarrou-se com esperança à ideia de que Paraná era muito vivo. Guarda não podia com ele. Sorriu. Pulou de novo. Achou a tarimba prontinha. Tateou o embrulhinho branco. No escuro, sem lua, os pedaços de folha de flandres era o que de melhor aparecia. Abriu a manta verde, se enrolou, se esticou, ajeitou-se. Pensou numas coisas. Olhando o mundão de ferrugem que ali se amontoava. Não se ouvia um barulho.

— Cavalo não tem pé.

Onde lhe haviam dito aquilo? Não se lembrava, não se lembrava. Coitado do cachorro! Amassado, todo torto na avenida. Também, os automóveis corriam tanto... Frio, o vento era bravo. Sentia ainda o gosto bom do leite. Onde diabo teria se enfiado Paraná? Ah, mas não haveria de meter o bico no embrulhinho branco!

Nem Nora. Muito importante. Paraná é que sabia, Nora não. Um arrepio. Que frio danado! Entrava nos ossos. Embrulhou-se mais no casacão e na manta. Fome, mas não era muito forte. O que não aguentava era aquela vontade. Lembrou-se de que precisava se acordar muito cedo. Bem cedo. Que era para os homens do ferro-velho não desconfiarem. Lúcia, branca e muito bonita, sempre limpinha. Sono. Esfregou os olhos. O embrulhinho branco de Paraná estava bem apertado nos braços. Entre o suspensório e a camisa. Que bom se sonhasse com cavalos patoludos ou com a moça que fazia ginástica! Contudo, não aguentava mais a vontade. Abriu o casacão.

Então, o menino foi para junto do muro e urinou.

[De *Malagueta, Perus e Bacanaço*. Rio, Civilização Brasileira, 1963.]

MOACYR J. SCLIAR

Nasceu em Porto Alegre, em 23 de março de 1937. Formado em Medicina, em 1962. Foi membro da Academia Brasileira de Letras. Faleceu em Porto Alegre em 2011.

OBRAS :

Histórias de um Médico em Formação. Porto Alegre: Difusão, 1962. (contos)
O Carnaval dos Animais. Porto Alegre: Movimento, 1968. (contos)
A Guerra no Bom Fim. Rio de Janeiro: Expressão e Cultura, 1972. (romance)
O Exército de um Homem Só. Rio de Janeiro: Expressão e Cultura, 1973. (novela)
Os Deuses de Raquel. Rio de Janeiro: Expressão e Cultura, 1975. (romance)
O Ciclo das Águas. Porto Alegre: Globo, 1975. (romance)
Mês de Cães Danados. Porto Alegre: L&PM, 1977. (romance)
A Balada do Falso Messias. São Paulo: Ática, 1976. (contos)
Histórias da Terra Trêmula. São Paulo: Escrita, 1976. (contos)
O Anão no Televisor. Porto Alegre: Globo, 1979. (contos)
Doutor Miragem. Porto Alegre: L&PM, 1979. (romance)
Os Voluntários. Porto Alegre: L&PM, 1979. (romance)
O Centauro no Jardim. Rio de Janeiro: Nova Fronteira, 1980. (romance)

Max e os Felinos. Porto Alegre: L&PM, 1981. (romance)

A Estranha Nação de Rafael Mendes. Porto Alegre: L&PM, 1983. (romance)

O Olho Enigmático. Rio de Janeiro: Guanabara, 1986. (contos)

Cenas da Vida Minúscula. Porto Alegre: L&PM, 1991. (romance)

Sonhos Tropicais. São Paulo: Companhia das Letras, 1992. (romance)

O Amante da Madonna. Porto Alegre: Mercado Aberto, 1997. (contos)

Os Contistas. Rio de Janeiro: Ediouro, 1997. (contos)

A Majestade do Xingu. São Paulo: Companhia das Letras, 1997. (romance)

Histórias para (quase) Todos os Gostos. Porto Alegre: L&PM, 1998. (contos)

A Mulher Que Escreveu a Bíblia. São Paulo: Companhia das Letras, 1999. (romance)

Os Leopardos de Kafka. São Paulo: Companhia das Letras, 2000. (romance)

Pai e Filho, Filho e Pai. Porto Alegre: L&PM, 2002. (contos)

Mistérios de Porto Alegre. Porto Alegre: Artes & Ofícios, 2004. (contos)

Uma História Farroupilha. Porto Alegre: L&PM, 2004. (romance)

Na Noite do Ventre, o Diamante. Rio de Janeiro: Objetiva, 2005. (romance)

Os vendilhões do tempo. São Paulo: Companhia das Letras, 2006. (romance)

Manual da Paixão solitária. São Paulo: Companhia das Letras, 2008. (romance)

Amor em Texto, Amor em Contexto. Campinas: Ed. Papyrus, 2008. (em colaboração com Ana Maria Machado; romance)

Eu vos abraço, milhões. São Paulo: Companhia das Letras, 2010. (romance)

Antologias:

Os Melhores Contos de Moacyr Scliar. São Paulo: Global, 1984. (antologia de contos)
Dez Contos Escolhidos. Brasília, Horizonte: 1984. (antologia de contos)
Contos Reunidos. São Paulo: Companhia das Letras, 1995. (antologia de contos)

Ficção infanto-juvenil

A Festa no Castelo. Porto Alegre: L&PM, 1982.
Memórias de um Aprendiz de Escritor. São Paulo: Cia. Editora Nacional, 1984.
Introdução à Prática amorosa. São Paulo: Scipione, 1988. (Republicado como *Aprendendo a Amar e a Curar.* São Paulo: Scipione, 2003)
Pra Você Eu Conto. São Paulo: Atual, 1991.
Éden-Brasil. São Paulo: Companhia das Letras, 2002.
O menino e o bruxo. São Paulo: Ática, 2007.
Entre outros.

Sobre o autor:

Livros:

Regina Zilberman e Zilá Bernd (orgs.) *O Viajante Transcultural. Leituras da obra de Moacyr Scliar.* Porto Alegre: Edipucrs, 2004.
Szklo, Gilda Salem. *O Bom Fim do Shtetl: Moacyr Scliar.* São Paulo: Perspectiva, 1990 (coleção debates, v.231)

Artigos e ensaios:

Martins, Wilson. *In:* Suplemento Literário de *O Estado de S. Paulo*, 13-6-1970.
Lucas, Fábio. *O Caráter Social da Literatura Brasileira.* Rio de Janeiro: Paz e Terra, 1970.
Hecker Filho, Paulo. *In*: "Caderno de Sábado", *Correio do Povo*, Porto Alegre, 1-7-1972.

César, Guilhermino. *In*: "Caderno de Sábado", *Correto do Povo,* Porto Alegre, 2-6-1973.
Coutinho, Carlos Nelson. *In: Visão,* 14-5-73.
Silverman, Malcolm. "A ironia na obra de Moacyr Scliar". *In: Moderna Ficção Brasileira.* Brasília: INL, 1978, pp. 170-189.
Vogt, Carlos. "A solidão dos Símbolos: uma leitura da obra de Moacyr Scilar". *In:* Vogt, Carlos *et alii. Ficção em Debate e Outros Temas.* São Paulo: Duas Cidades, 1979, pp. 71-80.

PAUSA

Moacyr Scliar

Às sete horas o despertador tocou. Samuel saltou da cama, correu para o banheiro, fez a barba e lavou-se. Vestiu-se rapidamente e sem ruído. Estava na cozinha, preparando sanduíches, quando a mulher apareceu, bocejando:

– Vais sair de novo, Samuel?

Fez que sim com a cabeça. Embora jovem, tinha a fronte calva; mas as sobrancelhas eram espessas, a barba, embora recém-feita, deixava ainda no rosto uma sombra azulada. O conjunto era uma máscara escura.

– Todos os domingos tu sais cedo – observou a mulher com azedume na voz.

– Temos muito trabalho no escritório – disse o marido, secamente. Ela olhou os sanduíches:

– Por que não vens almoçar?

– Já te disse: muito trabalho. Nao há tempo. Levo um lanche.

A mulher coçava a axila esquerda. Antes que voltasse à carga, Samuel pegou o chapéu:

– Volto de noite.

As ruas ainda estavam úmidas de cerração. Samuel tirou o carro da garagem. Guiava vagarosamente; ao longo do cais, olhando os guindastes, as barcaças atracadas.

Estacionou o carro numa travessa quieta. Com o pacote de sanduíches debaixo do braço, caminhou apressadamente duas quadras. Deteve-se ao chegar a um hotel pequeno e sujo. Olhou para os lados e entrou furtivamente. Bateu com as chaves do carro no balcão, acordando um homenzinho que dormia sentado numa poltrona rasgada. Era o gerente. Esfregando os olhos, pôs-se de pé:

– Ah! seu Isidoro! Chegou mais cedo hoje. Friozinho bom este, não é? A gente...

– Estou com pressa, seu Raul – atalhou Samuel.

– Está bem, não vou atrapalhar. O de sempre. – Estendeu a chave.

Samuel subiu quatro lanços de uma escada vacilante. Ao chegar ao último andar, duas mulheres gordas, de chambre floreado, olharam-no com curiosidade:

– Aqui, meu bem! – uma gritou, e riu: um cacarejo curto.

Ofegante, Samuel entrou no quarto e fechou a porta à chave. Era um aposento pequeno: uma cama de casal, um guarda-roupa de pinho; a um canto, uma bacia cheia d'água, sobre um tripé. Samuel correu as cortinas esfarrapadas, tirou do bolso um despertador de viagem, deu corda e colocou-o na mesinha de cabeceira.

Puxou a colcha e examinou os lençóis com o cenho franzido; com um suspiro, tirou o casaco e os sapatos, afrouxou a gravata. Sentado na cama, comeu vorazmente quatro sanduíches. Limpou os dedos no papel de embrulho, deitou-se e fechou os olhos.

Dormir.

Em pouco, dormia. Lá embaixo, a cidade começava a mover-se: os automóveis buzinando, os jornaleiros gritando, os sons longínquos.

Um raio de sol filtrou-se pela cortina, estampou um círculo luminoso no chão carcomido.

Samuel dormia; sonhava. Nu, corria por uma planície imensa, perseguido por um índio montado a cavalo. No quarto abafado ressoava o galope. No planalto da testa, nas colinas do ventre, no vale entre as pernas, corriam. Samuel mexia-se e resmungava. Às duas e meia da tarde sentiu uma dor lancinante nas costas. Sentou-se na cama, os olhos esbugalhados: o índio acabava de trespassá-lo com a lança. Esvaindo-se em sangue, molhado de suor, Samuel tombou lentamente; ouviu o apito soturno de um vapor. Depois, silêncio.

Às sete horas o despertador tocou. Samuel saltou da cama, correu para a bacia, lavou-se. Vestiu-se rapidamente e saiu.

Sentado numa poltrona, o gerente lia uma revista.

– Já vai, seu Isidoro?

– Já – disse Samuel, entregando a chave. Pagou, conferiu o troco em silêncio.

– Até domingo que vem, seu Isidoro – disse o gerente.

– Não sei se virei – respondeu Samuel, olhando pela porta; a noite caía.

– O senhor diz isto, mas volta sempre – observou o homem, rindo. Samuel saiu.

Ao longo do cais, guiava lentamente. Parou, um instante, ficou olhando os guindastes recortados contra o céu avermelhado. Depois, seguiu. Para casa.

[De *O Carnaval dos Animais*, Porto Alegre, Ed. Movimento, 1963.]

NELIDA PIÑON

Nelida Piñon nasceu no Rio de Janeiro. Formou-se em Jornalismo pela Pontifícia Universidade Católica. Trabalhou como editora-assistente dos Cadernos Brasileiros e como correspondente do Brasil na revista latino-americana Mundo Nuevo. Estreou em 1961 com o romance *Guia-Mapa de Gabriel Arcanjo*. Foi professora visitante em várias universidades americanas. É membro da Academia Brasilieria, que presediu no biênio de 1996-97. Obteve vários prêmios, entre os quais se destacam o Premio Juan Rulfo (1995) e o Príncipe de Asturias (2005).

OBRAS:

Guia-mapa de Gabriel Arcanjo. Rio de Janeiro: Edições GRD, 1961. (romance).
Madeira Feita Cruz. Rio de Janeiro: Edições GRD, 1963. (romance).
Tempo das Frutas. Rio de Janeiro: José Álvaro Editor, 1966. (contos).
Fundador. Rio de Janeiro: José Álvaro Editor, 1969 (romance).
A Casa da Paixão (romance). Rio de Janeiro: Editora Sabiá, 1972. (romance)
Sala de Armas. Rio de Janeiro: José Olympio Editora, 1973. (contos).
Tebas do Meu Coração. Rio de Janeiro: José Olympio, 1974. (romance).
A Força do Destino. Rio de Janeiro: Editora Record, 1977. (romance)

O Calor das Coisas. Rio de Janeiro: Editora Nova Fronteira, 1980. (contos).

A República dos Sonhos. Rio de Janeiro: Francisco Alves, 1984. (romance).

A Doce Canção de Caetana. Rio de Janeiro: Editora Guanabara, 1987. (romance).

O Pão de Cada Dia. Rio de Janeiro: Nova Fronteira, 1994. (fragmentos).

A Roda do Vento. São Paulo: Ática, 1996 (romance infanto-juvenil).

O Cortejo do Divino e outros Contos Escolhidos. Porto Alegre, 1999. (contos).

Vozes do Deserto. Rio de Janeiro: Record, 2004. (romance).

Sobre a autora:

Livros:

Moniz, Naomi Hoki. *As viagens de Nélida*. Campinas, SP: Editora da UNICAMP, 1993.

Marreco, Maria Inês de Moraes. *Visões caleidoscópicas da memória em Lygia Fagundes Telles e Nélida Piñon*. Jundiaí, SP: Paco Editorial, 2013. Nascimento, Dalma Braune Portugal do. *Antígonas da modernidade (performances femininas na vida real e na ficção literária)*. Rio de Janeiro: Tempo Brasileiro, 2014.

Artigos e ensaios:

Mendes González, Ledy. "Entrevista com Nélida Piñon.". *In: Jornal do Comércio*, Rio de Janeiro, 11-9-1966.

Barroso, Maria Alice. "Nota Prévia" a *Tempo das Frutas*. Rio de Janeiro: José Álvaro Ed., 1966.

Zagury, Eliane. *A Palavra e os Ecos*. Petrópolis: Vozes, 1971.

Lara, Cecília de. "O Indevassável Casulo – uma leitura de *A República dos Sonhos*". *Revista do Instituto de Estudos Brasileiros*, nº 27, Universidade de São Paulo, São Paulo, 1987, p. 27-36

Fuentes, Carlos. «Nélida Piñon dans la république des rêves». *In: Géographie du Roman*. Paris: Éditions Gallimard, 1997, p. 197-202.

Castañón, Adolfo. "Nélida Piñon: La casa de los destinos cruzados". *In: América sintaxis*. México: Editorial Aldus, 2000.

COLHEITA

Nelida Piñon

    Um rosto proibido desde que crescera. Dominava as paisagens no modo ativo de agrupar frutos e os comia nas sendas minúsculas das montanhas, e ainda pela alegria com que distribuía sementes. A cada terra a sua verdade de semente, ele se dizia sorrindo. Quando se fez homem encontrou a mulher, ela sorriu, era altiva como ele, embora seu silêncio fosse de ouro, olhava-o mais do que explicava a história do universo. Esta reserva mineral o encantava e por ela unicamente passou a dividir o mundo entre amor e seus objetos. Um amor que se fazia profundo a ponto de se dedicarem a escavações, refazerem cidades submersas em lava.

    A aldeia rejeitava o proceder de quem habita terras raras. Pareciam os dois soldados de uma fronteira estrangeira, para se transitar por eles, além do cheiro da carne amorosa, exigiam eles passaporte, depoimentos ideológicos. Eles se preocupavam apenas com o fundo da terra, que é o nosso interior, ela também completou seu pensamento. Inspirava-lhes o sentimento a conspiração das raízes que a própria árvore, atraída pelo sol e exposta à terra, não podia alcançar, embora se soubesse nelas.

    Até que ele decidiu partir. Competiam-lhe andanças, traçar as linhas finais de um mapa cuja composição havia se iniciado e ele sabia hesitante. Explicou à mulher que para a amar melhor não dispensava o mundo, a transgressão das leis, os distúrbios dos pássaros migratórios.

Ao contrário, as criaturas lhe pareciam em suas peregrinações simples peças aladas cercando alturas raras.

Ela reagiu, confiava no choro. Apesar do rosto exigir naqueles dias uma beleza esplêndida a ponto dele pensar estando o amor com ela por que buscá-lo em terras onde dificilmente o encontrarei, insistia na independência. Sempre os de sua raça adotaram comportamento de potro. Ainda que ele em especial dependesse dela para reparar certas omissões fatais.

Viveram juntos todas as horas disponíveis até a separação. Sua última frase foi simples: com você conheci o paraíso. A delicadeza comoveu a mulher, embora os diálogos do homem a inquietassem. A partir desta data trancou-se dentro de casa. Como os caramujos que se ressentem com o excesso da claridade. Compreendendo que talvez devesse preservar a vida de modo mais intenso, para quando, ele voltasse. Em nenhum momento deixava de alimentar a fé, fornecer porções diárias de carpas oriundas de águas orientais ao seu amor exagerado.

Em toda a aldeia a atitude do homem representou uma rebelião a se temer. Seu nome procuravam banir de qualquer conversa. Esforçavam-se em demolir o rosto livre e sempre que passavam pela casa da mulher faziam de conta que jamais ela pertencera a ele. Enviavam-lhe presentes, pedaços de toicinho, cestas de pera, e poesias esparsas. Para que ela interpretasse através daqueles recursos o quanto a consideravam disponível, sem marca de boi e as iniciais do homem em sua pele.

A mulher raramente admitia uma presença em sua casa. Os presentes entravam pela janela da frente, sempre aberta para que o sol testemunhasse a sua própria vida, mas abandonavam a casa pela porta dos fundos, todos aparentemente intocáveis. A aldeia ia lá para inspecionar os objetos que de algum modo a presenciaram e eles não, pois dificilmente aceitavam a rigidez dos costumes. Às vezes ela se socorria de um parente, para as compras indispensáveis. Deixavam eles então os pedidos aos seus pés, e na rápida passagem pelo interior da casa procuravam a tudo investigar. De certo modo ela consentia para que vissem o homem ainda imperar nas coisas sagradas daquela casa.

Jamais faltou uma flor diariamente renovada próxima ao retrato do homem. Seu semblante de águia. Mas, com o tempo, além de mudar a cor do vestido, antes triste agora sempre vermelho, e alterar o penteado, pois decidira manter os cabelos curtos, aparados rentes à cabeça decidiu por eliminar o retrato. Não foi fácil a decisão. Durante dias rondava o retrato, sondou os olhos obscuros do homem, ora o condenava, ora o absolvia: porque você precisou da sua rebeldia, eu vivo só, não sei se a guerra tragou você, não sei sequer se devo comemorar sua morte com o sacrifício da minha vida.

Durante a noite, confiando nas sombras, retirou o retrato e o jogou rudemente sobre o armário. Pôde descansar após a atitude assumida. Acreditou deste modo poder provar aos inimigos que ele habitava seu corpo independente da homenagem. Talvez tivesse murmurado a algum dos parentes, entre descuidada e oprimida, que o destino da mulher era olhar o mundo e sonhar com o rei da terra.

Recordava a fala do homem em seus momentos de tensão. Seu rosto então igualava-se à pedra, vigoroso, uma saliência em que se inscreveria uma sentença, para permanecer. Não sabia quem entre os dois era mais sensível à violência. Ele que se havia ido, ela que tivera que ficar. Só com os anos foi compreendendo que se ele ainda vivia tardava em regressar. Mas, se morrera, ela dependia de algum sinal para providenciar seu fim. E repetia temerosa e exaltada: algum sinal para providenciar meu fim. A morte era uma vertente exagerada, pensou ela olhando o pálido brilho das unhas, as cortinas limpas, e começou a sentir que unicamente conservando a vida homenagearia aquele amor mais pungente que búfalo, carne final da sua espécie, embora tivesse conhecido a coroa quando das planícies.

Quando já se tornava penoso em excesso conservar-se dentro dos limites da casa, pois começara a agitar nela uma determinação de amar apenas as coisas venerandas, fossem pó, aranha, tapete rasgado, panela sem cabo, como que adivinhando ele chegou. A aldeia viu o modo dele bater na porta com a certeza de se avizinhar ao paraíso. Bateu três vezes, ela não respondeu. Mais três e ela, como que tangida à reclusão, não admitia estranhos. Ele ainda herói bateu algumas vezes mais, até que gritou seu nome, sou eu, então não vê, então não sente ou já não vive mais, serei eu logo o único a cumprir a promessa?

Ela sabia agora que era ele. Não consultou o coração para agitar--se, melhor viver a sua paixão. Abriu a porta e fez da madeira seu escudo. Ele imaginou que escarneciam da sua volta, não restava alegria em quem o recebia. Ainda apurou a verdade: se não for você, nem preciso entrar. Talvez tivesse esquecido que ele mesmo manifestara um dia que seu regresso jamais seria comemorado, odiaria o povo abundante na rua vendo o silêncio dos dois após tanto castigo.

Ela assinalou na madeira a sua resposta. E ele achou que devia surpreendê-la segundo o seu gosto. Fingia a mulher não perceber seu ingresso casa adentro, mais velho sim, a poeira colorindo original as suas vestes. Olharam-se como se ausculta a intrepidez do cristal, seus veios limpos, a calma de perder-se na transparência. Agarrou a mão da mulher, assegurava-se de que seus olhos, apesar do pecado das modificações, ainda o enxergavam com o antigo amor, agora mais provado.

Disse-lhe: voltei. Também poderia ter dito: já não te quero mais. Confiava na mulher, ela saberia organizar as palavras expressas com descuido. Nem a verdade ou sua imagem contrária, denunciaria seu hino interior. Deveria ser como se ambos conduzindo o amor jamais o tivessem interrompido.

Ela o beijou também com cuidado. Não procurou sua boca e ele se deixou comovido. Quis somente sua testa, alisou-lhe os cabelos. Fez-lhe ver o seu sofrimento, fora tão difícil que nem seu retrato pôde suportar. Onde estive então nesta casa, ele perguntou. Procure e em achando haveremos de conversar. O homem se sentiu atingido por tais palavras. Mas as peregrinações lhe haviam ensinado que mesmo para dentro de casa se trazem os desafios.

Debaixo do sofá, da mesa, sobre a cama, entre os lençóis, mesmo no galinheiro, ele procurou, sempre prosseguindo, quase lhe perguntava: estou quente ou frio. A mulher não seguia suas buscas, agasalhada em um longo casaco de lã, agora descascava batatas imitando as mulheres que encontram alegria neste engenho. Esta disposição da mulher como que o confortava. Em vez de conversarem, quando tinham tanto a se dizer, sem querer eles haviam começado a brigar. E procurando ele pensava onde teria estado quando ali não estava, ao menos visivelmente pela casa.

Quase desistindo encontrou o retrato sobre o armário, o vidro da moldura todo quebrado. Ela tivera o cuidado de esconder seu rosto entre cacos de vidro, quem sabe tormentas e outras feridas mais. Ela o trouxe pela mão até a cozinha. Ele não se queria deixar ir. Então, o que queres fazer aqui? Ele respondeu: quero a mulher. Ela consentiu. Depois porém ela falou: agora me siga até a cozinha.

– O que há na cozinha?

Deixou-o sentado na cadeira. Fez a comida, se alimentaram em silêncio. Depois limpou o chão, lavou os pratos, fez a cama recém-desarrumada, tirou o pó da casa, abriu todas as janelas, quase sempre fechadas naqueles anos de sua ausência. Procedia como se ele ainda não tivesse chegado, ou como se jamais houvesse abandonado a casa, mas se faziam preparativos sim de festa. Vamos nos falar ao menos agora que eu preciso? ele disse.

– Tenho tanto a lhe contar. Percorri o mundo, a terra, sabe e além do mais.

Eu sei, ela foi dizendo depressa, não consentindo que ele dissertasse sobre a variedade da fauna, ou assegurasse a ela que os rincões distantes ainda que apresentem certas particularidades de algum modo são próximos a nossa terra, de onde você nunca se afastou porque você jamais pretendeu a liberdade como eu. Não deixando que lhe contasse sim que as mulheres embora louras, pálidas, morenas e de pele de trigo, não ostentavam seu cheiro, a ela ele a identificaria mesmo de olhos fechados. Não deixando não que ela soubesse das suas campanhas: andou a cavalo, trem, veleiro, mesmo helicóptero, a terra era menor do que supunha, visitara a prisão, razão de ter assimilado uma rara concentração de vida que em nenhuma parte senão ali jamais encontrou, pois todos os que ali estavam não tinham outro modo de ser senão atingindo diariamente a expiação.

E ela, não deixando ele contar o que fora o registro da sua vida, ia substituindo com palavras dela então o que ela havia sim vivido. E de tal modo falava como se ela é que houvesse abandonado a aldeia, feito campanhas abolicionistas, inaugurado pontes, vencido domínios marítimos, conhecido mulheres e homens, e entre eles se perdendo, pois quem sabe não seria de sua vocação reconhecer pelo amor as criaturas. Só que ela falando dispensava semelhantes assuntos, sua riqueza era enumerar com volúpia os afazeres diários a que estivera confinada desde a sua partida, como limpava a casa ou inventara um prato talvez de origem dinamarquesa, e o cobriu de verdura, diante dele fingia-se coelho, logo assumindo o estado que lhe trazia graça, alimentava-se com a mão e sentia-se mulher; como também simulava escrever cartas jamais enviadas pois ignorava onde encontrá-lo: o quanto fora penoso decidir-se sobre o destino a dar a seu retrato, pois ainda que praticasse a violência contra ele, não podia esquecer que o homem sempre estaria presente; seu modo de descascar frutas, tecendo delicadas combinações de desenho sobre a casca, ora pondo em relevo um trecho maior da polpa, ora deixando o fruto revestido apenas de rápidos fiapos de pele; e ainda a solução encontrada para se alimentar sem deixar a fazenda em que sua casa se convertera, cuidara então em admitir unicamente os de seu sangue sob a condição da rápida permanência, o tempo suficiente para que eles vissem que apesar da distância do homem ela tudo fazia para homenageá-lo, alguns da aldeia porém, que ele soubesse agora, teimaram em lhe fazer regalos, que se antes a irritavam, terminaram por agradá-la.

— De outro modo, como vingar-me deles?

Recolhia os donativos, mesmo os poemas, e deixava as coisas permanecerem sobre a mesa por breves instantes, como se assim se comunicasse com a vida. Mas, logo que todas as reservas do mundo que ela pensava existirem nos objetos se esgotavam, ela os atirava à porta dos fundos. Confiava que eles próprios recolhessem o material para não deteriorar em sua porta.

E tanto ela ia relatando os longos anos de sua espera, um cotidiano que em sua boca alcançava vigor, que temia ele interromper um só momento o que ela projetava dentro da casa como se cuspisse pérolas, cachorros miniaturas, e uma grama viçosa, mesmo a pretexto de viver junto com ela as coisas que ele havia vivido sozinho. Pois quanto mais ela adensava a narrativa, mais ele sentia que além de a ter ferido com o seu profundo conhecimento da terra, o seu profundo conhecimento da terra afinal não significava nada. Ela era mais capaz do que ele de atingir a intensidade, e muito mais sensível porque viveu entre grades, mais voluntariosa por ter resistido com bravura aos galanteios. A fé que ele com neutralidade dispensara ao mundo a ponto de ser incapaz de recolher de volta para seu corpo o que deixara tombar indolente, ela soubera fazer crescer, e concentrara no domínio da sua vida as suas razões mais intensas.

À medida que as virtudes da mulher o sufocavam, suas vitórias e experiências iam se transformando em uma massa confusa, desorientada, já não sabendo ele o que fazer dela. Duvidava mesmo se havia partido, se não teria ficado todos estes anos a apenas alguns quilômetros dali, em degredo como ela, mas sem igual poder narrativo.

Seguramente ele não lhe apresentava a mesma dignidade, sequer soubera conquistar seu quinhão na terra. Nada fizera senão andar e pensar que aprendeu verdades diante das quais a mulher haveria de capitular. No entanto, ela confessando a jornada dos legumes, a confecção misteriosa de uma sopa, selava sobre ele um penoso silêncio. A vergonha de ter composto uma falsa história o abatia. Sem dúvida estivera ali com a mulher todo o tempo, jamais abandonara a casa, a aldeia, o torpor a que o destinaram desde o nascimento, e cujos limites ele altivo pensou ter rompido.

Ela não cessava de se apoderar das palavras, pela primeira vez em tanto tempo explicava sua vida, tinha prazer de recolher no ventre, como um tumor que coça as paredes íntimas, o som da sua voz. E enquanto ouvia a mulher, devagar ele foi rasgando seu retrato, sem ela o impedir, implorasse não, esta é a minha mais fecunda lembrança. Comprazia-se com a nova paixão, o mundo antes obscurecido que ela descobriu ao retorno do homem.

Ele jogou o retrato picado no lixo e seu gesto não sofreu ainda desta vez advertência. Os atos favoreciam a claridade e para não esgotar as tarefas a que pretendia dedicar-se, ele foi arrumando a casa, passou pano molhado nos armários, fingindo ouvi-la ia esquecendo a terra no arrebato da limpeza. E quando a cozinha se apresentou imaculada, ele recomeçou tudo de novo, então descascando frutas para a compota enquanto ela lhe fornecia histórias indispensáveis ao mundo que precisaria aprender, uma vez que a ele pretendia dedicar-se para sempre. Mas de tal modo agora arrebatava-se que parecia distraído, como pudesse dispensar as palavras encantadas da mulher para adotar afinal o seu universo.

[De *Sala de Armas*. Rio, Sabiá, José Olympio, 1973.]

LUIZ VILELA

Luiz Vilela nasceu em Ituiutaba, Minas Gerais, em 1943. Aos quinze anos foi para Belo Horizonte, onde fez o curso de Filosofia. Editou e dirigiu, na capital mineira, a revista Estória, dedicada ao conto, e um jornal literário, Texto. Em 1967 lançou seu primeiro livro de contos, Tremor de Terra, vencedor do Prêmio Nacional de Ficção, em Brasília. Foi redator e repórter do Jornal da Tarde de São Paulo e estagiário em um programa internacional de escritores em Iowa City (1968). Fundou, em 1973, a Editora Liberdade.

OBRAS:

Tremor de terra. Belo Horizonte: edição do autor, 1967. (contos)
No Bar. Rio de Janeiro: Bloch, 1968. (contos)
Tarde da Noite. São Paulo: Vertente, 1970. (contos)
Os Novos. Rio de Janeiro: Gernasa, 1971. (romance)
O Fim de Tudo. Belo Horizonte: Liberdade, 1973. (contos)
Lindas Pernas. São Paulo: Cultura, 1979. (contos)
O Inferno É Aqui Mesmo. São Paulo: Ática, 1979. (romance)
O Choro no Travesseiro. São Paulo: Cultura, 1979. (novela)
Entre Amigos. São Paulo: Ática, 1983. (romance)
Graça. São Paulo: Estação Liberdade, 1989. (romance)
Te Amo Sobre Todas as Coisas. Rio de Janeiro: Rocco, 1994. (novela)

A Cabeça. São Paulo: Cosac & Naify, 2002. (contos)
Bóris e Dóris. Rio de Janeiro: Record, 2006. (novela)
Perdição. Rio de Janeiro: Record, 2011. (romance)
Você Verá. Rio de Janeiro: Record, 2013. (contos)

ANTOLOGIAS:

Uma Seleção de Contos. São Paulo, Nacional, 1986. (antologia de contos)
Os Melhores Contos de Luiz Vilela. São Paulo: Global, 1988. (antologia de contos)
O Violino e Outros Contos. São Paulo, Ática, 1989. (antologia de contos)
Três Histórias Fantásticas. São Paulo, Scipione, 2009. (antologia de contos)
Entre outras antologias.

SOBRE O AUTOR:

LIVROS:

Majadas, Wania de Sousa. *O diálogo da compaixão na obra de Luiz Vilela*. Uberlândia: Rauer Livros, 2000.

ENSAIOS E RESENHAS:

Martins, Wilson. *In:* Suplemento Literário de *O Estado de S. Paulo*.
Pólvora, Hélio. "Contos fora de série". *In: Jornal do Brasil*, 23-12-1970.
Lucas, Fábio. *O Caráter Social da Literatura Brasileira*. Rio de Janeiro: Paz e Terra, 1970.
Linhares, Temístocles. *22 Diálogos, op. cit.*
Lepecki, Maria Lúcia. "Tarde da noite". *In: Colóquio/Letras*, nº 2, Lisboa, jun.1971.
Massi, Augusto. "O demônio do deslocamento". *In: Histórias de família*. São Paulo: Nova Alexandria, 2001.
Moisés, Carlos Felipe. "Luiz Vilela, contista". *In: Contos*. 2ª ed., São Paulo: Nankin, 2001.

EU ESTAVA ALI DEITADO

Luiz Vilela

eu estava ali deitado olhando através da vidraça as roseiras no jardim fustigadas pelo vento que zunia lá fora e nas venezianas de meu quarto e de repente cessava e tudo ficava tão quieto tão triste e de repente recomeçava e as roseiras frágeis e assustadas irrompiam na vidraça e eu estava ali o tempo todo olhando estava em minha cama com minha blusa de lã as mãos enfiadas nos bolsos os braços colados ao corpo as pernas juntas estava de sapatos Mamãe não gostava que eu deitasse de sapatos deixe de preguiça menino! mas dessa vez eu estava deitado de sapatos e ela viu e não falou nada ela sentou-se na beirada da cama e pousou a mão em meu joelho e falou você não quer mesmo almoçar?

eu falei que nao não quer comer nada? eu falei que não nem uma caminha assada daquelas que você gosta? com uma cebolinha de folha lá da horta um limãozinho uma pimentinha ela sorriu e deu uma palmadinha no meu joelho e eu também sorri mas falei que não não estava com a menor fome nem uma coisinha meu filho? uma coisinha só eu falei que não e então ela ficou me olhando e então ela saiu do quarto eu estava de sapatos e ela não falou nada ela não falaria nada meus sapatos engraxados bonitos brilhantes

ele não quer comer nada? escutei Papai perguntando e Mamãe decerto só balançou a cabeça porque nao escutei ela responder e agora eles estavam comendo em silêncio os dois sozinhos lá na mesa em silêncio o barulho dos garfos a casa quieta e fria e triste o vento zunindo lá fora e nas venezianas de meu quarto

— você precisa compreender isso, Carlos

— não posso, Miriam

— não daria certo não daria certo?

— nossos temperamentos não combinam

— nao é verdade

— assim será melhor para nós dois

não Miriam não é verdade Miriam não é certo Miriam não pode Miriam não pode não pode! ó meu Deus não pode

Papai estava parado à porta pensei que você estava dormindo ele falou eu sorri que vento hem! ele falou e eu olhei para a vidraça e lá estavam as roseiras frágeis e assustadas fustigadas pelo vento esse mês de junho é terrível ele falou ele estava parado no meio do quarto estava de pàletó e gravata e pulôver esfregava as mãos eu vou lá no Jorge você não quer ir também? ele ficou olhando para mim esperando não Papai dar uma volta não obrigado você vai virar sorvete aí dentro ele brincou e eu ri e ele riu e então ficou sério de novo esfregava as maos fiquei com pena dele eu sabia que ele queria me dizer alguma coisa sabia quase o que ele queria me dizer Mamãe devia ter dito a ele Artur chama o Carlos para dar uma volta e ele dissera isso mas agora era diferente era ele mesmo que queria me dizer alguma coisa e estava atrapalhado ficava atrapalhado quando queria conversar certas coisas com um filho e então esfregava as maos não era por causa do frio Carlos eu sei ' o que você está sentindo ele falou eu sei como é é muito aborrecido mesmo mas há coisas piores sabe? eu olhei para ele e então ele abaixou a cabeça e de novo estava atrapalhado e de novo eu fiquei com pena dele eu sei que você gosta muito dela eu sei eu sei que isso é muito aborrecido mas ele olhou para mim não se preocupe Papai eu falei nao precisa se preocupar nao é nada eu sei mas você não almoçou eu estava sem fome pois é e então nós dois ficamos calados ele tirou o relógio do bolso, e olhou as horas você nao quer ir mesmo no Jorge? ele perguntou e eu falei que não . então ele saiu do quarto escutei ele abrindo o portão e depois os passos dele na calçada o vento zunia lá fora eu estava olhando para os meus sapatos ela gostava deles assim engraxados bonitos brilhantes você é tao cuidadoso Carlos como gosto de você você não pode calcular o tanto que eu gosto de você se te acontecesse alguma coisa se te acontecesse alguma coisa não sei o que eu faria mas nao vai acontecer nada bem vai? não não vai não pode se te acontecesse alguma coisa acho que eu morreria eu gosto demais de você demais demais

  fechei os olhos e contei até quinhentos e recordei os nomes de todas as capitais do Brasil e da Europa e recordei os nomes de dezenas de rios e dezenas de montanhas e deitei de bruço e deitei do lado direito e deitei do lado esquerdo e deitei de bruço outra vez e pus o travesseiro em cima da cabeça e pus o travesseiro debaixo da cabeça e apertei a cabeça contra a parede e apertei mais ainda a cabeça,contra a parede e apertei tanto a cabeça contra a parede que ela doeu e então virei de. costas outra vez e enfiei as mãos nos bolsos colei os braços ao corpo juntei as pernas abri os olhos e estava de novo olhando através da vidraça as roseiras frágeis e assustadas fustigadas pelo. vento que zunia lá fora e nas venezianas de meu quarto

[De *No Bar*. Rio, Bloch, 1968.]

Impressão e acabamento:

tel.: 25226368